CW00953127

Contemporánea

Arturo Barea (Badajoz, 1897-Faringdon, Inglaterra, 1957), escritor autodidacta de honda raíz popular y periodista, es el autor de *La forja de un rebelde* (primera edición inglesa de 1941-1944; versión española de 1951), una autobiografía novelada en tres partes que ha sido reconocida universalmente como uno de los testimonios más estremecedores que se hayan escrito sobre la Guerra Civil española y sus antecedentes inmediatos. Parte de sus numerosos escritos inéditos fueron recogidos en el libro *Palabras recobradas. Textos inéditos* (2000), así como sus *Cuentos completos* (2001), junto a *La forja de un rebelde*, su obra más conocida.

Arturo Barea

La raíz rota

DEBOLS!LLO

Papel certificado por el Forest Stewardship Council®

Primera edición en Debolsillo: abril de 2019

Printed in Spain – Impreso en España

ISBN: 978-84-663-4882-9
Depósito legal: B-5.259-2019

Impreso en Novoprint
Sant Andreu de la Barca
(Barcelona)

P 3 4 8 8 2 9

Penguin
Random House
Grupo Editorial

Prólogo

El escritor exiliado Arturo Barea ha sido aclamado mundialmente por haber elaborado uno de los grandes testimonios personales sobre la España del primer tercio del siglo xx: su trilogía *La forja de un rebelde*.[1] El tomo inicial, *La forja*, publicado en 1941, relata su infancia en el barrio madrileño de Lavapiés a principios del siglo pasado; *La ruta*, que salió dos años después, se centra en su experiencia de la guerra colonial en Marruecos durante los años veinte, en la que conoció a muchos de los generales que se levantaron contra la Segunda República en julio de 1936; y el tomo final, *La llama*, que vio la luz en 1946, trata de la Guerra Civil, donde Barea, como jefe de censura de la prensa extranjera, no sólo fue testigo de la lucha del bando republicano desde dentro, sino que también se relacionó con escritores de la talla de Ernest Hemingway y John Dos Passos. Pero además en 1951 Barea, exiliado en Inglaterra desde 1939, publicó una cuarta y última novela, *La raíz rota*. En contraste con la trilogía, *La raíz rota* fue una novela, no una autobiografía novelada, y con ello un produc-

1. La única edición corregida de *La forja de un rebelde* en español es la de Debate (Madrid, 2000). La misma editorial ha sacado la única colección de la crítica literaria, charlas radiofónicas, reflexiones políticas e históricas, notas autobiográficas y cartas de Arturo Barea, *Palabras recobradas* (Madrid, 2000), y asimismo sus *Cuentos completos* (Madrid, 2001). Todas las obras mencionadas se editaron con prólogos de Nigel Townson.

to de la imaginación literaria del autor. En común con la trilogía, el escenario de *La raíz rota*, como en casi toda la obra de Barea, es España, en este caso el Madrid de 1949. De hecho, se puede ver la novela de 1951 como una continuidad de los tres tomos de 1941 a 1946, tanto en términos cronológicos como temáticos, e incluso en términos personales (el protagonista de la novela, Antolín Moreno, es, en muchos aspectos, un retrato apenas disimulado de sí mismo). Por ello, hay una innegable continuidad entre *La forja de un rebelde* y *La raíz rota*: no es casual que Barea hubiera pensado en un principio en denominar la trilogía «Las raíces». Publicado en inglés originalmente, *La raíz rota* apareció en español en 1955 gracias a Santiago Rueda Editor, en Argentina. Jamás ha sido publicado en España. Por tanto, el lector tiene entre sus manos la primera edición española de un libro no sólo imprescindible para comprender la obra de Arturo Barea en su totalidad, sino también de indiscutible valor a la hora de acercarse al desarraigo provocado por la tragedia más grande de la España del siglo xx: la Guerra Civil.

Nació Arturo Barea el 20 de septiembre de 1897 en Badajoz, pero a los dos meses su familia se marchó a Madrid debido a la muerte prematura del padre, un agente del servicio de reclutamiento. Una vez en la capital, la madre, Leonor, se puso a trabajar como criada en la casa de su hermano José y como lavandera en el río Manzanares, una ocupación que suministra la primera escena de *La forja*. A diferencia de sus tres hermanos, Arturo pasaba la semana con sus tíos de posición acomodada, que le matricularon en un colegio religioso, pero los fines de semana volvía al hogar familiar en el barrio obrero de Lavapiés. Esa vida entre dos mundos —el burgués de sus tíos y el obrero de su familia— condicionaría a Arturo de por vida, haciéndole sentir un desclasado, lo que repercutiría en su trabajo al dotarle de una notable capacidad de observación desde fuera.

El sueño del joven Arturo era ser ingeniero, pero el fallecimiento repentino de su tío le obligó a entrar en el mercado laboral a los trece años. Se dedicó a una amplia variedad de empleos, desde aprendiz de bisutería y mensajero sin sueldo de un banco hasta oficinista, agente comercial de un vendedor de diamantes y secretario del administrador de la empresa Hispano-Suiza. Aprovechando la herencia de su tío y el dinero que había acumulado como agente comercial, fundó una fábrica de juguetes (que, desgraciadamente, se hundió debido a la malversación de fondos de un pariente). La experiencia laboral inicial desembocó en una temprana militancia política: a principios de los años diez Arturo se afilió al sindicato socialista de la Unión General de Trabajadores. Por otra parte, se le había pegado «el microbio literario», en sus propias palabras, desde muy joven. Era «un lector furibundo» y publicó sus primeros escritos —cuentos y poemas— en la revista de su colegio. A los dieciséis años, asistía a los círculos literarios de los cafés de Madrid. No obstante, como explica Barea en unas notas autobiográficas, la necesidad de invertir más tiempo «a halagar y "dar coba" al maestro elegido que a escribir» y de dedicar «meses y años» a estas «bajezas y torturas mentales sin fin» para poder alcanzar algún puesto mal remunerado en un periódico chocó con «mi manera de ser».[2] Desilusionado, Barea abandonó la escena literaria, consciente de que sería difícil, si no imposible, ganarse la vida con la pluma.

Durante los primeros años de la década de 1920, Barea llevó a cabo su servicio militar en el Protectorado Español de Marruecos, la principal colonia del país. Allí, como narra en *La ruta*, fue testigo no sólo de la corrupción institucional de los oficiales «africanistas» y de sus flagrantes carencias militares, sino también de la horrenda situación del soldado raso. Asimismo, le impresionaron las desgracias y miserias que en esa etapa tuvo que padecer la población marroquí bajo el dominio español. Al mismo tiempo, se cruzó con muchos de los

---

2. Barea en Townson, ed., *Palabras recobradas*, p. 659.

insurgentes más destacados de julio de 1936, además del mismísimo dictador de los años veinte, el general Miguel Primo de Rivera.

En 1924, al volver a la vida civil, Barea se casó con Aurelia Grimaldos, con la que tuvo cuatro hijos. Ansioso de mantener a su familia, en la que se incluye a su madre (a la que dedicó tanto *La forja de un rebelde* como *La raíz rota*, lo que refleja su adoración por ella), se consagró al mundo de los negocios en vez de intentar la carrera de escritor. Al final de la década, Barea se había convertido en términos económicos en un buen burgués: director técnico de una importante empresa de patentes en la calle de Alcalá, que ganaba el dinero suficiente como para poder sustentar a la familia entera. Sin embargo, su matrimonio fue, como él mismo cuenta, «un fracaso deprimente» que le incitó a pasar cada vez más tiempo en su trabajo.[3]

La euforia popular que suscitó el advenimiento de la Segunda República, en abril de 1931, y la gran movilización política que caracterizó el período animaron a Barea a involucrarse de nuevo en el mundo sindical. Participó en la organización del Sindicato de Empleados de Oficinas de la UGT, aunque ese compromiso constituyó «una contradicción constante y amarga» con su actividad profesional.[4] En el momento del estallido de la Guerra Civil, en julio del 36, las publicaciones de Barea eran muy escasas: unos cuantos poemas y algunos cuentos. En este aspecto la Guerra Civil, el tema central de *La llama*, marca un antes y un después en su vida. En agosto de ese año, empezó a trabajar en la Oficina de Prensa de Censura Extranjera, lo cual le puso en contacto con periodistas y escritores de muchos países, incluyendo a Hemingway y Dos Passos.

El abandono de Madrid por parte del gobierno en noviembre de 1936 ante al avance de las tropas insurgentes, elevó a

3. Biographical Notes, archivo personal de Arturo Barea (Londres).
4. Barea en Townson, ed., *Palabras recobradas,* p. 657.

Barea a la Jefatura de la Censura de la Prensa Extranjera. Su ayudante en esa labor fue una socialista austríaca, Ilsa Kulcsar, que había venido a España, como muchos otros extranjeros, a defender la República contra el «fascismo». Inteligente, decidida y una lingüista excepcional (hablaba cinco idiomas), Ilsa prestó un auxilio profesional inestimable a Arturo, aparte de convertirse en su amante a las pocas semanas. De hecho, Barea estaba cada vez más agobiado por los interminables días de trabajo, los bombardeos incesantes, el hundimiento de su matrimonio y, por si esto fuera poco, «la lucha sorda» con la burocracia central en Valencia («a mi juicio fascistoide bajo capa revolucionaria», comenta amargamente).[5] Todo esto culminó en la primavera de 1937 en una crisis nerviosa. Arturo intentó superarla escribiendo. Publicó en el diario británico *The Daily Express* un cuento titulado *Esto se escribió bajo un bombardeo*, y en mayo de 1937 empezó a escribir y presentar *La voz incógnita de Madrid*, un programa radiofónico de tipo literario y propagandístico. Además, aprovechó mucho de este material para publicar, en 1938, su primer libro: *Valor y miedo*, una colección de cuentos, que relata la lucha de las clases populares contra el «fascismo».[6]

Tanto Arturo como Ilsa eran personas no gratas para el Partido Comunista de España y Barea tuvo que dimitir de su trabajo como censor y locutor radiofónico a finales de 1937. Peor aún, la enemistad del PCE obligó a la pareja a salir apresuradamente de España a principios de 1938, aunque tuvieran tiempo de casarse con anterioridad. Una vez en París, Barea siguió escribiendo, pero si en España lo había hecho como un «escape» a los bombardeos constantes, en Francia lo hizo para huir de la «lenta derrota» de la República y de «las más miserables de todas las situaciones». Por lo menos tuvo tiempo para

5. Barea en Townson, ed., *Palabras recobradas*, p. 657.
6. Los cuentos de *Valor y miedo* están incluidos en Townson, ed., *Cuentos completos*.

realizar un borrador de *La forja*. Sin embargo, los Barea decidieron marcharse de nuevo, esta vez debido al «declive interno» de Francia y ante la «inminente catástrofe» de la guerra europea. Dirigieron sus pasos hacia Inglaterra, donde tenían «amigos y esperanza», el mismo mes que la Guerra Civil española llegaba a su fin: marzo de 1939.[7] Qué duda cabe de que la Guerra Civil había transformado la vida de Arturo Barea: se había visto forzado a abandonar su trabajo, sus hijos y su país, se había casado de nuevo y, por último, había tomado la decisión de entregarse plenamente a la vida de escritor.

«Más de lo que esperaba —observó Arturo—, y más de lo que parecería previsible en un español, me aficioné a la vida inglesa en seguida, y me enamoré de la campiña inglesa.»[8] De hecho, fue en «la paz del *country*»[9] donde Barea encontró el sosiego que tanto había buscado para poder escribir. Su primer éxito fue un cuento titulado *A Spaniard in Hertfordshire* (*Un español en Hertfordshire*), que salió en junio de 1939 en la revista política semanal *The Spectator*.[10] El año siguiente, y gracias en gran parte a los esfuerzos de Ilsa, Arturo consiguió un contrato con la sección de América Latina del Servicio Mundial de la BBC. Tuvo que escribir y presentar una charla semanal, en general sobre algún aspecto cotidiano de la vida inglesa, y lo hizo bajo el pseudónimo de Juan de Castilla. Durante los años iniciales, el programa tuvo un objetivo propagandístico evidente: contrarrestar la propaganda nazi en aquel continente. Sin embargo, fue tal el éxito de estas alocuciones que el programa fue votado muchas veces como el más popular entre los oyentes de la sección de América Latina. Otra muestra de la buena acogida de los monólogos de Juan de Castilla fue el viaje que la BBC le organizó por Argentina, Uruguay y Chile en 1956, en el que

7. Biographical Notes, archivo personal de Arturo Barea, y Barea en Townson, ed., *Palabras recobradas*, p. 658.
8. Biographical Notes, archivo personal de Arturo Barea.
9. Barea en Townson, ed., *Palabras recobradas*, p. 658.
10. Incluido en Townson, ed., *Cuentos completos*.

dio numerosas conferencias y asistió a una multitud de homenajes y firmas de libros. En total Barea elaboró al menos 856 charlas durante los últimos dieciséis años de su vida, y el último programa se emitió el día antes de su fallecimiento. El trabajo de la BBC le proporcionó unos ingresos estables y, además, extendió su fama como escritor dentro del mundo hispano. Por ello, durante la gira de 1956 le festejaron no sólo por ser Juan de Castilla, sino por ser Arturo Barea, el escritor español exiliado.[11]

La salida en junio de 1941 de *La forja*, publicada por la editorial inglesa Faber & Faber, lanzó a Arturo Barea a la fama literaria. El poeta Stephen Spender, que había luchado al lado de la República durante la Guerra Civil, elogió la primera entrega de la trilogía por sus «grandes méritos artísticos» y su «sentimiento poético poco habitual». El periódico nacional más prestigioso, *The Times*, sentenció que «es dudoso que haya salido un retrato más convincente del yunque en que se forjó un rebelde». Cuando *La ruta* apareció en julio de 1943, el eminente crítico Cyril Connolly juzgó que el autor «piensa y siente clara y honestamente», lo que, en su opinión, «es algo que se encuentra raramente hoy en día». La publicación de *La llama* en febrero de 1946 entusiasmó tanto a George Orwell, cuyo libro *Homenaje a Cataluña* había relatado sus experiencias en las filas del ejército republicano, que afirmó que era «un libro excepcional» y «de un interés histórico considerable». En su conjunto, la trilogía, opinó otro crítico, era «una obra maestra española que ilumina toda una época histórica». Ese mismo año, las tres novelas autobiográficas salieron en Estados Unidos. en un solo tomo bajo el título genérico de *La forja de un rebelde* (*The Forging of a Rebel*), cuya traducción definitiva fue obra de Ilsa. La edición estadounidense vendió 4.000 ejemplares en el primer mes. Fue aclamada como una

11. Una selección de estas charlas se publicó por primera vez en Townson, ed., *Palabras recobradas*, pp. 215-483.

«obra maestra» y una «contribución invalorable para nuestro conocimiento de la España contemporánea, así como libro de enorme mérito literario». En su conjunto, aseveró el historiador Bertram Wolfe, era «una de las grandes autobiografías del siglo xx».[12] La primera edición en español salió en la editorial argentina Losada en 1951, vendiendo 10.000 ejemplares en pocos meses. Aunque durante la dictadura franquista circulaban ejemplares clandestinos de la trilogía —el libro estaba «muy en demanda» en la Sevilla de los años cincuenta, por ejemplo—[13] no vio la luz en España hasta la Transición, en 1978: es decir, unos treinta y siete años después de su publicación original.

Cinco años después de la trilogía salió la cuarta y última novela publicada por Arturo Barea: *La raíz rota* (o *The Broken Root* en la versión inglesa). Como en todos sus escritos —los cuentos, los ensayos, las críticas y los comentarios políticos— con la única excepción de los escritos periodísticos, el escenario de la obra es España, y más concretamente el Madrid de 1949. Con ello, hay una clara continuidad temática e incluso cronológica con *La forja de un rebelde*: si la trilogía abarca el período que va hasta el final de la Guerra Civil, *La raíz rota* se centra en los años posteriores. Las similitudes estilísticas y formales entre la trilogía y *La raíz rota* refuerzan esa continuidad. Las dos obras se distinguen por un estilo directo y sin pretensiones, por un método vivo e inmediato al describir los sitios, los sentimientos y los sucesos (aunque menos evidente en el caso del último libro), por su uso de la jerga madrileña y su conocimiento íntimo de la geografía local, y por su sinceridad psicológica y emocional.

Sin embargo, *La raíz rota* marca una ruptura radical en la obra de Barea. «Puedo hablar de lo que he visto, de lo que he

---

12.   Véanse mis introducciones a *La forja de un rebelde,* pp. ix-x, y a *The Forging of a Rebel* (Granta, Londres, 2001), p. vii.

13.   Carta de J. S. Bernstein, 9 de febrero de 1962, archivo personal de Arturo Barea.

vivido», afirma en una carta.[14] En otras palabras, como escritor Barea tuvo que trabajar desde la experiencia personal: los tres tomos de *La forja de un rebelde* se basan en el testimonio directo o la experiencia vivida. Por contraste, *La raíz rota* se elaboró de una forma indirecta, no vivida, desde la distancia del exilio. En un intento de subsanar esa gran laguna, Arturo hizo un esfuerzo considerable para informarse sobre la vida española de los años cuarenta, para poder reconstruirla de la manera más realista y convincente posible. Se documentó sobre la realidad social en España a través de las emisoras de radio y de su contacto con otros exiliados. También se informó a través de personas que habían estado en el país. Por ejemplo, entre los papeles de Barea hay un escrito de un ingeniero catalán, denominado H. H. Y, por supuesto, Barea sometió a todos sus amigos o conocidos que venían de España a un verdadero interrogatorio. Cuando dos sobrinas suyas, Leonor y Maruja, llegaron a Inglaterra en 1947, Arturo les hizo mil preguntas sobre la vida en Madrid.[15] En consecuencia, Barea admite en una nota al principio de *La raíz rota* que «los personajes de este libro son invención mía», pero hace hincapié en que «los detalles de la escena española y los episodios fuera del argumento del libro son auténticos y podrían comprobarse». Ese énfasis en el realismo de la reconstrucción del Madrid de 1949 es esencial en la dimensión autobiográfica de *La raíz rota*. En 1948, Barea adquirió un pasaporte británico, posiblemente con el propósito —como el protagonista de su novela— de volver

14.   Carta a Roberto F. Giusti, 18 de febrero de 1956, archivo personal de Arturo Barea.

15.   Véanse el primer capítulo de Arturo Barea, *The Struggle for the Spanish Soul* (Secker & Warburg, Londres, 1941); Michael Eaude, *Arturo Barea. Triunfo en la medianoche del siglo* (Editora Regional de Extremadura, Mérida, 2001), pp. 202 y 210 [hay una versión actualizada en inglés, *Triumph at the Midnight of the Century: A Critical Biography of Arturo Barea* (Sussex Academic Press, Brighton, 2009)]; y el informe del señor H. H., expulsado de España en 1940, está en el archivo personal de Arturo Barea.

a España. Al final no retornó a su país de origen y, por tanto, hizo lo mejor que pudo hacer en aquellas circunstancias: *imaginar* su vuelta. Desde esta perspectiva, se puede ver *La raíz rota* —en contraste con la autobiografía novelada de la trilogía— como una novela autobiográfica.

El esfuerzo de Barea para superar la falta de experiencia vivida en *La raíz rota* a través de la imaginación literaria y de una reconstrucción realista de la sociedad madrileña de los años cuarenta ha sido valorado de una forma muy desigual. John Dos Passos consideró que la novela era «tan buena» como *La forja de un rebelde*, pero la opinión crítica general —a pesar de las reseñas favorables en *The Herald Tribune*, *The New Yorker* y, sobre todo, la de Ramón Sender en *The New York Times*— ha sido mucho menos elogiosa.[16] Si bien *La raíz rota* no está a la altura de la trilogía —la obra maestra de Barea—, es indudable que goza de notables virtudes. Dos Passos estimó en la carta citada que la novela recrea «la España negra de hoy» de una manera «precisa y llena de verdad», y no hay duda de que la novela reconstruye de un modo creíble el ambiente sofocante de suspicacia y de miedo de los años cuarenta. Del mismo modo, retrata de una forma convincente el hambre y la pobreza que sufrían las clases populares durante el período más duro y opresivo de la dictadura franquista. Sin embargo, sería una equivocación pensar que la novela trata solamente de España. Al contrario, *La raíz rota* también se ocupa del desarraigo del exilio, de su dolor desgarrador, y en este aspecto la novela es apasionada y muy conmovedora. Por una parte, Arturo Barea estaba muy a gusto en Inglaterra: le encantaban la campiña, los pubs pueblerinos, las bibliotecas públicas y muchos otros aspectos, como queda bien reflejado en sus charlas radiofónicas para la BBC. Sobre todo, fue en Inglaterra, y en compañía de Ilsa, donde se realizó como es-

16. Carta de John Dos Passos a Mr. Reynal, 2 de marzo de 1951, archivo personal de Arturo Barea, y Eaude, *Arturo Barea*, pp. 207-208 y 216-218.

critor. Es más que probable que hubiera vuelto a España después de la muerte de Franco si hubiera vivido hasta 1975, pero en sus notas autobiográficas comenta que «no tengo la intención de volver permanentemente a España, incluso tras el derrocamiento del régimen fascista, sino que espero vivir en algún lugar de Inglaterra».[17] Por otra parte, el planteamiento inicial de *La raíz rota* —la vuelta de un padre exiliado a su familia— revela la gran preocupación de Barea por su propios parientes. Si su hermano, Miguel, pasó una temporada en la cárcel antes de morir en 1941 o 1942, su exmujer y sus hijos, así como su hermana Concha y los suyos, vivían en la miseria.[18] Arturo también echaba de menos el ambiente, sus amigos, la comida, y, cómo no, el buen tiempo. Desde esta óptica, la novela es autobiográfica porque refleja el sufrimiento de un exiliado desprovisto de su familia, sus amigos, su lengua, su cultura; en una palabra, de sus raíces.[19] Más aún, el dilema central de la novela —quedarse en España o volver a Inglaterra— le permite a Barea explorar de un modo complejo la naturaleza y el alcance de la ruptura de las raíces no sólo del exiliado, sino también de los que se quedaron en España.

Los paralelismos entre *La forja de un rebelde* y *La raíz rota* son innegables. La idea original de Barea de titular la trilogía «Las raíces» enfatiza la profunda conexión entre las dos obras.

Si aquélla analiza el origen de la Guerra Civil, la novela de 1951 trata de sus repercusiones: una España devastada por el conflicto fratricida, una España dividida entre vencedores y vencidos, y, con respecto a estos últimos, una España reprimida o exiliada; en otras palabras, una España rota. Por tanto, «la raíz rota» es una metáfora no sólo de la vida de Arturo Barea sino

---

17.   Biographical Notes, archivo personal de Arturo Barea.
18.   Eaude, *Arturo Barea*, p. 153.
19.   Aunque Eaude, en *Arturo Barea*, p. 215, advierte acertadamente de que la novela no es sólo una proyección autobiográfica.

de España entera: la guerra había roto a ambos.[20] Después de *La raíz rota* Arturo Barea no llegó a publicar ninguna otra novela. Murió de repente en la Nochebuena de 1957 de un infarto de corazón. Quizá fue apropiado que su última novela, *La raíz rota*, se ocupara de las secuelas de la Guerra Civil que para Arturo Barea, como para muchos otros españoles, significaron un exilio sin retorno.

NIGEL TOWNSON

20. Eaude analiza los significados, a veces contradictorios, de la palabra «raíz» en pp. 98-100 y 212-214.

Mamá
In memoriam

Los personajes de este libro son invención mía.

Los detalles de la escena española y los episodios fuera del argumento del libro son auténticos y podrían comprobarse. Al contar una historia sobre españoles viviendo en Madrid en 1949, he tratado de dar forma a problemas humanos que son universales y que de ninguna manera se limitan a un determinado país.

A.B.

1

Antolín cabeceaba en su rincón. El tren había parado un momento en la estación de Pozuelo y sabía que estaban entrando en Madrid. Pero la fatiga del viaje interminable desde la frontera podía más que su excitación.

En el compartimiento lleno de gente se levantaron cuatro hombres y comenzaron a descolgar sus maletas de las rejillas, Antolín miró a través del cristal de la ventanilla. Fuera, en la oscuridad de la noche, parpadeaban las luces de la ciudad, muy lejana aún al parecer. Los cuatro hombres se habían quedado de pie entre las piernas de los demás viajeros, sosteniendo cada uno su maleta a pulso por encima de las dos hileras de muslos. El más próximo a Antolín había pegado su cara al cristal, su cabeza casi rozando la suya, y miraba también ansiosamente al exterior. A Antolín le hacía gracia la impaciencia del hombre. No tenía el aspecto de ser un paleto provinciano que llegara por primera vez a Madrid. Era un tipo completamente madrileño, hasta con un aire que le hacía un poco achulado. Los otros tres estaban cortados por el mismo patrón, y aunque en su somnolencia no había seguido la conversación general, le era evidente que los cuatro viajaban juntos.

El tren comenzó a frenar. Debían de estar aproximándose al Puente de los Franceses, pensó Antolín. Volvió a su memoria, en una ráfaga de visiones, el recuerdo de innumerables viajes a la sierra: cuando muchacho, de merendona en pandilla con los amigos; después a solas con la novia para tumbarse en los pinares; las últimas veces como un buen padre de familia, con la mujer y los chicos, cargado con el hatillo de la merienda. Si hubiera un poco más de luz del día, seguramente podría reconocer hasta las piedras y los barrancos. Allí, en los alrededores del puente, a uno y otro lado del río, había peleado durante semanas. Se arrancó la evocación con un esfuerzo. Se había prometido a sí mismo no recordar.

El hombre a su lado despegó la cara del cristal, abrió la ventanilla primero y la portezuela después, mientras, volviéndose a medias, decía:

—¡Ahora!

Lanzó a la vía la pesada maleta y tras ella las maletas de los otros tres. Los movimientos de los cuatro, pasándose las maletas unos a otros, habían sido tan rápidos y precisos como un número de circo. Pero el acto no estaba terminado. El jefe de la *troupe*, porque indudablemente era el jefe, se agarró al pasamanos exterior y desapareció; los otros tres le siguieron en tres movimientos idénticos. Sólo el último exclamó, dirigiéndose a todos:

—¡Buenas noches!

Por la portezuela abierta entraba una oleada de aire húmedo del río, maloliente con el humo de la locomotora, llenando el compartimiento con una neblina tenue. Un viajero, enfrente de Antolín, se asomó y forcejeó contra el viento para cerrar con un golpe rudo la portezuela. Casi inmediatamente después les envolvió el estrépito metálico, ensordecedor, del convoy sobre la viguería del puente. Cuando cesó el ruido, el viajero miró a Antolín, meneó la cabeza y dijo:

—Los pobres...

Antolín contestó:

—¿Qué eran? ¿Torerillos?

Sin duda había dicho algo tremendamente absurdo: todos los viajeros volvieron la cabeza y le miraron con asombro. Se sintió molesto. Por un momento nadie dijo una palabra, hasta que una mujer ya madura, frescachona, exclamó:

—Pero, ¡hombre de Dios!, ¿de dónde sale usted?

Antolín balbuceó azorado:

—He estado muchos años fuera, pero cuando era muchacho, los maletillas solían tirarse del tren aquí. Yo mismo lo hice dos veces, porque también me dio por irme de capeas. Pero viajábamos bajo los asientos o en los topes.

La mujer cacareó entre risas:

—¡Anda Dios! Y yo que creía que era usted un «monsiú», o un míster. Con esa ropa que lleva que no es de aquí, que se ve a la legua, ¡vamos!, y esa cara más seria que un ajo, sin decir esta boca es mía en todo el camino... Y ahora nos sale con que ha sido maletilla. Mira, que si nos da por hablar mal del Gobierno. Eso es para que se fíe de las apariencias. Ahora que le voy a decir a usted, cuando vinieron los agentes a pedir la cédula y usted les largó el librito azul, me dije «Manuela, ten cuidado, que eso no me huele bien», y creo que a todos nos pasó lo mismo.

Antolín se sonrió de buena gana:

—Era el pasaporte.

—Sí, claro. Pero, lo que iba a decir, esos que se han tirado son estraperlistas, que me supongo que sabe usted lo que son aunque venga de lejos. Y claro, no se van a dejar coger en la puerta de la estación. —La mujer cortó el chorro y miró los focos encendidos que cruzaban ante la ventanilla. Estaban dentro de la estación.— ¡Jesús, Jesús! ¡Una aquí charla que te charla, y ya hemos llegado!

Antolín pisó el andén y se incorporó lentamente a la corriente de viajeros en busca de la salida. Iba despacio porque el tren le había entumecido y porque trataba de reconocer lo que le rodeaba. El sitio le era tan familiar como la Estación Victoria de Londres. Pero la muchedumbre con sus trajes, sus voces, sus gestos y ruidos era algo irreal que resurgía del pasado y trataba de borrar de golpe la realidad de las multitudes de ayer. Sus reacciones no se ajustaban. Tropezó con alguien:

—*I'm so sorry!* —exclamó. Rectificó avergonzado ante la mirada de asombro del otro—: Perdone, iba distraído.

Después el hombre volvió dos o tres veces la cabeza y Antolín acortó el paso, deseando desaparecer entre la gente.

Cuando se sentó a la mesita del comedor desierto y comenzó a cenar, doña Felisa reapareció. Era una mujer ya pasada la cincuentena, amplia de carnes, envuelta en una bata con flores estampadas, unos lentes con montura de oro pendientes de una cadenita, la cara llena de sonrisas. Más que la dueña de una pensión le hacía a Antolín el efecto de una madre con muchos hijos, que todos han prosperado por el mundo.

Se sentó frente a él. El comedor era una habitación del primer piso con tres balcones a la calle. Estaban sus luces apagadas con excepción de la lámpara sobre la mesa de Antolín, una lámpara diminuta con una pantalla rosa, que hubiera dejado a oscuras el resto de la habitación si no entrara por los balcones abiertos el resplandor de los focos de la calle, que iluminaba con gruesos trazos de luz y sombra.

Doña Felisa le llenó el vaso con vino:

—Esto no lo tienen ustedes en Londres, ¿verdad? ¿Cómo está la sopa? Claro que tiene que conformarse con lo que hay. El tren ha llegado muy tarde y la cena se terminó hace ya dos horas, pero un poquito de jamón después de la sopa, y se va usted a quedar como nuevo. Me trae el jamón uno de los factores de la estación, que como todos los hombres, se gana la vida como puede; aparte de que yo le doy una propinilla cuando me trae un viajero. Y ahora cuénteme, ¿cómo está don Eduardito? Bueno, así le llamábamos aquí, tan chiquitín como es y tan esmirriado que nadie creería que es inglés, hasta que no abre la boca y empieza a comerse las letras. Es un hombre muy simpático, mejorando lo presente. Y muy leído. ¡Jesús!

Sabe más de Madrid que yo misma que he nacido en él y no he salido de aquí en mi vida más que algunos veranos cuando vivía mi pobre Pepe, que íbamos a Ponferrada, porque él era de allí. En fin, no quiero aburrirle con mis historias. Le he subido las hojas para la policía para que haga el favor de llenarlas cuando termine. Aunque si quiere, lo puedo dejar para mañana. Pero mejor es que lo haga ahora, ¿sabe? Porque nos dan la lata; a veces se nos descuelgan a las tres de la mañana y nos despiertan a los huéspedes. Le digo que entre unas cosas y otras...

—Ahora mismo las lleno, no se apure. —Antolín retiró el plato a un lado y echó mano a la estilográfica.

—Y, aunque sea curiosidad y diga usted que a mí qué me importa, pero usted no es inglés, ¿verdad? Porque don Eduardito escribió que venía un inglés amigo suyo, pero lo que tenga usted de inglés que me lo claven a mí aquí. —Y doña Felisa se golpeó la frente con la yema de un dedo lleno de morcillitas rosadas.

—Pues sí, doña Felisa —a Antolín comenzaba a hacerle gracia la mujer—, inglés puro, pero nacido en Madrid. —Se sonrió y agregó, ya serio—: Tengo la nacionalidad inglesa, pero soy español.

—¡Anda! No me diga más. Usted es uno de los rojos. Bueno, con perdón, quiero decir, de los republicanos que se marcharon allí.

—Sí.

—Pues ya puede andarse con cuidado aquí. En cuanto le huelan, le meten en chirona por muy inglés que sea. Usted no sabe lo que es esta gente. Mire, le voy a decir la verdad. Yo siempre era una de los del Rey, y cuando le echaron al pobre y vino la República, buenas rabietas que me costó. Pero ahora, cualquier cosa antes que esto. Porque usted no tiene idea de lo que está pasando. ¿Usted ha visto ese jamón que se ha comido? Pues a cien pesetas el kilo lo he pagado yo, y agradecida. Como eso, ¡todo!

—No se preocupe usted. Yo no he venido aquí más que a

hacer una visita, y todos mis papeles están en regla. No me voy a meter en políticas.

—Y hará usted bien. A pasarse aquí un mesecito, o lo que quiera, a gusto; y deje usted a los políticos que se rompan ellos la cabeza...

Cuando Antolín se vio solo en su habitación, la cansera del viaje, aumentada ahora por la cena y el vino más la verborrea de doña Felisa, le asaltó de golpe. Comenzó a desnudarse. Quería meterse en la cama y dormir. Las cosas estarían más claras mañana. Su cabeza ahora no era más que una confusión de trozos de paisaje, de ruidos, de olores, de recuerdos fugaces, de caras y de costumbres ya extrañas, de mezcolanzas de frases pensadas en un idioma y pronunciadas en otro; y sobre todo ello el cansancio físico que todo lo hacía borroso y ajeno.

Se durmió instantáneamente.

Se despertó muy de mañana. En su fatiga había olvidado la noche anterior cerrar las cortinas, y el sol de septiembre entraba por una esquina del balcón, estrellándose contra la pared inmediata a la cabecera. No eran aún las siete. Se había despertado de golpe, sobresaltado. Su brazo no había encontrado el cuerpo de Mary, sino en lugar de él el vacío más allá de la cama estrecha de la pensión. Se sentó en el borde del lecho y miró estúpidamente las cosas que le rodeaban. Sobre todo el chorro de luz de un sol descarado y extraño. Fue sólo un momento. La realidad de donde estaba se apoderó de él. Estaba en Madrid. Mary, Londres, Inglaterra, parecían lejanos. Tal vez nunca volvería a verlo. Era una sensación que no sabía si le alegraba o le disgustaba. Sentía algo de miedo, un miedo viejo que ya conocía; el miedo de estar solo.

De la calle subían ruidos mañaneros que Antolín iba identificando uno a uno: el balcón que se abre con ruido de cortinas corridas; el cierre metálico sobre el cual golpea el sereno antes de irse a casa, llamando a los dependientes de la tienda; la alfombra que se sacude con trallazos secos antes que el guardia de servicio pueda imponer multas; los pasos lentos de un caballo que ya no volverá a verse durante el día, tirando de su carrito, porque la ciudad le prohíbe más tarde pasearse por sus calles; el vendedor de periódicos de la esquina que de vez en cuando vocea, cargado aún de sueño su grito; la pareja de viejas beatas que van a misa de siete y que dejan oír un trozo de sus murmuraciones en el silencio de la calle; algún automóvil que pasa con ruido de goma blanda sobre el asfalto; muy lejos, los timbres de los primeros tranvías, esos tranvías que sólo llevan gentes que van a trabajar.

No quería levantarse aún. La pensión estaba en silencio, él estaba envuelto aún en la pereza matinal, el sol era alegre, y era un placer pensar. Es curioso cómo se convierte en cómico, cuando ya no es más que un recuerdo, lo que fue tragedia cuando se vivió. Había encendido uno de sus cigarrillos ingleses y era este cigarrillo el que provocaba este pensamiento.

Recordaba los primeros días del destierro, la llegada a Inglaterra a bordo de aquel crucero, todo acero, todo olor a grasa y ácido carbónico. Las rebanadas de pan y las tazas de té; y ellos querían comer. ¿Dónde se había visto que té y rebanadas de pan fueran comida? Los días de mareo y de blasfemias mezcladas de bromas durante la travesía; y la llegada a aquel Londres que les parecía tan inmenso y tan extranjero. Las habitaciones destartaladas del *hostel* y la energía agria de Mrs. Mallet gritando órdenes en un español lleno de grietas. Y más té. El primer choque con la buena samaritana fue por el hambre de fumar. Nadie en el Comité de Ayuda había pensado en ello. Aquella primera noche, Mrs. Mallet los dejó solos y trajo al poco cigarrillos. Un paquetito de cinco pitillos diminutos para cada uno. Cinco Woodbines —luego aprendieron el nombre—, que ardían solos, tan suaves que no sabían a nada. Una gota de agua para aplacar una sed de verano. Les daría un paquetito de aquéllos todas las mañanas, les dijo. Y, ¿qué iban a hacer ellos con aquello?

Durante días pasaron hambre de fumar. Aún no los dejaban salir a la calle. Pero en cuanto comenzó la aventura de explorar aquella tierra desconocida donde sólo habitaban gentes a quienes uno no podía entender y que no le entendían a uno, surgió el plan: el Chato, un anarquista valenciano que nadie sabía cómo se llamaba, ni cómo pudo meterse en los últimos instantes en el crucero, fue el iniciador. Mrs. Mallet les daba cada semana un chelín, «dinero de bolsillo» lo llamaba, por si les ocurría algo. Y el Chato planeó la solución al problema de fumar. Con un penique podían entrar en el Metro y pasearse el día entero allí, si tenían cuidado de no pasarse las estaciones limitadas por el precio. Se repartían los trenes, uno en cada vagón, después de la hora de aglomeración, y recogían las colillas. En Londres no había colilleros y al principio los buenos ingleses se les quedaban mirando, atónitos y asqueados. A ellos mismos les iba entrando vergüenza y recurrían a los trucos más ingenuos para que los escasos compañeros de viaje no se dieran cuenta. Por la noche se reunían en el *hostel* y vaciaban los bolsillos. Hacían un inmenso montón de colillas y renegaban a coro de las malas maneras de los ingleses que apagan los cigarrillos con el tacón del zapato, sin acordarse de los pobres. Liaban cigarrillos hasta las once de la noche, hora en que Mrs. Mallet les obligaba a acostarse. Mantenía con ellos una batalla constante; e indudablemente, la paciente mujer tenía razón. Olía todo a colillas, ellos, sus ropas, todas las habitaciones del *hostel.*

Mrs. Mallet pretendió suprimir de raíz aquel tráfico; y fracasó. La única solución hubiera sido que hubiera podido alimentarles de tabaco, pero gracias con que contaba con suficiente dinero para mantenerlos. Tal vez aquello aceleró el que les fueran buscando trabajo. Él fue uno de los afortunados. Aunque su francés era puramente de escuela secundaria, hablaba bastante bien para que le entendieran y entender él, y un día se vio de pinche de cocina en un restaurante griego de Soho, a las órdenes de un cocinero cuyos mayores méritos eran el haber nacido en Francia y poseer el arte de convertir en un guiso presentable los desperdicios más increíbles. Le dejaban dormir allí, no por lástima, sino por mantener los fuegos de la cocina y por imponer algo de respeto a las ratas. El tabaco nunca volvió a faltarle.

Fue entonces cuando sintió más terriblemente el temor a la soledad. Era una entidad perdida en un mundo desconocido, desamparado de todos. En los ratos libres se reunía en la esquina de Dean Street con algunos de los antiguos compañeros del *hostel*. Muchos habían desaparecido en las provincias, adoptados por familias simpatizantes con la República. Otros, la mayoría, tenían trabajos similares al suyo. Pinches para pelar patatas en los sótanos de las cocinas de los restaurantes, o simplemente lavaplatos en rincones mugrientos de grandes hoteles. Unos pocos habían encontrado en seguida la vida fácil de las prostitutas y los clubs de noche, como simples chulos o como bravucones a sueldo. Eran los tentadores, los únicos con traje nuevo y dinero en el bolsillo.

Una tarde se acercó al grupo una pareja de policías y se los llevó a todos a la comisaría del distrito. Apareció allí un hombre, indudablemente un agente, que les explicó en mal español que no estaban detenidos, que les habían llevado allí sólo para que se enteraran de lo que estaban haciendo. La policía los conocía a todos, sabía lo que cada uno hacía, y dónde trabajaba, y cómo vivía. Los chulines, tan flamencos, se acoquinaron ante el hombre cuando éste se volvió a ellos y les advirtió que si seguían así, acabarían en la cárcel o serían expulsados del país. A los demás les aconsejó, paternal, que se aguantaran con su situación, que aprendieran el idioma, que trabajaran firme; y así nunca tendrían que quejarse y contarían con todo apoyo que les hiciera falta, si les pasaba algo.

Hacía ya rato que había terminado su cigarrillo; comenzó a vestirse. La luna del armario le devolvió su figura. Se miraba con curiosidad a la luz de este sol. Aún no aparecían —pensaba— sus cincuenta años, esa edad en la que el español ya es viejo. El pelo castaño, un poco claro sobre la frente, realzaba la amplitud de ésta, y aún conservaba sus rizos rebeldes. Tenía algunas arrugas finas bajo los ojos obscuros y bajo las aletas de la nariz, pero le asombró verse la cara tan lisa. Aún sus mejillas no estaban fláccidas, ni agudizaba la barbilla su punta, como suele ocurrir a los hombres de su tipo, el tipo delgado que se reseca. Se mantenía recto, con movimientos aún elásticos. Le parecía que su piel era menos cetrina que cuando salió de España. Pero todo el mundo decía que el clima inglés era bueno para la piel. Algo debía de haber en ello, porque siempre había sido un asombro suyo la piel de los ingleses y sobre todo de las inglesas: una piel lechosa, fina, bajo la que se transparentaban las líneas azules de las venas y las súbitas oleadas de sangre, y que en las mujeres viejas se convertía en porcelana con los años. Mary tenía esta piel fina y lechosa. Muchas veces había temido dejar en ella la huella de sus dedos.

Cuando Antolín acababa de vestirse, llamaron a la puerta. Abrió, y la muchacha puso cara de asombro:

—¡Anda, y ya se ha levantado el señorito! Yo que venía a preguntarle si quería una taza de té, porque doña Felisa dice que ustedes, los ingleses, todos toman té por la mañana.

La muchacha era pizpireta y alegre y contagió a Antolín.

—Pues, no, señora —dijo—, no tomo té por la mañana. Lo que sí quiero es un buen tazón de café con leche y un par de churros.

—¡Anda! Yo creía que era usted un míster. Pero debe hacer muchos años que usted no come churros. Ya se comerá usted una docena y se quedará con hambre. Porque, por si no lo sabe, le diré que son más pequeños que mi dedo meñique y gruesos como un fideo. Y ¿dónde va usted a desayunar, aquí o en el comedor? —Sin interrupción agregó—: Lo mejor es que desayune en el comedor, porque así nos da menos trabajo a nosotras.

—Bueno, chiquita, sobre todo la franqueza. Desayunaré en el comedor.

El desayuno destruyó la alegría momentánea que le había dado la muchacha. La leche era un líquido azulado, casi transparente; el café era un agua clarucha sin olor ni sabor; los churros realmente eran ridículos en su pequeñez. Tomaría un café en cualquier bar. Encendió un segundo cigarrillo y se marchó, dejando el desayuno intacto.

Llamaron a la puerta. La señora Luisa dejó a medio extender la manta sobre la cama y abrió. La vecina del segundo apareció en el dintel:

—Buenos días, señora Luisa. ¿Se puede?

—Pase, pase usted, señora María.

La mujer se desató en explicaciones:

—Pues, que me voy a Antón Martín a ver si encuentro un poco de aceite, y me he dicho, voy a pasar a ver si la señora Luisa quiere algo, porque ya sé que se queda sola para hacer todo, y, lo que pasa, pues, a lo que está una, a ayudar en lo que se pueda.

—Muchas gracias. Bueno, si no la sirviera de molestia, podría usted ver si me encontraba unos huesos para hacer un poco de caldo para la chica.

Detrás de la cortina que colgaba ante la puerta al lado de la cocina, salió una voz airada:

—Para mí no tienes que hacer caldo, mamá.

—Bueno, hija, no te acalores. —Cuchicheó la vecina—: Hoy está imposible. —La vecina levantó la voz—: ¿Cómo estás hoy, Amelita?

—¿Cómo quiere usted que esté una, doña María? Pasando miserias como siempre, hasta que el Señor disponga otra cosa.

—Tú lo que deberías hacer es cobrar ánimos y salir de ese agujero.

Contestó un murmuro ininteligible, seguido de un silencio. Las dos mujeres salieron al descansillo de la escalera y se pusieron a hablar en voz baja para que la enferma no las oyera.

—Le digo a usted, hoy está imposible.

—Claro, lo comprendo, será la excitación, porque ya he visto que ayer tuvieron ustedes carta de Antolín. Bueno, no lo he visto, me lo contó la señora Paca, la portera, que se lo dijo ayer el cartero. Ya sabe usted que en una casa como ésta se entera una de todo aunque no quiera. Cuando vine ayer por la tarde, la señora Paca se lo estaba contando a las vecinas del principal exterior, a las beatas esas que en todo tienen que meter la nariz. Y yo creo que le llevan las cuentas de las cartas que le ha escrito su marido desde la primera.

—Sí, hija, sí. Todas son iguales.

Si era indirecta, la señora María no se dio por enterada, sino que prosiguió:

—Espero que no hayan sido malas noticias, aunque, claro, ¿qué malas noticias va a haber? Él está allí hecho un príncipe, mientras que ustedes aquí se rompen la cabeza para salir adelante. Y sabe Dios los líos que tendrá, porque en esos países de herejes no hay vergüenza, y las mujeres son unas... Bueno, usted ya me entiende lo que quiero decir. Y los hombres tan contentos. Más valía que se ocupara de ustedes, porque no me negará, señora Luisa, que lo que hacía falta aquí era un hombre, que metiera un poco en cintura a los chicos.

—Los chicos no son malos. Lo que pasa es que, ¿qué va usted a pedir, como está todo? Casi prefiero que sean así que no que se me metieran en líos como otros y acabaran un día en la cárcel.

—No sé qué la diga, señora Luisa. Porque del Juanito dicen que si anda metido con un grupo que a mí no me gusta mucho. Yo creo que todos ellos son comunistas o algo así, y un día les van a meter un susto, porque todo el mundo lo sabe ya en el barrio. Y aunque una se calle, las malas lenguas es lo que abunda. Al fin y al cabo, aunque su Pedro se meta en cosas de estraperlo, es más listo y sabe el terreno que pisa. No es que esté yo muy conforme con lo que hace, pero ya sabe usted el refrán, «el que a buen árbol se arrima...»

La señora Luisa no tenía mucho interés en seguir la conversación por los derroteros de la vecina, y aprovechó que la muchacha llamó desde el interior del cuarto para despedirse a toda prisa. Cuando cerró la puerta, se levantó la cortina y Amelita entró en el comedor, dejándose caer lánguidamente en una silla:

—¿Qué quería la señora María? Porque a lo que menos ha venido es a hacerte la compra. Lo único que la interesa es meter cizaña y enterarse de lo que no la importa. Espero que no la habrás dicho nada de lo de papá.

—No, hija, no. ¡Qué cosas tienes!

—Una de las primeras cosas que hay que decirle cuando venga, es que nos tenemos que marchar de aquí. Yo no puedo vivir más entre estas gentes. Al fin y al cabo una es una señorita, y esto no es de tu clase, mamá.

—¡Ay, hija! Lo primero es que venga, y luego ya veremos lo que se hace. Sabe Dios cómo vendrá. No olvides que tu padre ya es un viejo y no te hagas muchas ilusiones. Cuando no se ha acordado de venir hasta ahora, no le irían bien las cosas. Claro que yo no me quejo, porque es mi marido y lo que sea de uno, será de los dos. Pero tus hermanos no sé cómo lo van a tomar. Tendrán que dormir los tres juntos en la alcoba, en la cama grande, y si encima de eso, como me temo, le tienen que mantener, no sé cómo acabarán las cosas. Todo ese misterio de él, de no querer venir a casa, ni aun decir el día que llega para que pudiéramos ir a esperarle, no me da buena espina.

—Pues yo no lo creo así, mamá. Porque él siempre ha escrito que estaba trabajando y que estaba bien. Dicen que en Inglaterra se gana mucho dinero y las gentes viven allí como príncipes, y que todo esto que cuenta la radio, que están muertos de hambre allí, es mentira. Al fin y al cabo nos ha mandado dinero de vez en cuando y cada vez eran quinientas pesetas, que no es tan poco.

—Dios lo haga, hija. Yo no quiero quitarte ilusiones. Después de todo, es tu padre. Pero los espíritus (sí, sí, ya sé que tú no crees en esas cosas, pero una es más vieja y sabe lo que se hace), los espíritus no anuncian nada bueno de ese viaje.

—Mamá, habías prometido que no ibas a ir más a esas brujerías. Eso es tentar a Dios y a la Santa Madre Iglesia.

—Para ti es muy fácil. Tú tienes fe en la Virgen y en los Santos. Pero mira cómo nos han tratado a nosotros. Toda la vida hemos sido personas decentes, que nadie podía alzar un dedo en cuanto a nosotros, y hoy estamos en la miseria. Tu padre en el otro extremo del mundo, tú con tus toses, y tu novio que Dios sabe por dónde andará...

Amelia se puso escarlata y se encrespó furiosa:

—¡A mi novio lo dejas tú en paz, mamá! ¡Y papá hará muy bien en no aparecer por aquí para que le explotéis entre todos, que eso es lo que queréis!

—Tú lo que eres es una víbora. Como todas las beatas. Muchos golpes de pecho y luego al prójimo contra una esquina. Di: ¿quién está pensando en explotar a tu padre? Tú y nadie más que tú, que sueñas que va a venir cargado de millones y te va a convertir en una señorita.

—No tiene por qué convertirme, que lo soy.

—Sí. ¡De lentejas del Auxilio Social! ¡La señorita! Con la madre fregando suelos cuando eras una cría, guardando cola y lloriqueando lástimas a las monjas para que la llenaran bien el puchero. Tú lo que tienes es muchos pájaros en la cabeza...

La frase quedó en el aire porque Amelia había roto a llorar histéricamente. La señora Luisa se refugió en la alcoba y durante un largo rato no se oyó más que los sollozos de la muchacha y el golpear rabioso de la madre contra las ropas de la cama.

De la alcoba comenzó a surgir una nube tenue de polvo. La tosecilla seca de la muchacha se agudizó:

—Mamá, ¿no puedes parar de armar polvo?

La señora Luisa salió sin decir palabra, y abrió de par en par la puerta de la escalera. Entre la puerta y la única ventana al patio se estableció una corriente de aire impregnado de todos los olores de los pisos de abajo. La situación del cuarto en el tercer piso tenía la ventaja de estar más cerca del aire libre encima del tejado, y a la vez, la desventaja de recibir todos los hedores capturados por la chimenea que formaba el estrechísimo patio. Amelia volvió a quejarse más agriamente.

—Claro, ahora la dejas a una en una corriente de aire para que reviente. Sí, ya sé que todos os quedaríais muy a gusto si me muriera.

La madre rezongó en voz baja:

—¡Dios nos dé paciencia!

—A mí es a quien tiene que darla, para sufriros a todos vosotros. ¡Como si una no tuviera bastante con sus dolores y sus penas!

En la puerta dijo una voz burlona:

—Siempre estáis con lo mismo. Parecéis dos gatas con un solo gato en la vecindad.

—Tú siempre tan bestia y tan guarro —chilló Amelia.

—Bueno, no arañes. —Se volvió a la madre—: ¿Qué pasa aquí, vieja?

—Nada, hijo, lo de siempre. Tu hermana con sus dolores y sus cosas, que todo la parece mal. Si se limpia el polvo, la molesta; si se abre la ventana y la puerta para que se ventile, también. Y ahora más, que está pensando que su papaíto va a venir y la va a poner en un palacio.

—Mamá, ya empiezas.

—No llores tú, princesita, que sí que es verdad. Que va a venir el viejo con un baúl lleno de libras y te va a comprar un Rolls para que te pasees.

—Tú lo que tienes es poca vergüenza —comentó la madre.

—Sí. ¡Aquí todos *semos* muy decentes! El único granuja que hay soy yo, ¿no? Pero cuando llega la hora de comer, parece que no le hacemos muchos ascos.

Comenzó a desatar un paquete que había traído y fue poniendo sobre el hule de la mesa, con ostentación, varias bolsas de papel gris. Abriéndolas una a una, comentó sarcástico:

—Medio kilo de azúcar, un kilo de judías, otro de arroz, una tajada de ese animal desconocido que se llama cerdo, dos hermosos chorizos... ¡Y nada más! Las mujeres no han dado más de sí hoy. Pero claro, a las personas decentes no les gustan esas cosas. Mi hermanita como buena cristiana ayunará a la mayor gloria de Dios y la mamá echará un sermón al niño para que no ande en malos pasos. El hermanito no dirá nada, se llenará la tripa y luego me preguntará si no he encontrado trabajo, porque hay que hacerse un obrero decente.

—Más contenta estaría yo, Pedro, si tuvieras trabajo y no anduvieras metido en esos líos, que un día te van a costar un disgusto.

—Sí. Ya lo sé, un trabajo decente, quince pesetitas de jornal y luego al venir a casa por la noche, comprarle a la hermanita un par de barras de Viena y gastarse cuatro pesetas en ellas. Con lo que queda, mamá nos hará un buen cocido con su gallina y todo.

La señora María apareció en el marco de la puerta:

—¡Ay, hija, vengo rendida! Y menos mal que he podido traerle los huesos. Un durito me han costado, pero son muy hermosos, tres huesos de tuétano que puede usted hacer una olla con caldo.

—El jornal del niño llega para alimentar a un perro —dijo Pedro bajito. La señora María se había quedado mirando los paquetes abiertos sobre la mesa:

—¡Caramba! Parece que han venido los Reyes Magos. Claro que supongo que esto lo habrá traído Pedrito. Hija, ya puede usted estar orgullosa.

—Sí, el pobre hace lo que puede.

Pedro se volvió a las dos mujeres con una mueca cínica:

—Sí, señora María, ganado con el sudor de mi cuerpecito.

—Y contoneó las caderas que la americana ceñida hacía resaltar.

Amelia dijo una sola frase:

—¡Qué asco!

—Tipito que tiene el niño y gracia para explotarlo.

La señora Luisa recogió todos los paquetes, los metió en la cocina y volvió a salir, cerrando tras ella. Pedro se había quedado en medio de la habitación, con los brazos en jarras, mirando descaradamente a su hermana:

—A lo mejor tu novio se ha metido al mismo oficio, porque le he visto por ahí, haciéndome la competencia.

—¡Tú lo que eres es un chulo indecente! —gritó la muchacha.

—Y a mucha honra. Pero no te apures por tu novio, que hay de sobra para todos.

La muchacha volvió a estallar en ruidosos sollozos intercalados con golpes de tos. La señora Luisa rompió a chillar desaforadamente:

—Ya te has salido con la tuya. Esto es un infierno, no es una casa. Más valdría que te dieras cuenta cómo está tu hermana...

—No se apure, que no se muere. No es año de suerte.

La señora María hizo una retirada estratégica hacia la puerta:

—Bueno, yo las dejo. ¡Cálmate tú, Amelita! —Acarició la cabeza de la muchacha y le estampó dos ruidosos besos en las mejillas.— Hay que tener mucha paciencia con los hombres, hija.

—¡Y con las viejas brujas!

—Eso de las brujas no va por mí. Al fin y al cabo yo no ando haciendo hablar a los muertos como tu madre. Tú, que eres un golfo perdido. Al fin y al cabo de casta le viene al galgo...

—Mire usted, señora. A mi madre y a mi padre, los deja usted en paz. Y si soy un golfo y un chulo, a usted no le importa. Con usted no me acostaría aunque me lo pagara bien.

La señora María dio un portazo y se fue escalera abajo gritando a voz en cuello:

—¡Canallas! ¡Canallas! ¡Un chulo, sí, señores, un chulo! ¡A mí, a mí, gritarme a mí!

Comenzaron a abrirse puertas en la escalera. En el fondo del patio, la señora Paca, la portera, salió de su cuchitril, levantó la cabeza a las alturas y chilló:

—¿Qué escándalo es ése?

La señora María se asomó a la ventana de la escalera en su piso:

—¿Qué quiere usted que sea, señora Paca? Esta gentuza que, encima que se sacrifica una por ayudarles, la insultan como no quiera usted saber. El Pedrito, el niño chulín del tercero, diciéndome a mí, ¡a mí!, que no tengo dinero bastante para que se acueste conmigo. ¡Como si no supiéramos todos con quién se acuesta!

Se habían llenado de figuras curiosas todas las puertas de la escalera y todas las ventanas del patio, y los comentarios salían a gritos de todas las bocas. En el último piso, una aguda voz de muchacha comenzó a gritar rítmicamente:

—¡Bronca, bronca, bronca...!

Varias voces cogieron el compás:

—Bronca-bron-ca-bron-ca-bron...

En el tercero, la señora Luisa y Amelia se habían colocado delante de la puerta de la escalera y forcejeaban con Pedro que pretendía salir:

—Déjeme usted, madre, ¡que a la tía cochina esa la voy a dar dos patadas en la tripa!

Fue el momento que el señor Eusebio escogió para llegar a casa. Se quedó en la puerta que daba al patio y escuchó la bronca, que había cristalizado en dos bandos que se insultaban furiosamente de ventana a ventana. La señora Paca en seguida se volvió hacia él y le explicó oficiosa que «estos chicos de hoy, sabe usted, que son unos sinvergüenzas que no respetan a las mujeres decentes ni aunque tengan la cabeza llena de canas». Y se extendió en detalles pintorescos, interminables y fantásticos, que acabaron por aturdir al pobre hombre. Meneó la cabeza de un lado a otro, resignado, como un buey uncido al yugo que trata de espantar un tábano sobre su frente:

—Entonces me voy. Ya volveré cuando se haya pasado el chubasco. Lo siento porque quería decirle a la señora Luisa que Antolín está ya en Madrid.

Inmediatamente el viejo se dio cuenta del error que había cometido. La señora Páca abrió ojos tamaños, y el señor Eusebio se escurrió a la calle sin decir palabra. La señora Paca se colocó en el centro del patio, hizo bocina con las manos y gritó, dominando todas las voces:

—Señora Luisa, señora Luisa, ¡que ha llegado su marido!

Se hizo un silencio profundo y todas las cabezas en las ventanas se alargaron mirando a las vidrieras, ahora cerradas, del tercer piso. Pero la ventana no se abría. Un coro de voces comenzó a gritar con urgencia creciente: «Señora Luisa, salga usted, ¡que ha venido su marido!»

Se abrió al fin la ventana de la cocina y la señora Luisa asomó el busto. Antes de que dijera una palabra, la señora Paca voceó las nuevas:

—Que ha venido el señor Eusebio, y que me ha dicho que su marido ya está en Madrid, y que no se atrevió a subir porque...

—Bueno, muchas gracias. —Y la ventana se cerró, dejándola con la palabra en la boca. La portera se volvió airada hacia las vecinas, invocándolas como testigos: Mire usted qué maneras, y luego tanto presumir porque tiene un marido en Londres... —El resto de su comentario se perdió en una oleada de voces.

El señor Eusebio se detuvo en el portal. Ocurría lo que él había pensado. Llegaban a sus oídos los gritos de la señora Paca allá en el patio. Se encogió de hombros y echó calle arriba. Lo que está hecho, ya no lo enmienda ni Dios, iba pensando. No había sido su intención dar la noticia a los cuatro vientos, pero, como siempre, se había dejado llevar por un impulso en su excitación. No sabía cómo se lo tomaría Antolín. Le había escrito desde París, recomendándole el secreto hasta el último momento, hasta que se hubieran entrevistado después de su llegada. Y él había metido la pata estúpidamente. No se explicaba muy bien por qué este afán de secreto. Tal vez venía de «incógnito» y quería evitar dificultades con la policía para su familia. Si era así, la había hecho buena. Pero él se acordaba perfectamente de que, en una de sus cartas desde Londres, Antolín le decía que sólo vendría a España si le dejaban venir con entera libertad y sin ningún miedo a que las autoridades se metieran con él. Al fin y al cabo, que él supiera, Antolín nunca se había metido en política. Sí, cuando estalló la guerra, había cogido un fusil como los demás, como lo había hecho él. Pero si por eso fuera, Franco tendría que haber fusilado a más de la mitad de los españoles. No es que no hubiera fusilado bastantes. Y aún seguía la historia. Él mismo había tenido su experiencia. Le recogieron con otros muchos, vestido de uniforme, y se pasó casi un año en Miranda de Ebro, muerto de hambre y de frío, y comido de piojos. Pero ahora Franco había proclamado que todos los que se fueron y quisieran volver, podían hacerlo si no habían cometido robos o asesinatos. Desde luego él estaba seguro de que Antolín no se había ensuciado las manos. Aunque vaya usted a saber qué es lo que los falangistas llaman robar y matar. Conocía él a muchas gentes decentes, que si habían matado a alguien, lo habían hecho en el frente, cara a cara como cualquier soldado, y ahora les acusaban de asesinos y ladrones y les pegaban dos tiros en la cabeza o les dejaban pudrirse en la cárcel, mientras los hijos se morían de hambre. Aunque todo esto le revolvía las tripas, esperaba que Antolín no estuviera metido en algún lío. De todas formas, lo sabría a mediodía. En su carta Antolín le había citado para comer juntos y hoy se daría un banquete. Poco o mucho, Antolín traería dinero fresco y al cabo de tantos años no le iba a escatimar una buena comida aunque le costara veinte duros.

Los pensamientos del señor Eusebio tomaron otro rumbo. ¡Veinte duros! Las cosas que se podían comer con veinte duros cuando él ganaba lo mismo que ganaba ahora, doce cochinas pesetas diarias. Fue cuando Antolín y él se hicieron amigos. Antolín estaba en el negociado de Cartera y él recogía todas las mañanas las letras que había que cobrar en su distrito. Desde que el Sindicato había impuesto las bases, ganaba unas pesetas más al mes; y le sobraba para vivir decentemente y sacar adelante a los chicos. ¿Ahora? Un puñado de duros y sin murmurar, que ya le habían dicho más de una vez que era un viejo y un rojo, y que anduviera con mucho cuidado si no quería verse en la calle. Gracias que los dos chicos habían salido buenos y ayudaban a sacar la casa adelante.

Pero los chicos de Antolín —el viejo meneó la cabeza y dijo algo sentre dientes que hizo volverse a un transeúnte y decir: «Así estamos todos, abuelo, ¡papando moscas!»—, los chicos de Antolín habían salido unos granujas. No, tal vez peor. El mayor, un granuja completo, y un falangista por conveniencia. El menor, un idiota que estaba sirviendo para sacar las castañas a otros, y creyéndose un héroe. Y la Amelita con sus beaterías y sus ínfulas de niña bien de casa mal, y todos sus alifafes que tenían más de ñoñería que de realidad. Buen trío se juntaban. Si Antolín venía con intenciones de rehacer la familia, no se iba a encontrar con mal problema. ¿Y para qué otra cosa podía haber venido? Como no fuera que quisiera llevarse a todos a Inglaterra con él... Pero eso era un imposible; Franco no dejaba salir a nadie. Si dejara salir, se quedaría España desierta. No es que todos se fueran a Inglaterra como Antolín, porque Inglaterra es un país muy raro donde no hay sol y las gentes no hablan cristiano. Pero a América...

Y por un rato el señor Eusebio revivía todas las emociones de un emigrante en potencia a los países de América Latina, que había sido la gran ilusión de todos sus contemporáneos antes de la Gran Guerra. De todas, si él hubiera conseguido salir de esta miseria, no habría vuelto, aunque hubiera tenido que quedarse entre chinos. Y esto era lo que no entendía de la vuelta de Antolín.

Se habían citado en la Puerta del Sol, en el bar Sol, y eran cerca de las doce, la hora de la cita. No le caería mal una caña de cerveza para refrescarse la sangre.

Les habían traído el café. El señor Eusebio se sentía optimista. Hacía años que no había comido así. Desde las doce —y eran ya las tres— no habían hecho más que hablar de los viejos tiempos y de sus aventuras en estos últimos diez años. No se habían entendido a veces, porque los dos hablaban de experiencias pasadas en un mundo extraño para el que escuchaba. Ahora, a los postres, habían hecho un silencio. Antolín sacó dos cigarros puros y ofreció uno a su amigo. Los encendieron y quedaron mirándose uno a otro. Antolín puso los codos sobre la mesa y apoyó las mejillas en ambas manos.

—Mire usted, Eusebio, no se ofenda, casi le puedo hablar como a un padre, aunque yo vaya ya deprisa detrás de sus años. Pero todos los hombres necesitamos de vez en cuando un amigo que nos aconseje; y la verdad es que yo he estado muy solo.

Antolín comenzó a contar su historia.

2

A poco de comenzar la guerra le hicieron camarero. Subió los doce escalones que separaban la cocina del salón y penetró en un nuevo mundo. No más olor a grasa agria, ni más cucarachas, ni más ratas, ni más dormir sobre un jergón en un nicho como una tumba. La guerra reclamaba hombres y había sitio para todos. Claro es que el dueño del restaurante, el griego, se había aprovechado de sus condiciones. Era un refugiado, un sin patria, y bastante hacía con pagarle la mitad de lo que hubiera debido pagar a un camarero. Y aún debía estar agradecido Antolín.

Lo estaba. Aparte de su tacañería, el hombre era un buen maestro en su oficio, tal vez un poco cínico, y no le ocultó los secretos del negocio. Un camarero —decía a veces— tiene que ser ciego, sordomudo e inmutable aunque le llamen hijo de zorra. Su negocio es la propina. Las gentes normales cuentan la propina en moneda de cobre. Los que la cuentan en moneda de plata o en billetes de banco son los otros. Hay que halagarles la vanidad o limpiarles la baba de sus borracheras. Lo demás no importaba. El griego había sido carnicero en su país y gustaba intercalar en sus consejos ejemplos rotundos: «Atender al peor cliente es mucho más fácil que destripar un cerdo. Los dos, el cerdo y el cliente, tienen las tripas llenas de mierda, pero al cliente no hay que sacársela con las manos».

Con la guerra, el restaurante hizo más negocio que nunca

y las gentes no se preocupaban de su dinero. Lo único duro era la gente misma, los bombardeos, el servicio nocturno de guardia contra incendios dos veces por semana, la dificultad de las comunicaciones en las noches, la tragedia diaria de los muertos y los vivos, los hogares y los seres queridos perdidos de la noche a la mañana. No le faltaba mucho a él, porque estaba solo. Por la misma razón, a veces, le deprimía profundamente. Si le pasaba algo, si moría, se moriría como un perro perdido en la calle. Vivía en una pensión, en un cuarto diminuto, pero allí no había calor humano. Eran diez o doce huéspedes, nunca lo supo exactamente, todos aislados entre sí, todos desconocidos. La única criada era una moza estúpida, casi incapaz de hablar su propio idioma, y la dueña era una vieja virago que regía el establecimiento igual que un sargento a un pelotón de fusilamiento. El desayuno se servía entre las ocho y las ocho y media; querer desayunar antes o después era pretender lo imposible. Muchas veces se había quedado sin el desayuno por haber estado de guardia toda la noche. No se preocupaba mucho por ello, porque en el restaurante siempre había algo que comer. Pero le daban lástima los huéspedes ingleses que marchaban al trabajo sin esta comida, la más importante del día para muchos de ellos.

El idioma lo había aprendido por fuerza. Primero en la cocina, donde todos gritaban en la impunidad de su ignorancia, hasta que aprendió a usar las mismas blasfemias y juramentos tan profusamente como los otros. Después en el salón —«escuela de buenas maneras»—, con el menú aprendido de memoria y el inglés presuntuoso de los clientes, jóvenes inexpertos o viejos provincianos jugando al papel de gran señor con las prostitutas del barrio. Había conservado su vieja afición a leer, y la literatura inagotable era su refugio y su mejor profesor de inglés. Era verdad que nunca pudo quitarse el acento ni llegar a pronunciar algunos sonidos absurdos del idioma, pero al cabo de dos años no encontraba dificultades para entenderse con la gente.

De vez en cuando tenía un encuentro ocasional con una mujer y satisfacía sus exigencias físicas. La tensión y la fatiga de la guerra y los bombardeos constantes no le pedían mucho.

—De eso no se le quitan a uno las ganas, aunque lluevan bombas. Y con lo que dicen que son los ingleses, me figuro que te habrás hinchado —interrumpió Eusebio.

—¿Qué te crees tú que son los ingleses? —replicó Antolín.

—Hombre, todo el mundo sabe que son muy fríos y que las mujeres siempre están hambrientas. —Eusebio se inclinó sobre la mesa guiñando un ojo pícaro, dispuesto a escuchar todas las aventuras amorosas que Antolín quisiera contar o inventar.— Y con ese tipo que tienes tú aún...

Antolín se quedó silencioso. Veía claramente la invitación de Eusebio y volvía de golpe a su cabeza el recuerdo de las conversaciones entre españoles. ¿Cómo explicar a Eusebio que las cosas allí eran tan diferentes y en el fondo tan iguales? A los ingleses les gustaban las mujeres igual que a los españoles. Reveía las parejas en la ciudad a obscuras, sentadas en los bancos de los parques o incrustadas en los quicios de las puertas, haciéndose el amor. Sí, eran diferentes. Tal vez le daban más importancia que nosotros. ¿O era menos? Pero, ¿qué tenía esto que ver ahora? No había citado a Eusebio para contarle historias de las prostitutas del Soho. Así, le contestó bruscamente:

—En Londres, como en Madrid, las mujeres se quedan preñadas y no por obra y gracia del Espíritu Santo.

—Sí, claro... —Eusebio se sentía defraudado. No cabía duda de que Antolín se había vuelto muy serio. Se le habría contagiado de los ingleses, que todos ellos tienen cara de palo. Agregó—: Bueno, guárdate tus secretos y sigue con tu cuento.

Él, como todos, había creído que a las veinticuatro horas del colapso de Alemania, el régimen de Franco habría dejado de existir, y que en muy pocos días se encontraría en España. La esquina de Dean Street estaba más animada que nunca. Ya no era sólo el punto de cita de los camareros y los músicos sin trabajo que esperan diariamente el azar de un banquete o una fiesta donde poder ganar unos chelines.

—Tú no puedes hacerte idea de lo que era aquello. Porque había gentes en todas partes, la mayoría refugiados como nosotros. Italianos de los que se escaparon de Mussolini, que llevaban más de veinte años allí; gentes de Alemania, de Austria, de todos los países con los que Hitler se había metido; franceses que habían escapado de Francia como pudieron; hasta indios y negros que nadie sabía de dónde habían salido. Como todos los restaurantes de Londres están por allí, porque aquello es como la Puerta del Sol de Madrid, para que me entiendas, en cuanto teníamos un rato libre nos escapábamos allí a charlar y a hacer planes.

Interrumpió Eusebio:

—Lo que no entiendo muy bien es eso de que todos se habían metido a camareros. ¿Es que no hay camareros ingleses en Inglaterra?

La interrupción irritó por segunda vez a Antolín. ¿Qué le importaba a Eusebio si había o no camareros ingleses? Lo que él quería explicarle era la alegría desbordada de todos, los planes fantásticos, el desengaño tremendo que vendría después. No sólo iban a volver a España los españoles, a Italia los italianos, y cada uno a su país, es que iban a reformar el mundo reformando cada uno de ellos el mundo que conocía. En España se proclamaría de nuevo la República, y esta vez sí que iba a ser una República revolucionaria. Todos exponían sus ideas, y algunos iban más allá: volverían a ser comandantes de brigada, los nombrarían gobernadores civiles. Sacaban a relucir sus méritos durante la Guerra Civil, su puesto en los partidos o en las agrupaciones, la experiencia que habían adquirido en Inglaterra. ¡Pero a Eusebio sólo le interesaba si había camareros ingleses o no!

—A los ingleses no les gusta mucho el oficio. Además, la mayoría de ellos estaban movilizados.

—Sí, claro, ya me había olvidado. Tú sabes, hasta mucho después de estallar la guerra, no nos dejaban saber nada de los ingleses. Los periódicos no contaban más que lo que los alemanes querían. Bueno, no los leíamos casi nadie. Los ingleses y los americanos publicaban un periódico que lo regalaban en la embajada, pero al que se atrevía a pedirlo le daban una paliza que le baldaban, si no le pasaba algo peor. Toda esta gentuza de Franco estaba segura de que los alemanes iban a ganar la guerra, y yo no sé si por lo del periódico o por otra cosa, un día apedrearon la embajada y rompieron todos los cristales. Pero estabas hablando de los camareros y a lo que iba: cuando empezaron a dejarnos ver películas inglesas, yo me acuerdo que vi una en la que el ama de casa se quejaba de que no podía encontrar una criada; y supongo que lo mismo pasaba con los camareros.

Antolín continuó, resignado, con su historia:

Cuando acabó la guerra, se le agudizó el deseo de volver a reunirse con su mujer y sus hijos y reanudar la vida. No sabía mucho de ellos. Sabía que se habían salvado del desastre y conocía sus señas. No se atrevió a escribirles durante los años que duró la contienda, porque le advirtieron que recibir entonces una carta de Francia o de Inglaterra era arriesgar una visita de la policía y a veces males mucho mayores. Después comenzó a escribir, muy cuidadosamente, cartas sencillas que no decían más que que estaba vivo y que esperaba verlos un día. Le contestaron con cartas semejantes. Tuvo la sorpresa de las fotografías de los chicos que ya se habían convertido en hombres y a quienes no hubiera reconocido; Amelia era una mujercita frágil en la que no podía recordar la chiquilla regordeta que había visto por última vez en 1937. Las cartas venían encabezadas con una cruz y terminaban con exclamaciones, «¡Franco, Franco, Franco! ¡Arriba España!» Sabía que se obligaba a la gente a poner sus señas en los sobres y que todas las cartas al extranjero pasaban por una censura secreta. No le chocaba que los que escribían se sometieran a la hipocresía de la cruz y el grito de Falange. Todo aquello no tenía importancia. En unas semanas habría terminado todo. Tenía bastantes ahorros y comenzaría una nueva vida en España.

Había pensado muchas veces en cómo estaría Luisa, su mujer, pero no había conseguido que le mandaran un retrato. Debía estar aviejada. Eran de la misma edad, ella unos meses más joven, había pasado a través de diez años de guerra y privaciones, y las mujeres envejecen pronto en España. No se hacía ilusiones sobre ello: cuando regresara, reharían la casa y se seguirían aguantando el uno al otro, como lo habían hecho durante muchos años. Lo importante eran los chicos. Aún eran jóvenes y podría encauzárseles en la vida.

Eusebio cortó su discurso:

—Pues, chico, ya has tardado bastante en decidirte a venir.

—Mire, Eusebio, si me interrumpe a cada momento, no voy a terminar nunca la historia. Si hubiera venido antes y estuviera en mi casa y todo estuviera arreglado, pues no estaríamos aquí ni usted ni yo.

—Bueno, bueno, no te sulfures. Es que uno quiere comprender las cosas.

Antolín tuvo la sensación de que Eusebio se estaba aburriendo y que lo único que le interesaba y esperaba de él era la narración de aventuras exóticas y hechos fantásticos. La cosa no tenía remedio y había que seguir. En todo caso, aunque Eusebio no se interesara, le serviría para lo que él quería conocer.

Poco a poco, en la correspondencia con su mujer y sus hijos, fueron surgiendo puntos ciegos que no entendía. La mujer no hacía más que repetir una y otra vez las penalidades que había pasado y estaba pasando, aunque ya no fuera muy claro, para sacar adelante a sus hijos, siempre con unas reflexiones finales sobre «la falta que hacía un hombre en aquella casa». Cada carta de Amelia estaba llena de historias de las buenas madres, de la bondad de Dios, de su misericordia, de lo santo que era el padre tal o el padre cual; el traje tan bonito que le habían puesto al Niño Jesús o a san Estanislao de Kostka. Y cómo todo el mundo era muy malo con ella. Los chicos escribían poco. Al principio, Juanito le escribía largas cartas llenas de alusiones, frases con doble sentido y descripciones crípticas, como si estuviera encerrado en un trabajo misterioso y secreto. En una de ellas incluyó un ejemplar impreso de *Mundo Obrero*. Cuando Antolín le contestó aconsejándole que no cometiera más tonterías como aquélla, el chico tuvo palabras de reproche y hasta se atrevió a escribir a su padre que se había convertido en «un burgués capitalista». Desde entonces las cartas se espaciaron más y más. Del mayor, hacía ya muchos meses que no recibía carta. Su madre eludía sus preguntas concretas. Le preocupaba la actitud del chico. Desde el principio se había erigido en una especie de consejero de su padre. La última carta, a la cual había replicado agriamente, había sido en la ocasión en que Franco proclamó al mundo entero que todos los emigrados españoles que no fueran ladrones o asesinos podían volver a España. Pedro le había mandado un recorte donde aparecía el decreto de amnistía, diciéndole: «Ahora tienes la ocasión de volver a casa. Y no te preocupes. Tengo muy buenos amigos y en cuanto te presentes en el Consulado, me escribes, que de lo demás me encargo yo. Las cosas aquí están muy malas, pero sólo para los tontos». Seguía una serie de consideraciones cínicas sobre la vida en España, donde los «tontos» se morían de hambre y las gentes inteligentes —como él— vivían en un paraíso.

Sí. Al terminarse la guerra Antolín estaba dispuesto a volver a España en el momento en el que el dictador desapareciera. No le importaba mucho si el sucesor era un rey o un gobierno republicano de derechas. Se daba cuenta de la política de los vencedores, cuya división era ya clara. Como un sóviet no quería volver a España. Y a la vez comprendía que un Gobierno apoyado por los restantes aliados no podía ser más que un gobierno de compromiso, en el que la Iglesia, la aristocracia y la industria tuvieran asegurados sus privilegios. Tenía la convicción de que una solución semejante sería aceptada por los españoles como una transición necesaria para evitar otra guerra civil y como una liberación del dictador. Pero cuando los gobiernos aliados se desentendieron de mandar un ultimátum a Franco, su entusiasmo por volver a España se enfrió.

A través de las cartas había surgido también el problema de su matrimonio. No sólo a través de las cartas, sino a través de su vida con Mary.

—Bueno, tú, corta el chorro. ¿Quién es Mary? —Eusebio meneó sabiamente la cabeza y agregó—: *Charché la fam.* Conque te has liado, ¿eh?

—Pero, hombre, Eusebio, ¿no puede usted callarse?

—No, hijo, no. Está bien. Tú tienes la palabra y cualquiera te la corta. Pero si quieres que yo me dé cuenta de todo este lío, explícate un poco. ¿Quién es Mary? Y me callo.

En el restaurante del griego, como en la mayoría de los restaurantes de Soho, los camareros preparaban el servicio del comedor entre la nueve y las once para el almuerzo que comenzaba a servirse a las doce. Y en esta hora de intervalo se escapaban en dos turnos de media hora, a comer un bocadillo y tomar una taza de té o una cerveza, porque la comida no la tenían hasta después de las tres, que se cerraba el restaurante.

Antolín tenía la costumbre de ir a una casa de té en Wardour Street, donde preparaban bocadillos decentes y frescos. Se acostumbró a la misma mesa y a la misma camarera, sin reparar nunca en ella. Un día le recibió con la frase ritual: *It's a lovely day!»* —«¡Vaya un día hermoso!»—, y él contestó sin pensar: *«And you're lovely today»* —«Y usted está hermosa hoy»—. Pensando que todo aquello era casi una incorrección agregó: «Como siempre». Se rio la mujer enseñando unos dientes magníficos: «Hoy está usted de broma». Se quedó mirándola. Verdaderamente era hermosa a su manera. Nadie hubiera dicho que era una belleza, ni que cumpliría ya los treinta, pero tenía una cara fresca, una boca alegre y algo pecadora, unos ojos traviesos, un pelo lujurioso color cobre, una naricilla respingona y una barbilla en la cual, cuando se reía, se acentuaba el hoyuelo y hacía juego con uno más en cada mejilla. Por lo demás, no era el tipo clásico inglés; era más bien bajita, un poquito más baja que él, que en Inglaterra se sentía pequeño, y llenita de carnes. La mujer siguió bromeando mientras le servía, y como a él le gustaba, le preguntó si quería ir al cine una tarde. Pasó todo sencillamente. Fueron al cine una tarde que llovía, y después él la acompañó hasta su casa. Habían pasado una tarde agradable, hablando de su trabajo, charlando de mil cosas sin importancia, con las manos entrelazadas en el cine, el brazo de él ceñido a su cintura, sin ir más allá ninguno de los dos. Cuando llegaron al portal, Mary dijo: «¿Quieres subir? Tengo dos huevos y un poco de queso y puedes comer algo, porque a la hora que es te quedas sin cenar».

—Usted sabe cómo son estas cosas, Eusebio. Mary es muy simpática y muy alegre y hemos vivido juntos muy felices hasta ahora.

—Sí, ya sé cómo pasan estas cosas. Cuando yo tenía mis treinta años, ¡si tú supieras! Claro que la parienta nunca se enteró, pero conocí yo una chica...

—Bueno, no se líe usted ahora a contarme sus amores de cuando joven.

—No, no. Sigue con los tuyos. No quiero que protestes otra vez. Esto ya me va gustando un poco más. Todavía te sientes gallito. Ahora sigue. Os liasteis, ¿y qué?

—Pues, nada más, Eusebio. La verdad es que no sé cómo explicarlo. Usted sabe que yo he vivido con Luisa quince años y que nuestro matrimonio ha sido como todos: que se enamora uno de una mujer que le parece la más bonita del mundo, y que se casa, y que después amanece uno una mañana con una mujer al lado que es como las otras, salvo que es la mujer de uno y las otras no lo son. Mientras dura la cara bonita y la alegría de la luna de miel, todo está bien. Después vienen los partos, la falta de dinero, el mal humor y... usted ya me entiende. Se aburre uno, perdiz cansa. Uno se ha equivocado y no quedan más que dos soluciones: hacer una granujada y marcharse, o conformarse y hacer una escapada cuando se tercia, sin dar dos cuartos al pregonero. Naturalmente, la mujer se va haciendo más y más el ama de casa y más y más vieja. Y cada día uno pinta menos y se aburre más. Nos decimos, así es la vida, y lo tomamos lo mejor que podemos. Ya no le quedan a uno ni fuerzas para ser granuja. —Antolín se animó—: Pero la vida no es así, Eusebio. Yo también me lo creía igual que usted se lo cree aún. Y es que en este país, de las mujeres no sabemos más que lo que nos enseñan las que se venden por un duro y las que nos obligan a casarnos porque no hay manera de tumbarlas en la hierba.

—¡Atiza! Tú te has enamorado. Y eso no tiene más cura que el cura. Cásate con tu Mary, y ya me lo vas a decir.

—No es eso, Eusebio. Es otra cosa muy distinta y, me doy cuenta, muy difícil de explicar. Yo no estoy enamorado de Mary ni creo que ella lo esté de mí. Ni nos hace falta casarnos. Lo que pasa es que vivimos muy felices. Los dos somos ya un poco viejos y ni hacemos locuras ni nos dan ataques de fiebre. Nos entendemos, nos perdonamos el uno al otro y no pedimos mucho más. Es una cuestión de comprensión. Yo nunca he comprendido a mi mujer, ni ella me ha comprendido a mí. Nos gustamos, nos podíamos acostar juntos, y se acabó. La vida no es sólo acostarse juntos, Eusebio.

El señor Eusebio apoyó los codos sobre la mesa y se quedó mirando a Antolín:

—Bueno, mira, te voy a decir lo que me sale de dentro porque si no, se me indigesta. A ti te han cambiado en esa Inglaterra de los demonios que voy a acabar por creer que tienen razón los curas, que es una tierra de herejes, aunque a mí no me importen mucho los curas, ni les haya hecho nunca ascos a unas buenas tetas y un buen trasero. A ti te han vuelto la cabeza con todas esas cosas modernas de que el hombre y la mujer son dos seres iguales. Y en esto, aunque yo haya sido toda mi vida un revolucionario de los viejos, de los de Pablo Iglesias, sigo creyendo que la mujer tiene su sitio en la cocina y limpiando la mierda a los chicos; y el hombre a ganarlo. Bien, si se tercia una chapuza y tiene ganas de ello, tiene derecho a divertirse, que para eso es el amo. Pero sin olvidar sus obligaciones. Aunque tú lo niegues, a ti te pasa lo mismo. Y si no, ¿por qué has vuelto tú a España? Porque no has venido a visitar a la mujer y los chicos y a contarles que estás liado con esa Mary. Yo no te voy a aconsejar, porque ya soy viejo y me doy cuenta de muchas cosas, pero si tú has venido aquí es porque no tienes la conciencia muy tranquila. Y si no tienes la conciencia tranquila, es porque no tienes razón, por mucho que te empeñes.

—Todo lo que usted dice está muy bien, pero no es mi caso. Ya le he dicho que no estoy enamorado; y le digo también que todo eso que usted me dice, lo veo y lo siento yo, aunque de otra manera. Lo veo como una responsabilidad, pero no como un principio de vida. La vida no es así, ni puede ser así, porque entonces es demasiado miserable. Si por el hecho de que yo me casara hace veinticinco años, he contraído la obligación de ser infeliz a sabiendas y hacer felices a otros, sin escape posible, entonces la vida es demasiado estúpida.

—Pero entonces, ¿a qué has venido?

—Creo, honradamente, que aún no lo sé. Creo que he venido a tratar de encontrarme otra vez a mí mismo.

—A ti te ha trastornado la guerra.

—No, Eusebio, déjeme explicarlo de otra manera. Yo he vivido aquí como usted y como todos. Fui a la escuela y empecé a trabajar como chico en un banco, lo mismo que otros empiezan como aprendices de carpinteros. Me convertí en un empleado, me casé, y se acabó. Pero claro es que a mí me pasó lo que a todos, incluso a usted. Todos soñamos. Cuando yo comencé a trabajar en el banco, pensaba que un día llegaría a ser por lo menos uno de los directores; cuando me casé, que mi mujer era la mejor de todas las mujeres, que iba a crear una casa maravillosa para ella, un verdadero palacio, y cada año nos iba a traer más felicidad y prosperidad. Y aprendí muy pronto que en el banco nunca sería un director y que mi casa nunca sería un palacio y nunca estaría llena de alegría. En el banco, cuanto más viejo me hacía, más claro veía que no iba a ser más que uno del rebaño, porque me faltaba el talento para especulaciones bancarias y para ser un lameculos; que lo único que podía ser era un esclavo del miedo a que me pongan en la calle y pierda mis cuarenta duros. No me habría hecho daño si sólo me hubiera enterado de lo que era ilusión y lo que no. Pero cuanto más viejo, menos veía para qué estaba trabajando como un burro. Para mi mujer yo no era más que el que la había librado de quedarse soltera. Secretamente, seguro que pensaba que el mayor idiota era su marido precisamente por haberse casado con ella. No creo que me tuviera mucho cariño. Claro que era también mi culpa: tampoco yo la quería bastante. Pero esto no hacía más fácil la cosa. Mientras los chicos eran pequeños, los podía mimar, pero más tarde los criaba ella y no la gustaba que interviniera mucho. Total, que yo no sabía adónde iba. No sabía para qué sirve la vida ni para qué servía yo en la vida.

—Tut, tut, tut. Tienes la cabeza llena de pájaros. No es que te vaya a negar que a todos nos ha pasado lo mismo. A todos nos da la fiebre y nos hacemos muchas ilusiones, hasta que llega un día (y cuanto antes llegue, mejor), en que se da uno cuenta que no vale la pena devanarse los sesos. La vida es así. El que nace para ochavo, nunca llega a cuarto.

—Puede que tenga usted razón, Eusebio, pero déjeme preguntar una cosa: ¿por qué, cuando estalló la guerra aquí, le dio a usted la chaladura de coger un fusil y marcharse usted al frente, hasta que le tuvieron que traer a casa casi a la fuerza?

—Hombre, tú preguntas algo que ya me he preguntado yo muchas veces en todos estos años. Lo primero, porque como te he dicho antes, yo era de los de Pablo Iglesias y se me hubiera caído la cara de vergüenza quedándome en casa el 18 de julio. Luego por una porción de cosas más: porque les tengo tirria a los curas y a los generales, y a todos los tíos que le explotan a uno, y me dije entonces: «Ahora va de veras y vamos a acabar con todos ellos, los vamos a echar a patadas como en Rusia y vamos a arreglar la casa como nos dé la gana».

—Y entonces, claro, si hubiéramos ganado la guerra, como el arreglar la casa para usted es tener el cocido diario, la mujer limpiando el trasero de los chicos y usted acostándose con la que se tercie sin escándalo, la República hubiera tenido que ser una reunión de padres de familia barbudos distribuyéndose las buenas paridoras para mujer y las putas más bonitas como queridas.

—Tú eres un bárbaro. Lo que yo quería con la República era decencia, sí señor, decencia, que es lo que hoy no hay. No la tienes tú con tanta presunción con tu Londres, no la tiene tu mujer, ni la tienen tus chicos, que aquella casa es un infierno. Tu mujer va para bruja, tu chica para beata y tus chicos, el uno para chulo falangista y el otro no es más que un chalado que cree que todos vamos a ir detrás de un tractor en una granja soviética de la que naturalmente él va a ser el camarada responsable.

El viejo se había excitado hasta la furia, y sus últimas frases se habían podido oír en el último rincón del comedor. Antolín se sintió avergonzado y aturdido. Había perdido la costumbre de oír hablar a la gente a gritos. Estaba acostumbrado a que las gentes discutieran dándose razones y argumentos. Le asustaban además las consecuencias que pudiera provocar una explosión semejante en un sitio como la España de Franco, donde hasta las paredes escuchaban. Y sobre todo le descorazonaba la actitud del viejo amigo que ni aun trataba de comprender sus argumentos —o al menos así le parecía—, sino solamente quería desahogar su propia impotencia. Peor aún: nada de aquello le extrañaba y, curiosamente, esta falta de extrañeza por su parte era lo que le asombraba más. ¿Había cambiado tanto que encontraba aquello como natural en sus propios compatriotas y a la vez tan ajeno a él?

Eusebio, ahora, se había quedado con los ojos apagados y movía la cabeza dubitativo:

—En fin, vamos a dejar a un lado estas cosas que no hacen más que criar mala sangre. En todo caso tú sabes que, aunque a veces no tengamos las mismas opiniones, cuando te haga falta un amigo para lo que te haga falta, aquí está Eusebio. Y perdona lo que he dicho de tu familia, pero es que se me ha escapado, porque a veces pierde uno la cabeza. Cuéntame cuáles son tus proyectos y no hagas caso de lo que yo diga. Que uno no ha salido en su vida de este cochino agujero y al fin y al cabo tú has andado un poco por el mundo y no eres tonto.

Le invadió a Antolín una ternura súbita por el viejo. Siguió hablando, ahora con la voz quieta, con la disciplina que sobre ella había adquirido en Inglaterra y de que ahora se daba cuenta:

—Lo que yo quiero es conocer a los míos.

—Pues eso es sencillo, te vas a tu casa y lo ves.

—No lo creo así. Si me presento en la casa, ya sé lo que va a ocurrir. Nos vamos a mentir unos a otros, nos vamos a dar unos abrazos y unos besos y se nos van a caer unas lágrimas. Seguramente alguna comilona para celebrarlo. Y después, nos vamos a encontrar unos frente a otros, desconocidos completos. Lo que yo quiero que usted haga es ir a casa y decirle a mi mujer y a mis chicos que estoy en Madrid, y que quiero verlos. Les explica que yo no he querido ir a casa por no llamar la atención de las gentes y por no tener inconvenientes con la policía, ni ellos ni yo. Claro que la policía sabe que estoy en Madrid, pero al fin y al cabo yo no soy para ellos más que un súbdito inglés que antes era uno de los emigrados de la República y hasta ahora no tiene contactos por aquí. El visado para venir me lo han dado después de comprobar que yo no figuro en las listas de las gentes que a ellos les interesa echar mano.

—Antes de que sigas, dime, ¿por qué te has hecho súbdito inglés?

—Bueno..., hay muchas razones para ello que ahora no vienen a cuento. Una es que de verdad yo no me he fiado, ni me fiaré nunca, de estas amnistías de Franco y no quería que me entrampillaran aquí. Ya sé que al que vuelve con pasaporte español ya no le dejan salir aunque quiera.

Entonces, ¿tú piensas en volverte a marchar?

No lo sé. En todo caso, quiero tener la puerta abierta; y con mi pasaporte inglés, mientras no me mezcle en alguna cuestión política, nadie puede decirme una palabra. En fin, esto no importa mucho ahora, aunque esté bien que usted sepa para lo que les diga a la mujer y los chicos. Precisamente, que como no quiero llamar la atención, prefiero que vengan a verme y resolver lo que vamos a hacer. Pero que no vengan a verme juntos. Lo mejor es que venga mi mujer, si quiere con la chica, y que luego vengan los muchachos, juntos o separados; y charlaremos un rato. Después de todo, si digo la verdad, me da un poquito de miedo presentarme allí.

—Esto de que te dé miedo, lo comprendo porque esta mañana a mí se me ha arrugado el ombligo y me temo que he metido la pata. —Azorado, Eusebio contó a Antolín su visita de aquella mañana y el escándalo del que había sido testigo.— Claro, tú —continuó— ya tienes que haber perdido la costumbre de esas cosas. Y si yo mismo me he asustado, me imagino lo que te pasaría a ti; así que no te preocupes. Voy a hablar a tu mujer y le voy a contar un cuento de miedo para que no se extrañe de que no vayas allí y para que venga a verte donde tú digas.

Antolín le dio las señas de la pensión y acordaron que esperaría allí a los suyos cada mañana. Después, Antolín dijo:

—Esto ya está arreglado, y como ya se nos han calmado los nervios a los dos, explíqueme algo de lo que antes decía sobre mi familia. No me voy a asustar de nada, porque ya he venido preparado para lo peor, aunque es fácil que usted haya exagerado. ¿Qué es lo que hace mi mujer para que la llame bruja? ¿Y qué disparates están haciendo los chicos?

—Mira, mira. Es un cuento muy largo y no nos vamos a enredar ahora. No es que yo me niegue a decirte lo que pienso, porque hasta a ellos mismos se lo he dicho en la cara más de una vez y creo que están un poco enfadados conmigo. Tú los ves primero y luego te enteras, o te iré enterando yo de las cosas.

Se veía claramente que el viejo rehusaba meterse en explicaciones. Antolín se conformó, cansado él mismo.

Salieron de la vieja taberna y en seguida se separaron. Sin darse cuenta, Antolín se fue Carrera de San Jerónimo abajo, camino del Prado. Iba vacío de pensamientos, y por una vez le era grata la soledad, porque nadie le forzaba a pensar.

Se sorprendía a sí mismo de repente: había a su alrededor murmullo de fuentes disparadas a lo alto, rompiéndose en gotas iridiscentes.

Liberada por el sol, subía frescura de hierba recién regada. En su camino hojas secas formaban remolinos juguetones y bajo las suelas de sus zapatos crujía la arena fina.

Siguió en línea recta por el paseo bajo los árboles, sin mirar, sin ver mucho, rozándose con gentes que iban y venían, cazando a veces un destello de color del niño jugando con la arena, de la rosa tardía de septiembre que nadie aún había robado en el jardín.

3

Pedro estaba «estirando» su cerveza. Era un robo pagar tres pesetas con veinte céntimos por un vaso de cerveza, y mala. Mejor se la daban a él por una peseta en Antón Martín. Pero si se quiere algo, hay que mantener las apariencias. La verdad era que se sentía irritado. Se daba cuenta de que aquél no era su sitio, que estaba fuera de su ambiente, y aunque adoptara una actitud descarada hacia el camarero, un viejo reumático y lacrimoso, o hacia los ocupantes de las mesas vecinas, tenía la sensación de que todos le estaban mirando, hasta los transeúntes que pasaban por la acera delante de la terraza del café.

Pero aquel día Pedro se estaba jugando todo. Estaba harto de ser un chulo de prostitutas baratas y un agente de seguridad o de tercera clase en el mercado negro. Se creía a sí mismo con un físico lo bastante atractivo para conquistar zorras ricas y hasta de las «decentes» con dinero y con ganas de disfrutar de su cuerpo. Se consideraba también inteligente de sobra para no tener que conformarse con las migajas del negocio y además correr el riesgo. Lo que le faltaba era «clase». Y le faltaba clase, porque todavía no había conseguido hacerse con unos pocos billetes de los grandes. En cuanto los tuviera, aquella vida se había acabado para él. Y precisamente aquella tarde se iba a revolver la situación. Todos los indicios eran favorables. La venida de su padre..., un pobrecito hombre con muchas decencias en la cabeza y muchos romanticismos, a quien no costaría trabajo sacarle las libras del bolsillo...

Se había entretenido durante la entrevista. Había escuchado un chorro de buenos consejos; y no cabía duda que el viejo se había sentido muy feliz cuando él le había explicado sus planes para desarrollar un negocio decente y ganar dinero. Y a su vez le había confesado que traía de Inglaterra algunas representaciones y que esperaba, si volvía allá, poder llevarse algunos negocios semejantes. Aquello era pan comido. El viejo se sentía culpable de haber abandonado a los hijos por la chaladura suya de echarse a la calle cuando aquello, y ahora quería remediarlo, hacer penitencia.

No cabía duda que tenía dinero. Las ropas que llevaba, y lo que él había visto en el cuarto de la pensión, no se lo pagaban ni los ricos de Madrid. La pensión lo menos le costaba sus buenos quince duros diarios. ¡La calle de Peligros, pegadita a la Puerta del Sol, y una casa de calidad! Con la tía gorda aquella, el ama de la pensión; tratándole como un hijo adoptivo... Lo único de lo que tenía que tener cuidado era de no asustar al viejo. De hoy en adelante, todos los negocios, ¡decentes!

Éste había sido su primer golpe de buena suerte... En realidad esto no era verdad. El primer golpe de buena suerte lo había tenido un mes antes, haciendo amistad con el tipo que estaba esperando. No era ningún idiota el señor Puchols, pero al fin y al cabo no era más que un paleto valenciano. ¡Ahora que el tío era listo! Cuando se acabó la guerra, no tenía más que la cabaña y el cacho de arrozal que le devolvieron los de Franco porque siempre había sido muy amigo del cura. Y ahora el tío ladrón seguramente no se dejaba ahorcar por veinte mil duros. Lo único bueno que tenía era que no estaba contento. En medio de todo tenía razón. Le pasaba lo que a él: otros se llevaban la tajada grande y a Puchols le dejaban las sobras. Si las cosas se arreglaban hoy, la tajada grande se la iban a comer a medias, el arrocero y él. Y como pudiera, la mayor parte iba a ser para Pedro.

Allí estaba el señor Puchols; con su traje de domingo de

paño gordo que a lo mejor era arreglado de un traje de su abuelo; su panza ya más que incipiente y sus redondeces blanduchas de levantino que comienza a ser viejo y que el sol no ha conseguido secar. Todo muy respetable. El señor Puchols ya no fumaba más que cigarros puros, y la cadena del reloj era de oro. Cuando venía a la capital, se dejaba afeitar todas las mañanas la barba negra, tupida, que se le quedaba azuleando en la cara morena. La cara, un pan redondo que daba ganas de abofetear. Y en el pan, dos agujeros a punzón con dos chispas de granuja dentro, y una nariz que parecía el pegote que los chicos ponen como nariz a sus muñecos de barro. El pelo hacía años que se había despedido, y la calva, cuando se quitaba el sombrero, aparecía desnuda y roja como el trasero de un recién nacido.

Pedro estaba pensando que en todo hay categorías. Él podría ser un golfo y un chulo y un estraperlista, y todo lo que quisieran llamarle, pero al lado de aquel tío él era más virginal que la Purísima Concepción. El pensamiento de su virginidad le hizo tanta gracia que le llenó la cara de una sonrisa espontánea, la cual el señor Puchols consideró dedicada exclusivamente a él.

Se estrecharon las manos, se preguntaron por la salud; el señor Puchols dio unas palmaditas feroces que obligaron al camarero a olvidar sus reúmas. E iniciaron su negocio, una vez que las dos cañas de cerveza, rebosantes de espuma, estuvieron sobre el mármol del velador.

—Bueno, muchacho —comenzó el señor Puchols—, vamos a ver si nos entendemos.

—Por mí está todo hecho. Usted es el que tiene la palabra y..., bueno, lo vamos a llamar «el artículo», porque a nadie le importa. De lo demás no tiene usted que preocuparse. Usted me deja un vagón o dos en la estación, y del resto me encargo yo. Como yo le dije el primer día, la única cuestión es que tenga usted confianza o no. Porque, como usted sabe, yo no tengo dinero. Pero hasta en esto de la confianza usted ya conoce mis garantías. Si yo me quedo con «el artículo» y no le pago, pues usted ya sabe a quién ir a contarle que yo le he robado un vagón de arroz —bueno, «del artículo»— y ya sabe usted que esta gente no gasta bromas. Hasta que hagamos unos cuantos negocios, que después usted no se apure, que en este asunto el que más puede es el que se lleva el gato al agua.

—Bueno, muchacho, yo no tengo nada que decir. Un negocio es un negocio, y tiene uno que arriesgar algo. El vagón de arroz lo vas a tener, y a mí no me interesa cómo te las compones. Pagarme ya me pagarás. Todavía no se me ha escapado nadie sin pagarme. Pero yo estoy harto de tratar con granujas y de que me exploten. Si tratamos como personas decentes, yo ya te he dicho que vamos a medias. Todo menos dejar que unos sinvergüenzas se hinchen con el trabajo mío y el tuyo. Tú no sabes lo que es cada viajecito de éstos. Desde Valencia aquí viene uno con la cartera abierta, sembrando dinero, para luego no sacar nada en limpio.

—Pero, bueno, a usted el arroz se lo pagan, ¡bien pagado!

—Sí, bien pagado, pero los gastos, a mis costillas. Claro, vosotros, la gente de Madrid, no sabéis lo que es esto. Te voy a contar dónde llega la frescura de esta gente para que te des cuenta. Yo me hago con el arroz...

—Habíamos quedado en llamarlo «el artículo».

—No me apaño, y da lo mismo. Es un secreto a voces. El que quiera escuchar, que escuche. Como iba diciendo, yo me hago con el arroz —que buen dinero me cuesta—, y les digo a los del Sindicato que tengo lo que sea, digamos veinte vagones. Y ellos me mandan la orden oficial de mandar esos veinte vagones a Madrid. Y aunque tú no lo creas, muchacho, entonces es cuando empieza mi calvario. Me voy con la orden a la estación y le digo al jefe de tráfico que me hacen falta veinte vagones. Se me pone a silbar y a mirar al techo. «¿Y de dónde se cree usted que vamos a sacar veinte vagones?» Le digo (pero esto lo hice sólo la primera vez): «Aquí tienen ustedes la orden para mandar veinte vagones de arroz a Madrid y es una orden oficial, así que verá usted de dónde los saca». Y el hombre me dice: «Pues dígale usted al Sindicato que no tenemos vagones y que nos los den ellos». Y yo, como un tonto, me fui al Sindicato y se lo dije. Y el tío allí en Valencia se me quedó mirando muy serio y me dijo: «Mire usted, señor Puchols, a mí no me venga usted con cuentos. El arroz se le paga a usted en Madrid. Y usted se las compone como pueda para llevarlo. Por tren, por camión o por aeroplano. Mientras el arroz no esté allí, usted no cobra. Y además, usted ha declarado que tiene veinte vagones de arroz, y el Sindicato le ha dado la orden de entregarlo. Si no lo hace, se atiene usted a las consecuencias. No me creo que se vaya usted a convertir en un enemigo del régimen como esos agricultores que se empeñan en esconder su cosecha».

—No, cara dura no les falta.

—Sí, señor, cara dura. Y desvergüenza. Me vuelvo al tío aquel de la estación y le digo: «Bueno, y eso de los vagones, ¿cómo lo podemos arreglar?» Y se me pone a silbar otra vez y a mirar el techo, y me dice con toda frescura: «¡San Dinerito, señor Puchols, San Dinerito!» Para acabar pronto: cinco duros por vagón, y los veinte vagones en el muelle de Valencia. Pero no había acabado, hijo. Cargo mis vagones (¡que sólo Dios sabe el dinero y el trabajo que me costó poner el arroz en ellos!) y me dice un factor más lleno de hollín que un maquinista: «Conque, para Madrid, ¿eh?» Le digo: «Sí, en el primer tren». Y se me pone a silbar también: «Pues entonces se va a pudrir el arroz. Porque hay lo menos doscientos vagones esperando y las máquinas que hay no son capaces ni de llevarse veinte de cada vez». Claro que ya me había aprendido mi leccioncita, y le dije: «Bueno, déjate de silbar y... ¿cuánto?» Me contesta con toda la cara dura: «Un durito para los enganchadores no estará mal». «¿Cuántos son?» «Dos. Y yo, que tengo que dar la salida.» Tonto de mí, meto la mano en el bolsillo, sintiéndome generoso, y le doy cinco duros. Se me queda mirando, se pone a silbar otra vez, y me dice: «Pero no, es por vagón». Y me tuve que sacudir trescientas pesetas que me sentaron como trescientas puñaladas. En medio de todo el hombre fue decente. Se guardó los cuartos y me dijo: «Usted es nuevo en estos líos, señor Puchols» —porque a mí me conoce todo el mundo— «y me va usted a perdonar que le dé un consejo. Dele usted cinco duros al guarda de mercancías para que le deje ir en el furgón hasta Madrid. Y cada vez que llegue usted a un sitio donde empiezan a enganchar y desenganchar vagones, dele usted un poco de grasa a las ruedas, porque si no, se le van a quedar a usted los veinte vagones en una vía muerta hasta el día del Juicio». Y éste es el negocio, hijito. Con cada tren, a Madrid en el furgón, sentado en la tabla que llego con los huesos molidos, y soltando duros en el camino, como si tuviera un agujero en el bolsillo, para que no me hagan una charranada.

—Sí, entiendo todas estas cosas, señor Puchols, pero al fin y al cabo usted saca su buen dinero —dijo con sorna Pedro que, aunque estaba en el secreto, se divertía mucho con la indignación moral del valenciano.

—Hasta ahora me han pagado. Hasta que un día me hagan una mala jugada y me dejen colgado con unos miles de duros. Porque la cosa no es tan simple como parece. Y te voy a seguir contando, hijo, mi primera experiencia, para que te des cuenta de cómo es toda esta gentuza... Cuando llegaron mis veinte vagones a Madrid, me fui a cobrar. Me pusieron el «visto bueno» y me dieron la orden de pago. Tantos miles de kilos de arroz, a cinco pesetas, tantas pesetas. Y le digo al señor aquel tan serio: «Pero, bueno, esto no es lo tratado». Y me dice: «¡Ah, yo no sé nada! Allá usted con quien haya tratado. El precio de tasa son cinco pesetas, y cinco pesetas el kilo se le pagan, y en paz».

—Y, ¿qué había sido lo tratado, señor Puchols?

—Pues allí estaba la broma, hijo. Que los de Valencia me habían dicho: «Usted no haga caso de esto de las cinco pesetas. Usted nos busca aunque sea un millón de kilos de arroz, cuanto más, mejor, y nosotros se lo pagamos a tres pesetas el kilo sobre la tasa y los gastos». Me volví a Valencia, con las tripas que te puedes imaginar. Me fui a buscar a quien me había propuesto el negocio, y cuando me desahogué, me dice lo que ya me habían dicho muchas veces: «Pero, hombre, señor Puchols, usted es tonto. Claro que ni el Sindicato, ni nadie oficial, le van a pagar a usted más de las cinco pesetas. Las tres pesetitas de propina se las van a dar los peces gordos que se llevan el arroz. ¿O es que cree usted que el Sindicato se lo reparte a los tenderos de Madrid?» Y el hombre me dio unas señas, las que tú conoces, y allí me pagan las tres pesetas y los gastos, sin chistar. Bueno, a veces pagan lo que les da la gana, porque de repente al Gobierno le da por repartir una ración de arroz, y entonces el señor Puchols se tiene que sacrificar en unos miles de kilos y darse por contento.

Por la mente de Pedro cruzó un pensamiento alarmante: había estado escuchando las explicaciones de Puchols para penetrar en el detalle de lo que sólo conocía en líneas generales, en el caso del arroz. ¿Cómo iba a pagar este tío bandido la mitad? ¿Mitad de qué? ¿De la diferencia entre las ocho pesetas que le pagaban a él y los precios del mercado negro? ¿O la diferencia entre el precio de tasa y el que el público pagaba de estraperlo?

A su pregunta directa, Puchols contestó con una sonrisa de zorro viejo:

—Esas cosas no se preguntan, muchacho. Yo te pongo el arroz al mismo precio que me lo pagan a mí. Tú lo vendes y nos repartimos la diferencia.

—Pues sigue la cosa sin estar clara, señor Puchols. Al precio que le pagan a usted, ¿quién? ¿El Sindicato o el Sindicato y los otros juntos?

—Pues claro que a lo que me pagan todos juntos. Ocho pesetas.

Pedro tuvo un arranque de valentía:

—Lo siento, señor Puchols, no me conviene. Eso no es

mitad, sino la mitad de las sobras. Y para vivir de sobras, estoy viviendo bien como vivo.

El señor Puchols pensó que el mocito aquel sabía lo que tenía entre manos, y que no servía con él el hacer papeles maternales ni de dignidad ofendida. Los dos sabían que Puchols no iba a ser un tonto que renunciara a la venta segura y a los buenos negocios que hacía con el general «Bomba», y arriesgara la pérdida de protección oficial para comprometerse con un don nadie y acabar un buen día en la cárcel, con una multa que le arruinara. El plan que tenía era el mismo que otros como él seguían: cuando les pedían veinte vagones, meter veinticinco, y negociar por su cuenta estos cinco sobrantes. Ni el general «Bomba», que era el amo del arroz, ni el general «Judías Pintas», ni los otros, se oponían a esto, sino que hacían la vista gorda. Al fin y al cabo, de alguna manera los pobres traficantes como Puchols tenían que resarcirse de la pérdida que les producía el que de pronto tuvieran que dar cien toneladas para raciones a precio de tasa...

La dificultad para vender estos vagones de sobra era que había que tratar con agentes que fueran decentes en cumplir lo que prometían o a quienes se tuviera siempre bajo el pie y se les pudiera reventar si le engañaban a uno, o se veía uno en un apuro. Los agentes de importancia costaban muy caro y nunca se podía hacer nada contra ellos. Un agente insignificante, un principiante como este muchacho, era mucho más seguro, aunque hubiera que pagarle un poco más. Le sobraba a él —al señor Puchols— influencia para meterle en la cárcel, y hasta para que desapareciera si le hacía una trastada. En fin de cuentas no era más que el hijo de un rojo, que se había metido a ladrón. Por otra parte, el chico era listo, entendía el negocio, y prometía. Ya había oído él hablar del asunto de la cocaína; y nunca se había podido enterar a fondo, porque al condenado muchacho no había quien le sacara una palabra del cuerpo.

Paralelamente, Pedro pensaba que acababa de cometer una

tontería soltándole su ultimátum a Puchols. Si le fallaba aquello, tendría que seguir trampeando como estaba. Y sabe Dios cuándo se le terciaría otra ocasión de entrar en el negocio en grande. En fin, la cosa estaba hecha y no tenía remedio, y no iba a ser él el que empezara el regateo. Siempre le quedaba la posibilidad de sacarle al «viejo» las libras que pudiera.

El primero que rompió el silencio fue Puchols:

—Se me está ocurriendo otra cosa: para que veas, muchacho, que quiero ayudarte. Y así, ninguno perdemos nada. Como he dicho hoy y como tú sabes, el arroz a mí me lo pagan a ocho pesetas, y los gastos. Yo te dejo el arroz en Madrid a crédito y libre de gastos, y tú me lo pagas a diez pesetas. Y lo que ganes, que Dios te lo aumente.

Pedro hizo rápidamente sus cálculos: él no arriesgaba nada y se podía ganar, sin trabajo, un par de miles de pesetas en cada vagón de arroz. Sin embargo, regateó hábilmente. De una manera terminante replicó al señor Puchols:

—A nueve pesetas se lo pago. Más no. Al fin y al cabo, si me pillan a mí un día ya sé qué me van a decir: que he robado los vagones.

El señor Puchols alargó su mano derecha a Pedro:

—Trato hecho, muchacho. No vamos a perder más tiempo en discusiones por una peseta más o menos. Y ahora te vienes a comer conmigo.

El señor Puchols sabía hacer las cosas en grande. Habían tenido una comida espléndida, hasta langosta con una salsa espesa que llamaban «a la americana». Pedro no recordaba haber comido langosta en su vida, y nunca había pensado que los americanos pudieran comer langosta, si no se las mandaban desde Santander o Vigo que, como todo el mundo sabe, son los únicos sitios en el mundo donde hay langostas. Se sentía repleto y un poquito mareado por el cambio de vino. No entendía él muy bien aquellas mezclas. Posiblemente el señor

Puchols tampoco: porque Pedro no era tonto; había visto que el *maître d'hôtel* con su levita de faldones largos le había indicado «al señor» lo bien que estaría un vino tal y cual —él no había escogido más que una fecha— con el marisco y después un Burdeos con el «châteaubriand». Tampoco sabía él qué era esto de «châteaubriand», pero aunque tuviera un nombre muy raro debía de ser lo que los franceses llamaban a las buenas tajadas magras de carne de vaca joven. No se acordaba él de haber comido en su vida una carne tan jugosa y unas zanahorias doraditas como si las hubieran barnizado de amarillo. Y al final ¡un licor! El cara dura de la levita había propuesto algo que él no sabía lo que era, pero que sabía a menta y estaba espeso como el jarabe de los boticarios. Entraba solo. Ahora, que luego le subía a uno un calorcillo del estómago y empezaba uno a mirar con ganas los escotes de las tías que había alrededor. Aquella tarde se iba de juerga.

Empezó a repasar en su cabeza todos sus cariños repartidos alrededor de Antón Martín. En cuanto empezara a vender vagones de arroz, se acabaron aquellas guarras. Lo que a él le convenía era una fulana como la que estaba dos mesas más allá, que se dedicara a engaritar viejos como el que aquélla tenía a su lado haciendo el primo.

Puchols le sacó de sus meditaciones:

—Qué, ¿te ha gustado la comida, muchacho?

—De primera.

—Tú no habías comido nunca así, ¿verdad?

Le invadió una oleada de orgullo. ¿Qué se creía el viejo aquel? ¿Que le iba a achicar? Y dijo:

—¡Puah!, docenas de veces. Cuando yo estaba con el capitán, usted no sabe los festines que me he dado, mejores que esto; y no es despreciar. Usted no sabe las veces que yo he comido en el Ritz, con camareros con calzón corto y medias coloradas, que parecían grandes de España.

El viejo no se creyó una palabra de aquello. Pero no cabía duda de que en lo de la cocaína que había oído contar debía haber un fondo de verdad. Y nunca se sabe. Valencia es un puerto. Él conocía muchas gentes con una barquita que no les daba miedo ir a Marruecos por tabaco, o a donde fuera, si había unos billetes grandes por medio y no había que pescar caballas para ganarse un mal vivir. Así replicó:

—Bueno, cuéntame tus aventuras con el capitán ese.

Pedro se sintió apreciado. Ya le iba a enseñar él a Puchols lo que eran los negocios, y no andar cargando sacos de arroz...

—Mi capitán no era más que un capitán de aviación (el pobre se ha muerto ya y por eso yo ando malamente) pero era uno de los grandes. Me contó una vez que había enseñado toda España a los pilotos alemanes que nos mandaron de allá. Porque él era un piloto. Y cuando Franco ganó la guerra, pues a él le preguntaron qué quería. Pero aquello era el puerto de arrebatacapas. Los peces más gordos se habían llevado todo y hasta estaban peleándose entre ellos porque ya quedaban pocas cosas que repartir. Mi capitán tuvo una idea. Había sido un juerguista que se conocía todos los rincones de Madrid y todas las zorras de lujo...

Se interrumpió Pedro. Todavía no se le habían olvidado las recomendaciones de su capitán cuando trabajaban en aquel asunto. Un día le había dicho que, como se le ocurriera mentar lo que llevaba en los bolsillos o se marchara de la lengua, se podía contar entre los difuntos. Y aquello no era broma. Hubo una muchachita a quien le preguntaron una vez sus amigos de dónde sacaba los polvos, y se le ocurrió decir que se los proporcionaba un amiguito capitán. A la pobre la enterraron al día siguiente con más agujeros que un colador. Decían que habían sido los rojos, porque siempre andaba liada con falangistas, pero él —Pedro— no era tonto. Y ahora, por muy borracho que estuviera, no le iba a contar a Puchols la historia, y a lo mejor encontrarse con un susto detrás de la esquina. Además, aquél era un asunto que, en cuanto tuviera un poco de dinero, sabía cómo trabajarlo. Y no a medias.

Puchols le estaba mirando, esperando la continuación. El

camarero volvió a llenar las copas con licor. Pedro tomó un sorbo. Ahora no se lo bebería de golpe como antes. Y prosiguió:

—Pues hay poco que contar. A mi capitán se le ocurrió que nadie había pensado en los gabanes de pieles y todo el mundo tenía mucho dinero en el bolsillo. Él conocía mucha gente y sobre todo muchas putas de postín; si le dejaban el monopolio, era un buen negocio. Le mandaban las pieles de Barcelona y aquí no se vendía un mal cuello de piel que no pasara por sus manos. Era uno de los negocios más decentes que había; ¡hasta vendíamos al comercio! Pero el negocio grande, claro, estaba con las golfas. Le daban coba al primo de turno y le convencían para que les comprara un gabán de pieles de contrabando que era una ganga. La combinación era muy simple: arreglaban una comida, iba mi capitán, y después aparecía yo con el gabán. Un gabán, verdad, que valía los cuartos, hasta diez y quince mil duros. Cuando se había cerrado el trato, al cabo de unos días o unas semanas, recogíamos el gabán a la chiquita y le dábamos el cambiazo por uno que valía dos mil pesetas. Aquello era la comisión de la muchacha, y el gabán de verdad servía para pescar otro primo. Aparte de esto, mi capitán tenía el negocio de la piel, hasta las suelas de los zapateros remendones. El que quería un permiso para traer suelas de afuera, tenía que acudir a mi capitán, y así, todo. El resto se lo puede usted imaginar. Entonces era cuando me daba la gran vida, porque del truco del gabán de pieles me encargaba yo y siempre andaban convidándome las chicas.

Puchols se sintió defraudado. ¿Qué le importaba a él el negocio de pieles y cueros? Pero puso cara amable. El golfo aquel tenía más cáscara que lo que él hubiera creído, pero, ¿qué más daba? Tarde o temprano le sacaría la historia del cuerpo: la historia de la cocaína.

Tenía toda la paciencia de un viejo campesino.

La mujer conocida entre sus íntimos como la Tronío era para el mundo exterior doña Consuelo, una señora viuda todavía de buen ver, con dinero de sobra y un gran círculo de amistades influyentes. La portera de la casa donde vivía explicaba, a todo el que quería escucharla, que doña Consuelo era una «real señora», muy devota y muy amiga de hacer caridades. Si ella quisiera, podría codearse con la alta aristocracia; pero «desde la muerte de su difunto» —Dios le tenga en su Gloria— prefería una vida quieta en casita a las diversiones de su clase. Y en casa se estaba todo el tiempo, aunque muchos y buenos amigos venían a visitarla. Todos «gentes de postín, incluso curas». Era verdad que había malas lenguas que la llamaban la Tronío, pero era porque nunca faltaban envidiosos. «Ya sabe usted cómo es la gente, señor.»

De esta descripción y de una amplia lista de caridades de doña Consuelo, no había quien sacara a la portera, aunque el preguntón le pusiera en las manos un billete de banco. Sabía bien lo que se hacía. Tenía todas las propinas que le daba la gana, de gentes que no intentaban sonsacarla, sino que se abalanzaban escalera arriba, algunas veces hasta sin darse por entendido que ella estuviera, por lo menos al entrar.

En realidad la Tronío era dueña de un negocio para el que rechazaba cualquier título dudoso: cada tarde recibía a unos cuantos amigos y amigas que se reunían en su comedor, una amplia y confortable habitación, y merendaban, bebían y charlaban un rato. A veces, ella misma afirmaba que era una bienhechora de la humanidad: «Porque la verdad es», solía decir, «que hay tantas mujercitas, pobres chicas, que no tienen el dinero bastante para dar de comer a sus chicos, y a la vez tantos señorones que se aburren en casa, como ostras, con una mujer seca como un espárrago, y que quieren pasar un ratito distraído y tener alguien con quien charlar que al menos tenga una cara agradable. Pero claro es que son gentes de posición que todo el mundo conoce, y no pueden hacer lo que quieren, porque la gente comenzaría a murmurar;

mientras que aquí, en casa, están a gusto y seguros contra habladurías».

En su casa se encontraban hombres y mujeres, y pasaban un buen rato sin meter mucho ruido, porque ella no toleraba lo que pudiera oler a escándalo. Claro que ella tenía también que vivir, y era lógico que sus huéspedes pagaran la merienda y por lo que quisieran beber. Y si alguno de ellos quería tener una conversación privada, y se retiraba al fondo de la casa con su compañía, era muy justo que pagara por el uso de una habitación que después había que limpiar.

Pedro tenía el derecho de entrada libre en la casa. Doña Consuelo tenía una debilidad por el muchacho, desde la primera vez que apareció allí hacía tres años, como el ordenanza del capitán, cuando ella le guió en sus primeros pasos en el «negocio». Hasta podría decirse que Pedro era hechura suya; y no era su falta si no había conseguido más de él. ¡Si sólo le hubiera hecho caso y no le hubiera dado por vestirse tan vulgarmente! La irritaba, y muchas veces se lo había dicho en su cara. Pero en esto, pensaba, Pedrito era un tonto, como si Dios le hubiera negado el talento de saber llevar ropa. Y el chico era fino y esbelto, con buenos hombros y caderas estrechas. Era una lástima que no supiera sacar partido de ello. Tenía la frescura que se necesitaba, pero era que simplemente no le daba la gana. A veces le parecía que le gustaba presumir de mal gusto sólo por demostrar su independencia, ¡el idiota! Pero aun siendo como era, le había proporcionado algunas muchachas guapas, exactamente lo que a ella le hacía falta para poner un toque de novedad en las reuniones.

Esto era esencial: nadie mejor que ella sabía lo exigentes que son los hombres. Tan pronto como se les presentaba a una mujer, y hablaban con ella una decena de veces, comenzaban a quejarse de que estaban hartos de encontrarse siempre con las mismas caras. Sí, algunas veces las cosas ocurrían de otra manera y un hombre se encaprichaba de verdad. Entonces la pareja desaparecía de la reunión, al menos mientras le duraba el arrebato. Pero esto no era malo del todo, más bien una ventaja, pues los dos, ella y él, se sentían agradecidos y dispuestos a hacer algo, si el caso se terciaba. Aunque una de las cosas de que doña Consuelo estaba orgullosa era que todos sus huéspedes estaban dispuestos a hacer algo por ella.

Cuando Pedro llegó, temprano aún en la tarde, pellizcó la barbilla a la doncellita que abrió la puerta y se metió de rondón en el comedor. Pero se encontró con doña Consuelo, como siempre vestida de gran señora con su vestido largo de seda negra, que le cerró el paso y le miró severa:

—Escucha, Pedrito. Te he dicho cien veces que no quiero verte por aquí a la hora del negocio. Excepto si me traes a alguien.

—No seas una estropeaplatos, Consuelo. Sólo por una vez. Y hoy es mi gran día. Estoy dispuesto a gastarme un montón de dinero en tu casa. ¿A quién tienes ahí?

—Está sólo el viejo don Tomás con algunas de las muchachas. Está jugando al papaíto con ellas. Es muy temprano... pero, aun así, no quiero que te metas ahí, por lo menos hasta que no se marche el viejo o se lleve a la cama a una de las chicas. Si tienes ganas de esperar, vente conmigo a mi despacho y charlamos un rato.

El cuartito, con un buró de persianas, un sofá y pocas cosas más, era sencillo y estaba limpio. La Tronío invitó a Pedro a sentarse y a que bebiera lo que quisiera de una colección de botellas en una rinconera. Después preguntó:

—Ahora cuéntame, ¿por qué es hoy tu gran día?

Pedro contó a grandes rasgos su entrevista con Puchols y lo que su nuevo negocio prometía. Terminó su historia diciendo:

—La primera persona en que he pensado has sido tú, si la cosa te interesa.

—No seas chiquillo, Pedrito. Si hubiera sido otra cosa, no digo que no, pero no me puedo imaginar el verme convertida en un negociante de arroz o un tendero de comestibles. ¿Te lo imaginas tú?

—No era eso lo que quería decir, Consuelo. Es que el negocio tiene unos cuantos problemas y a ti te sería fácil ayudarme a salir de ellos.

—Si lo que intentas es pedirme un préstamo, ¡ni un céntimo!

—No es eso. Déjame explicarme. Cuando el viejo zorro ese me mande uno o dos vagones de arroz, el problema es dónde almacenarlo. Tú ya sabes lo que pasa con estas cosas. Si ahora voy a mi jefe y le cuento la cosa, lo va a querer él y a mí me va a usar como el chico de los recados; y lo mismo me va a pasar con otro cualquiera de los almacenistas a quien hable. Lo que yo necesito es un novato en el mercado que aún no tenga contactos, o alguien que esté dispuesto a meter un poco de dinero para alquilar un sitio. Naturalmente, dándole su tanto. Y así, yo he pensado que podías hablar a uno de tus amiguitos y ponerle de buen humor, de manera que se sintiera protector de un joven que se lo merece; y tú te ganabas una comisión, Consuelo.

La Tronío se echó a reír:

—Te estás desarrollando, chiquito. Lo único que te falta ahora es un guardarropa nuevo, aprender a vestirte, y buenas maneras. Seriamente, tu idea no es mala, y me atrevo a decir que una puede encontrar alguien que lo tome. Pero, ¿te has mirado al espejo? Mírate, y te vas a encontrar con la figura de un perfecto chulo de barrios bajos. Tal como estás, no puedes entrar en ningún sitio decente, ni puedo presentarte, sobre todo a alguien que salga fiador tuyo, que es lo que quieres. La gente no es tan ciega como tú te crees.

Pedro se sintió profundamente ofendido por la crueldad de la Tronío.

—La verdad es, Consuelo, que uno no puede contar contigo para nada. Es la segunda vez que te pido un favor y que me eches una mano, y simplemente no te da la gana, cuando sería tan fácil para ti hacerlo. Lo único que a ti te interesa es que te traiga virgencitas para tu comedor. Al menos eres franca: para ti yo no soy más que un chulo indecente; y nada más.

Pero me queda un consuelo y es que, para mí, tú no eres más que el ama de una casa de zorras; ¡y nada más!

Siempre ocurría lo mismo con él y otra gente; todos querían explotarle y que les sacara las castañas del fuego. Hasta su propia familia. Tenía a la familia alimentada —¡y bien alimentada!— pero su madre y los dos hermanos se avergonzaban de él y le trataban como a un perro sarnoso. Sin las buenas cosas que él llevaba a casa, Amelita estaría en un sanatorio por tísica; y sin él, su hermano estaría en la cárcel, por idiota, y su madre pidiendo limosna en una esquina y vendiendo castañas asadas, si alguien le prestaba un anafre y dinero para carbón. ¿Y su padre? Había venido de Inglaterra con los aires y las gracias de un lord inglés, le había dado palmaditas en el hombro y le había predicado que aprendiera a ser decente y honrado como él. Al fin y al cabo, ¡qué podía esperar de un hombre que les había dejado pasar hambre, sin más socorro que lentejas de caridad, sopas de agua y pan de serrín, sin que se le pasara por la cabeza un pensamiento para ellos! Esta mañana había sido generoso y había dado a Pedro un billete de cien pesetas «para que se lo gastara con los amigos»... y menos mal que no le había dicho que lo metiera en la cartilla de ahorros. Y ahora ¡esta vieja zorra con más consejos! Estaba harto de que le tratara como un primo.

A lo primero, oyendo el tono y las palabras insultantes, doña Consuelo se había puesto seria. Ahora, después de que él había mantenido un largo silencio provocativo, comenzó a sonreírse y dijo:

—Escucha. No seas estúpido; y otra vez no chilles. Lo que te estoy diciendo es por tu bien. Y como comprenderás, no voy a sacar un céntimo de ello. Lo que a ti te pasa es que te falta clase...

—No tienes que restregármelo por la cara, ya lo sé. Pero, ¿quién tiene la culpa?

—Tú, y nadie más que tú. Puedo adivinar lo que estás pensando, porque es lo mismo que lo que yo pensaba en tiempos.

Tú crees que si te falta clase es porque no has nacido en buenos pañales y no te presentaron en bandeja de plata. Mira, hijito: cuando yo empecé, estaba peor que tú. Al menos tú has ido a una buena escuela una vez, y has vivido en una familia decente. Yo era una chiquilla de Lavapiés, la hija de un padre desconocido, con un trapo delante y otro detrás y más hambre que el perro de un ciego. Tan pronto como comencé a trabajar en la profesión, vi claramente lo que me iba a pasar. Mientras tuviera mi cara y mi cuerpecito, algún ama de casa sacaría dinero de mí. Y cuando ya no lo tuviera o me pegaran algo, al hospital. O a venderme por tres pesetas en una esquina. Entonces yo era guapita y me sobraban los hombres que se gastaran un duro conmigo y me llevaran a donde se me antojaba. Lo primerito que hice fue comprarme ropa buena, pero ¡buena!, y después me dije: «Ahora te tienes que quitar de encima ese tipo de zorra barata que tienes, y tienes que aprender a hablar y a moverte, a saludar a la gente y a comer macarrones con tenedor y no con los dedos». Y si me preguntas, creo que lo único con gracia que he hecho en mi vida ha sido enseñarme a mí misma cómo ser una señora.

Hizo una pausa y después continuó:

—Y tú estás en el mismo caso. Si hubieras aprendido buenas maneras de tu capitán cuando el pobre vivía aún, no estarías como estás y no pensarías en convertirte en un negociante de arroz de contrabando, ¡idiota! Estarías en Chicote como en tu casa y tendrías los bolsillos repletos de billetes. No vayas a contarme que te has atrevido a entrar una sola vez en Chicote desde que se murió el capitán. ¿Eh? Di la verdad. Sabes tan bien como yo que te echarían de allí, si te presentaras con esa cara y ese tipo; y si se te ocurriera protestar, irías a la comisaría de cabeza, aunque seas de Falange. Tómalo como te dé la gana, hijito, ¡pero apestas!

El sermón de la vieja prostituta, rematado con la brutalidad de la última frase, hirió a Pedro, pero lo aceptó como uno acepta el comentario de quien es de la misma categoría. Le hizo pensar en vez de gritar, lo que le chocó profundamente. Si el viejo Puchols, o su padre o su hermano, le hubieran dicho algo semejante, habría gritado furioso. Pero había que admitir que aquella mujer tenía una larga experiencia de la vida que él acababa sólo de comenzar, y que ambos pertenecían al mismo mundo, aunque estuvieran en los dos extremos de la escala.

Lo que le asombraba era notar que no sentía envidia del éxito material de la Tronío, como no la sentía del éxito de Puchols. Era verdad que tenía ganas de tener la cartera llena de billetes, como Consuelo había dicho. Y sin embargo, ni ella ni Puchols, con todo su dinero, le impresionaban más que las golfas que le pagaban la ropa —¡la verdad era que la ropa era el gusto de ellas y no el suyo, y Consuelo debía entender esto!— y le daban dinero cuando estaba «limpio». La gente que le daba envidia, una envidia que le enfurecía, eran tipos como el señor Eusebio, aquel viejo idiota que toda su vida se la había pasado como un pobretón; su hermano menor, que no era más que un broncista, un oficio en el que los pulmones se pudren; y hasta su mismo padre, aquel extranjero que vestía mejor que él, sabía cómo hablar, le daba cien pesetas para convidar a los amigos, y no era más que un camarero. Todos ellos tenían algo que Pedro echaba de menos. Poseían un secreto que él no conocía. Vivían una vida que él no podía entender. Y no había duda de que se divertían con cosas que él no podía compartir.

¿Sus diversiones? Sus diversiones eran: meterse en la cama con una mujer, por negocio y no por gusto; tirarse de la cama asqueado; esperar por el dinero y, si no se lo daban, exigirlo; ir a un baile y buscar una muchacha que pareciera un buen asunto, bailar con ella, tratar de excitarla, y al final conquistarla como una recluta futura de la Tronío. Su única diversión verdadera era meterse en el cine y tragarse unas películas de *gangsters* o de *cowboys*; le entusiasmaban y le hacían soñar con ser el héroe que rescata a la muchacha inocente de los bandidos. Aunque después él mismo se llamaba idiota...

Recordaba aún sus años de colegio y su orgullo en ser el primero de la clase. Y ahora no le servía nada decirse a sí mismo que el aprender, el querer ser algo, era para los pobres inocentones como él había sido, o para los que desde chiquillos están empeñados en ser algo en el mundo, los que ellos llamaban en la escuela los *lamerones*. Lavapiés es un mundo pequeño, y muchos de sus viejos compañeros de colegio se cruzaban con él cada día; siempre le tomaban el pelo recordándole qué buen estudiante era, qué chiquillo más modoso. Se enfurecía y se defendía contra sus insinuaciones, protestando con frases salpicadas de blasfemias para probarles que a él siempre le habían tenido sin cuidado sus maestros, los curas, sus libros.

Y la verdad era —¿por qué no admitírselo a sí mismo?— que sentía una envidia loca hacia todos los que habían podido seguir aprendiendo. Le desesperaba y amargaba el recuerdo de que la Guerra Civil le había arrancado de la escuela y le había colocado en una colonia de niños evacuados donde el profesor explicaba las teorías de Lenin y en aritmética les planteaba problemas tales como: cuál era la velocidad de los aviones que Rusia había mandado a España; o cuál era la capacidad del barco que trajo de Rusia latas de conserva al puerto de Alicante.

En la colonia había comido mucho de aquella carne en conserva. Se acordaba de que una vez había hecho el ridículo por causa de aquellas latas. A uno de los chicos se le había metido en la cabeza que la carne esa era carne de mono con mucho pimentón y pimienta para que no supiera a mono. Y Pedro sostuvo acaloradamente que no podía ser, porque en Rusia no había monos, no podía haberlos en un país que siempre estaba nevado. Acabaron pegándose. Lo que más le dolió no fue que el otro chico le venciera en la pelea, sino que el maestro después le llamara ignorante, delante de todos, y tratara de convencerle de que en Rusia existía de todo, incluso monos. Mucho más tarde leyó en algún libro que efectivamente había monos en algunas partes de Rusia. Pero nunca perdonó a su maestro. Y Rusia ya nunca podría ser para él un gran país, mucho menos «el País de la Revolución».

Después de todo aquello, se afilió alegremente a Falange al fin de la guerra. Entonces creía en ello; y también era una especie de venganza contra los otros. Contra el padre que había desaparecido y los había dejado en la miseria, después de tanto mimarlos; contra su madre que no sabía más que repetir su letanía de lamentos contra los hombres, pero que no había sabido retener a su padre y mantenerle alejado de una guerra en la que no se le había perdido nada, en la que, mejor dicho, había perdido todo; contra su hermana que, tan pronto como se encontraron solos y con hambre, se había agarrado como una garrapata a las faldas de las monjas, porque le daban unos mendrugos y unas sopas y la protegían de la porquería de la vida diaria; y contra su hermano que se sentía el defensor del padre desertor y de Rusia, con monos y todo, a expensas de Pedro; ¡vaya frescura la del niño! Despreciaba a Pedro por haberse hecho falangista, ¡como si esto no le sirviera a él como una tapadera para sus planes idiotas! Para todos, Juanito era un trabajador decente y Pedro era un golfo sinvergüenza; pero era él, Pedro, el que ganaba la comida para el obrero decente, al precio de sus «granujadas» y sus «desvergüenzas». Se acordaba de la historia de la vieja prostituta a quien la policía llevaba detenida y, cuando un transeúnte comentó: «La han detenido por su oficio», replicó: «Sí, señor, ¡a mucha honra! Una zorra, pero muy decente».

Las cosas que la Tronío le había dicho le escocían como una quemadura. Las verdades siempre duelen. Pero si estaba donde estaba, y era lo que era, tenía que tragarse sus críticas que no eran más que un consejo honrado y sincero entre gentes de la misma casta que quieren hacer y tener las mismas cosas. Si no fuera tan vieja, hubiera podido meterse en la cama con ella y hacerla disfrutar tanto como hacía disfrutar a las otras. Bueno, era una idea tonta. Bien mirado, la Tronío le había dado un consejo de madre. A veces hasta le llamaba «hijito». No le importaba. Si quería seguir viviendo la vida que estaba viviendo, y vivirla con éxito, necesitaba una madrecita, tan cínica como él, que cuidara de su hijito. La señora Luisa no iba a ayudarle, reconcomida y agria como era, trágica, y enamorada de los espíritus de los difuntos. Prefería una madre como Consuelo. Una mujer que se había acostado con tantos hombres que había terminado por volverse sabia y nunca perdía la cabeza. Una mujer que se las había arreglado para vivir con comodidad y lujo, en un tiempo en el que pocas gentes llevaban una vida que valiera la pena y que, haciendo lo que le daba la gana, estaba protegida y segura del respeto de todos, aunque no fuera más que en apariencia. Y sobre todo, una mujer que le entendía.

Pedro se había quedado por largo tiempo contemplando la botella vacía. La Tronío le miraba desde su butaca, seria la cara rematada por la amplia frente, la sombra levísima de una sonrisa en la comisura de los labios prietos. Esperaba la reacción de Pedro a sabiendas de que no era para ella una cuestión indiferente. Cuando sonó el timbre de la puerta, se levantó sin prisa y abandonó el cuarto por unos momentos para recibir al visitante y encender las luces del comedor, donde don Tomás parecía hallarse a gusto. Tan pronto como volvió a entrar en la habitación, Pedro levantó la cabeza:

—Entonces, Tronío, ¿qué crees tú que debería hacer?

Se rio y se dejó caer en la butaca. Después dijo:

—Me río, porque es una cosa tan simple. Tú te vas a reír también cuando te diga lo que estaba pensando. —Se calló y miró por el balcón entreabierto la luz que se moría. ¡Qué serena estaba la tarde! Se volvió a Pedro—: Me has pedido que te ayude, y estoy dispuesta a ayudarte, pero con la condición de que tienes que hacer lo que yo te diga. Hazte por lo menos con dos mil pesetas y, cuando las tengas, vente por aquí una mañana. Nos vamos a ir de compras y yo soy la mamá que va a comprar al niño el primer traje de hombre con pantalones largos. Te voy a llevar a uno de los mejores sastres de Madrid y te voy a vestir de pies a cabeza. Pero sin protestar: te tienes que poner cada cosa que yo elija, y tienes que portarte como yo te diga. Y entonces, cuando tengas una funda nueva, hablaremos. Tal vez, entonces, te deje meter la cuchara en la olla.

Pedro dio un respingo al comprender el sentido oculto de la última frase. La Tronío había sido uno de los mejores clientes del capitán y cuando éste murió, siguió recibiendo sin interrupción la cocaína que revendía a sus clientes. Pedro había intentado varias veces averiguar su procedencia, pero siempre había fracasado. Y cada vez que había intentado convencerla de que le dejara ser un vendedor, le había contestado con la misma frase: «Y, ¿a quién puedes tú vendérselo, hijito? ¿A las putillas de Antón Martín? ¡Pero si las pobres no ganan ni para comerse una chuleta de cordero!».

Le sería fácil sacarle los cuartos a su padre para hacerse con el equipo. Y no le importaba dejarse llevar por Consuelo. Mucho le apreciaba cuando se tomaba tanto trabajo por él... Aquello podía ser su escape del cuchitril de la calle del Amparo, que olía a ajo frito y a sudor agrio. Y él quería vivir como viven las personas. Otros que no eran mejor que él, sino mucho peor, lo hacían.

—Te cojo la palabra, Tronío. De una manera u otra me voy a hacer con las pesetas, aunque sea sacándolas de debajo de las piedras. Y entonces vas a ser mi mamaíta.

A la Tronío le asaltó una oleada de cariño. Nunca había tenido una casa ni una familia propias. Tampoco había experimentado el amor, ni aun la pasión carnal a través de un chulo, porque siempre había tenido tanto miedo de volver a su miseria de niña, tanta ansia de liberarse, que nunca se había entregado. Era ridículo, pero los ojos se le llenaban de agua y las entrañas se le estremecían de compasión, por sí misma y por el muchacho. Se levantó y le abrazó. Se besaron, madre e hijo, hijo y madre, unidos por el deseo de posesión mutua, agarrándose el uno al otro, desesperadamente, sin pensar, sin saber, arrastrados en una corriente cálida. Perdieron el equilibrio y cayeron juntos sobre el diván. Se separaron uno del otro sin una palabra. La Tronío no le acompañó.

Pedro cerró tras de sí cuidadosamente, y olvidó en el recibimiento pellizcar la barbilla de la doncellita pícara.

Tenía el sentimiento de haber cometido un pecado.

4

Una vez más Antolín se encontraba en la calle de Alcalá, andando sin rumbo fijo, simplemente porque sentía la necesidad física de andar, sumergido en sus pensamientos y ajeno a las gentes que se codeaban con él. Era una sensación desagradable. Había deambulado demasiado por Madrid durante estos días, pero, verdaderamente, ¿qué otra cosa podía hacer? Todo era mucho más de lo que había imaginado antes de salir de Londres. Tenía que volver a pensar sobre cada cosa una y otra vez. Al menos había comenzado a entender algo: que se había engañado a sí mismo cuando pensó que podía enfrentarse con todas las complicaciones que surgieran. Lo había creído entonces, pero ahora comprendía que lo único que había hecho era aferrarse a una creencia secreta, oculta por sus razonamientos, de que todas las dificultades iban a desvanecerse milagrosamente en el momento en que se encontrara cara a cara con los suyos. Este milagro no se había producido. En sus primeros encuentros con su familia no había tenido ninguna inspiración venida de lo alto, ni se habían desenmarañado sus sentimientos, ni había tomado resolución alguna. Las entrevistas le habían dejado una sensación cada vez mayor de disgusto, asombro y cansancio. Seguían siendo extraños unos a otros; su mujer y él, él y sus hijos. ¿Qué es lo que podía hacer que no empeorara las cosas? Tampoco estaba seguro de querer hacer algo. No, esto no era verdad. Era claro que era él el que tenía que contener firmemente sus reacciones. El problema era que aún no entendía lo que sus propias reacciones significaban; muchísimo menos las reacciones de los demás hacia él.

Su mujer se había presentado vestida de negro, con una especie de luto barato, al que había intentado prestar elegancia encasquetándose una vieja mantilla de encaje, herencia de su madre —si no le engañaba la memoria—. Cuando llegó a la pensión parecía un figurón de otro siglo que andaba con pasos de conspirador de tragedia. Se había detenido dramática en el umbral de la puerta, doña Felisa discretamente tras ella, había abierto los brazos en cruz y había gritado: «¡Antolín!». Después se había colgado a su cuello y le había llenado la cara de besos explosivos y húmedos. Se la había quitado de encima lo mejor que pudo y había dado con la puerta en las narices a doña Felisa. Si la había herido, lo sentía mucho; no era su intención, era simplemente que no quería tener que presentar a su mujer. Después se habían sentado, Luisa en la silla, en el borde de la cama él, y se habían quedado silenciosos por unos cuantos largos segundos. Al fin Luisa dijo:

—¡Gracias a Dios que has vuelto! ¿Por qué no has venido derecho a casa? Aquél es tu sitio, ¿sabes?

Había dado unas excusas vagas y verbosas, esperando que más o menos coincidieran con las excusas que Eusebio hubiera hecho en su nombre:

—No me atreví antes de conocer un poquito más de la situación aquí. En Londres se cuentan muchas historias sobre la policía de Franco, y al fin y al cabo yo me peleé contra ellos durante la guerra. Me han contado que todo el que viene aquí está vigilado especialmente hasta que conocen a fondo con quién se pone en contacto y si ha venido, o no, por razones políticas. Y además, he hecho algunos arreglos en Inglaterra que me pueden ayudar a montar un negocio aquí si me quedo...

—¿Cómo, si te quedas? Pero, ¿es que no has vuelto para siempre?

Si se hubiera dejado llevar por su primer impulso, hubiera dicho: «No». Le había repugnado el acento melodramático de su pregunta, en la que no había huella de calor humano. Ahora se preguntaba a sí mismo si él le había mostrado este calor humano de cuya falta en ella se quejaba. Seguramente no —dentro de él había sentido una frialdad de hielo—. La mujer huesuda con su cara quejumbrosa y los ojos llorones, de pupilas dilatadas, no era la Luisa que él había conocido, ninguna de las Luisas que había conocido. Ni la muchacha alegre de cuerpo vivaracho que había cortejado y con la que se casó, ni la madre de sus hijos, cansada, ensimismada, pero serena, de quien se había despedido diez años antes; ni tampoco la Luisa que se había imaginado en el destierro, madura, maternal, ennoblecida por la pena, confiada en que un día se reunirían de nuevo y se reharía su hogar. La mujer que había visto era una extranjera para él.

No, esto no era verdad. Era injusto y mentía. Era él el que se había convertido en un extranjero para ella. Él había estado pensando en Mary y le asustaba la idea de tener que compartir noche tras noche el mismo lecho con esta extranjera, irritante, sin atracciones, y tener que aceptar y devolver caricias mentidas que ninguno de ellos quería más.

Todo hubiera sido mucho más fácil si hubiera sentido en Luisa el cariño y simpatía que algunas mujeres desarrollan hacia sus maridos cuando las relaciones físicas se terminan. Quisiera tener el consuelo que sólo puede dar una madre. Ni aun cuando su madre murió sintió esta falta. Estaba recién casado entonces, y el cariño de una madre no le parecía más que un inconveniente en su nueva vida. Ahora, veinticinco años más tarde, se encontraba aquí, frente a frente con una desconocida que le preguntaba, con un cálculo en su mente que él no podía penetrar, si pensaba quedarse en España o no, mientras él echaba de menos un cariño materno.

Había soslayado la pregunta:

—Ya tendremos tiempo de discutir de esto. Como te estaba diciendo, quiero ver si puedo empezar un negocio aquí, pero una de las cosas que no puedo hacer para ello es dar mis señas como la calle del Amparo. Ya entiendes cómo sonaría esto. Comprendo que vosotros no teníais más remedio que meteros allí, pero... las cosas son así.

Recordando ahora su contestación se daba cuenta exactamente del egoísmo y hasta de la brutalidad de ello. Curiosamente a Luisa no pareció importarle mucho. En cambio preguntó:

—Sí, me doy cuenta de ello, pero dime, ¿qué vas a hacer? ¿Poner una tienda?

—¿Una tienda?

—Claro, una tienda. No sé qué ideas tienes en la cabeza, pero como dices que quieres montar un negocio, supongo que quieres montar una tienda. Es la única manera de ganar dinero en estos tiempos, a no ser que te metas en el mercado negro. Me imagino que has ahorrado bastante dinero. La gente dice que en Inglaterra se gana mucho y que no hay en qué gastárselo, porque la vida es más aburrida que aquí. Así que tienes que haber ahorrado algo, a no ser que te lo hayas gastado en zorras. Pero tú nunca fuiste de ésos.

El rumbo que tomaba la conversación le desconcertaba: en los primeros minutos del encuentro ya estaban discutiendo intereses. Había imaginado que se abrazarían y que se besarían, hasta que se echarían a llorar abrazados. Hubiera entendido largos silencios. Le hubiera parecido natural si ella, la madre, hubiera comenzado a hablar de los hijos, de cómo eran, de cómo se habían desarrollado, de lo que hacían cada día, de los dolores y las alegrías que le habían causado en estos años, y hasta si le hubiera reprochado amargamente el que les dejara solos por tantos años. Pero lo único que ocurría era que tenía curiosidad por saber cuánto había ahorrado, ¡lo mismo que a Eusebio sólo le interesaban los camareros ingleses! Ni aún le había dado tiempo a contestar, sino que había seguido exponiendo sus propias ideas:

—Claro es, si tienes dinero, lo primero que tenemos que hacer es mudarnos de casa. Tú mismo dices que no es nuestro sitio; para mí es imposible seguir un día más entre toda aquella canalla. Al fin y al cabo una se ha criado como una señorita. Además tienes que pensar en tu hija. La pobrecilla está siempre a punto de morirse de vergüenza. En toda la vecindad no hay una muchacha decente con la que pueda tener amistad. Tampoco creo que te sea muy difícil volver al banco, ahora que hablarás inglés como un inglés de verdad. Entonces podríamos vivir en un barrio decente.

Contestó —ahora le parecía que estúpidamente— en un tono sarcástico:

—Entonces tú crees que deberíamos tomar un pisito decente, comprar unos sombreritos para la chica y para ti, mandar a los chicos a la universidad, y yo meterme en el banco como un empleado respetable. Tú pareces olvidarte de que ya tengo cincuenta años y los bancos no quieren viejos.

—Pero con el inglés que tú sabes...

—Mi inglés es bueno para colocarme de portero en un hotel o para ser lo que era en Londres: un camarero.

—Entonces no sé lo que quieres decir. ¿Qué es lo que piensas hacer? Y, ¿qué es lo que piensas hacer con nosotros?, que es lo más importante.

Había dado rienda suelta a su irritación:

—Que, ¿qué es lo que voy a hacer contigo? Lo mismo podría preguntar: qué vas a hacer tú conmigo. Imagínate que hubiera vuelto sin un céntimo en el bolsillo e inútil para trabajar, ¿qué hubierais hecho conmigo?

Había sido el único momento de emoción espontánea que había sentido en ella. Dijo:

—Bueno... Hubieras venido a casa y lo que hubiera sido de uno, hubiera sido de todos. —Pero el momento pasó, y su expresión había cambiado—: Naturalmente, no sé qué hubieran dicho los chicos, porque mantener una boca inútil más no les parecería una broma.

Había replicado displicente, aunque ahora veía la injusticia de su actitud. Lo que dijo fue:

—No tengáis miedo, no he vuelto a pediros un cacho de pan y aún puedo trabajar. —Había seguido otro silencio, ninguno de ellos sabiendo qué decir. Al final, él comenzó a explicar lenta y cuidadosamente—: Mira, hay muchas clases de negocios que no significan poner una tienda. Tengo amigos en Inglaterra que quieren hacer negocios con España y vender aquí sus cosas. Algunas casas inglesas me han dado su representación y me han dado también cartas de presentación...

Le interrumpió alegre y rápida:

—¡Ah!, entonces lo que tú quieres es meterte a negociar en el estraperlo. Esto mismo es lo que estaba yo diciendo, que aquí no hay más que dos maneras de ganar dinero, o poner una tienda, o negociar en el mercado negro.

—¡Pero, mujer, no entiendes! No se trata de negocios sucios, sino de verdaderos negocios.

—¡Bueno, bueno, allá tú!, pero no me cuentes historias, una no es tonta... Haz lo que quieras, pero hazlo pronto. Sólo que, si piensas meterte en negocios, no olvides que Pedrito puede ayudarte mucho. Se sabe todos los trucos y aquí todo se arregla con dinero. Y no me digas que no lo tienes. No hay más que mirar dónde has venido a meterte, porque te da vergüenza de que somos unos pobres. En la calle de Peligros, con un balcón en la calle... Lo menos cien pesetas diarias. ¡Y una tiene que escarbar para reunir cinco pesetas si quiere comprar unos huesos para hacer un caldo a tu hija!

No la había contestado. Le dio dos billetes de cien pesetas y, con la cara colorada, el broche de plata que había comprado para ella en Londres. Se despidieron con una espontaneidad mentida, después de decirse el uno al otro que ella vendría a ver si necesita algo y que él arreglaría las cosas para ellos en cuanto se normalizara.

La siguiente visita fue la de Amelia. Se acordaba de ella como de una niñita mimada que sabía que era la preferida de su padre y que prometía convertirse en una mujercita atractiva y simpática. Cuando entró en el cuarto, su primera reacción había sido de lástima. Una cara pequeña, pálida, toda ojos, un pecho plano, la boca, caídos los labios y apretados en un gesto amargo. No cabía duda de que estaba enferma. Llevaba un traje liso con un cordón retorcido en lugar de cinturón; se acordaba vagamente de estas cosas, pero le pareció reconocer el color morado y el cordón del hábito de los nazarenos.

Puso una cara dolorosa, casi un gesto agrio, y dijo:

—¡Hola, papá! —Y se echó a llorar sobre su hombro por un largo rato. Cuando los dos se calmaron, se sentó enfrente de él, con las rodillas apretadas, sus manos juntas sobre las rodillas—: Al fin Dios me ha escuchado. Has vuelto y nos sacarás de esta miseria. Ahora soy feliz, porque todo se va a arreglar. ¿Verdad, papá?

Se azoró un poco, pero replicó:

—Sí, hijita, sí; todo se va a arreglar, no te apures más. Pero, cuéntame primero sobre ti. Tus cartas no decían mucho, ¿sabes? Naturalmente, es muy difícil escribir lo que realmente uno piensa... Cuéntame, ¿qué haces? Supongo que tienes novio...

Se le contrajeron las manos y respondió en una voz como un hilo:

—No deberías hablar así, papá, no tengo novio. Hubo un muchacho que se hubiera querido casar conmigo, pero como vivimos así, no volvió. No hablemos de eso, papá. Ya me vas a entender mejor, aunque tú también seas un hombre; y los hombres... —La frase quedó cortada en el aire.

Le dijo unas cuantas palabras cariñosas, de las que no quería ni acordarse, porque le parecía que había hablado como un tío viejo que trata de aconsejar a su sobrinilla. En cuanto pudo, desvió la conversación:

—Y ese traje que llevas, ¿qué quiere decir? ¿Es que has hecho un voto? Porque es un hábito, ¿no?

—Sí. Lo he llevado los dos últimos años.

—Y, ¿por qué?

—Me temo, papá, que no puedo decírtelo. Son cosas sagradas. Todo lo que puedo decir es que Dios me ha concedido lo que le pedí. No te rías, por favor. Ya sé que la mayoría de los hombres sois unos descreídos, pero, gracias a Dios, cada vez más se arrepienten cada día.

—No me vas a decir que los hombres llevan también hábito.

—¡Oh, sí, papá! Y muchos de ellos. Y hay muchas hermandades y cofradías de hombres. Es maravilloso y un gran consuelo en los tiempos que corremos.

No sabía qué pensar. Le parecía simultáneamente sincera y afectada, dengosa y ferviente. Aunque odiaba su manera de hablar y sospechaba de dónde venía su piedad, comprendía que para ella era un refugio y un consuelo. No podía herirla diciéndole lo que se le venía a la boca.

Así, no contestó. Ella no se enteró de la pausa y siguió impulsiva:

—Ahora, papá, cuéntame algo sobre Londres. Es una ciudad muy grande y muy fea, ¿no? ¿Es verdad que las bombas la han destruido por completo? Tú sabes, yo no lo creo porque he oído decir a otros que la gente allí vive muy bien. Y es verdad que aquí las cosas mejores y más caras que compra la gente rica vienen de Londres. Me gustaría verlo. ¡Prométeme que me vas a llevar un día!

—¿Te gustaría venir conmigo?

—Claro, ¿con quién iba a ir si no sé hablar inglés como tú? El año que viene por ejemplo, cuando ya tengamos un piso nuevo y todo esté arreglado, nos vamos allí, por el verano, ¿quieres?

—Pero, chiquilla, ¿tú crees que ir a Londres de veraneo es como ir a Alicante o a la playa de Valencia? Ir a Londres cuesta un montón de dinero.

—Sí, me lo imagino, y por eso estoy tan contenta de que hayas vuelto rico.

—¿Quién te ha dicho que soy rico? Acuérdate de que no era más que un camarero allí.

—¡Oh, papá! Me tomas por tonta. ¡Como si no supiera lo que son los camareros! Aquí en Madrid los hay que ganan miles al mes y las hijas llevan sombrero. Los camareros tienen buenas propinas y ganan mucho dinero con otras cosas. Cuando Pedro estaba aún en lo de la cocaína...

—¿Qué?...

—Anda, ¿no te lo ha contado mamá? Cuando Pedro hizo su servicio en aviación, el capitán le sacó de asistente, porque tiene buena figura y sabe vestirse y tiene mejor educación que los quintos idiotas que vienen de los pueblos. Bueno, pues el capitán vendía cocaína a los camareros y ellos la volvían a vender y ganaban un montón de dinero. Pedro les llevaba los sobrecitos, que yo misma los he visto, y su capitán le vistió como un señorito para que le dejaran entrar en los sitios de postín, que es donde hay negocio.

Antolín se había asombrado. Ni la explosión del señor Eusebio le había preparado para esto. Lo peor aún era que la muchacha, en toda su simplicidad, lo aceptaba y hablaba de ello como de una cosa normal, una cosa de cada día. Le habló con tanto cuidado como a una sonámbula a quien se teme despertar bruscamente:

—Pero, ¿tú sabes lo que es la cocaína?

—Claro que lo sé. Pedro me lo ha explicado muchas veces. Es un polvo blanco y las gentes se lo toman igual que en el tiempo de nuestros abuelos tomaban rapé, sorbiéndolo por las narices. Sólo que no les hace estornudar, les hace ver cosas bonitas. Es únicamente para los ricos porque cuesta muy caro. Pedro me dijo también que cuando la gente se acostumbra a ello ya no se pueden quitar el vicio y entonces es cuando pagan lo que se les pida. Así es como se hizo rico el capitán. Pedro me contó también que cuando se toma por mucho tiempo, la gente se vuelve loca y muere. Pero, esto les pasa sólo a los perdidos, borrachos y jugadores y mujeres malas, así que no importa, porque no es mucho lo que se pierde. Si te digo la verdad, cuando Pedro repartía los papelillos con los polvos era más decente que ahora, que desde que murió el capitán anda en el estraperlo y explotando a las golfas de Antón Martín. Y esto sí es indecente, papá.

Hablaba con los ojos bajos y sólo al final del discurso le miró cara a cara con una sonrisa tímida, como si quisiera decirle que no debía disgustarse por estas cosas.

Ni siquiera intentó discutir con ella. Pero ahora, cuando estaba reconstruyendo en su mente esta conversación, enfocándola, analizando su propio papel en ella, pensaba si su abstención no había sido más que pura cobardía. Estaba dispuesto a admitirse a sí mismo que no era cobardía; pero no veía otra solución que paciencia y silencio hasta que no conociera las cosas a fondo.

En Soho había visto algo del negocio de drogas y mariguana. Sabía las medidas que la policía tomaba contra ello en Inglaterra y otros países, conocía el rigor de la ley y la reacción pública. La sociedad española debía estar bien podrida si podía ocurrir que un capitán en servicio activo se atreviera a usar a su propio asistente como distribuidor, sin miedo a la cárcel o al escándalo. Donde nadie parecía tener un sentido de lo bueno o lo malo, él no tenía derecho de acusar a su hija por su conformidad ciega, ni a su hijo por su complicidad activa. Tal vez si fueran otras personas, habría pensado de manera distinta... pero esto era otra cosa. Tenía que entender a los suyos tal como eran.

Podía imaginar cómo había ocurrido. Seguro que el muchacho no había comprendido de qué se trataba, la primera vez que el capitán le había mandado con sus sobrecitos de veneno; y después, cuando ya se le habían abierto los ojos, ya estaba metido en ello sin remedio. Si el muchacho había tenido escrúpulos (como él pensaba, sin mucha esperanza), al fin y al cabo no era más que un soldado bajo la disciplina del ejército y el hijo de un rojo en exilio. No debía de haberle sido difícil a aquel granuja de capitán el hacerle su esclavo.

Antolín tenía un sentimiento de culpabilidad, aunque no pudiera decidir dentro de sí qué era lo que había hecho mal. Si se hubiera quedado en el país después de la victoria de Franco, le hubieran fusilado o estaría en la cárcel; a lo mejor sería uno de esos infortunados en «libertad condicional» que no tenían derecho a una vida normal, ni la posibilidad de proteger a su familia contra la miseria.

Cuando estaba escuchando a Amelia, había sentido esta sombra de culpa. Era lo que había hecho posible para él el contener sus reacciones, dejar caer la cuestión y dar un nuevo giro a la conversación.

—Bueno. Vamos a dejar esas historias. Hay más cosas que quiero contarte. No te hagas muchas ilusiones, no soy rico. He ahorrado un poquillo y nada más, tal vez lo bastante para poder empezar algo aquí.

—¿Cuánto has ahorrado, papá?

—Psch. Unas mil libras. Pero, claro, tú no sabes cuánto es eso...

La muchacha levantó los ojos, miró unos momentos al techo y le mostró una cara sonriente:

—Claro que lo sé, tonto. Hay gente que te pagará ciento diez y hasta ciento cuarenta pesetas por cada libra, así que, ya ves, ¡tienes veinte mil duros, cien mil pesetas! ¡Eres rico, papá!

Se enfureció consigo. Ahora no habría quien le sacara a la muchacha sus sueños de la cabeza. Contestó fríamente:

—No te das cuenta que no tengo las mil libras en el bolsillo, sino en un banco en Londres. Y en Inglaterra no le dejan a uno sacar el dinero sin una buena razón.

Amelia se echó a reír:

—Tú eres tonto, papá. Eso te lo arregla Pedro en veinticuatro horas. Cuando quieras, díselo y verás. Yo no sé exactamente cómo lo hacen, pero la gente que compra dólares o libras no se preocupa porque el dinero esté fuera; precisamente lo que ellos quieren es el dinero fuera de España, por si acaso las cosas se tuercen aquí. Y todo el mundo dice que esto va a reventar el día menos pensado.

—¡Oh, bien! —sobre todo quería cortar su entusiasmo especulativo que le asustaba—, ya veré lo que hago. Pero no tienes que ir contando esto a todo el mundo. Prométeme en serio que no dirás nada a tus hermanos, ni aun a tu misma madre. Yo no debería habértelo dicho a ti tampoco. Quería haberos dado una sorpresa.

Amelia se entusiasmó con la sugestión. Eran cómplices de un secreto y esto les enseñaría a su madre y a sus hermanos a no tratarla como una niña tonta con la cabeza llena de fantasías. Como si no hubiera ella sabido siempre que papá volvería como un hombre rico, como todos los que van a otras tierras y vuelven. Rebosaba alegría. Seguro que tenía más de mil libras.

—No me lo quieres decir, papá, ¡eres muy malo!

De todas maneras le guardaría el secreto, pero eso sí, tenía derecho a decirle lo que tenía que hacer.

Pretendió dejarse convencer y seguirla el juego como si no se diera cuenta de su avaricia. Después le dio un billete de cien pesetas, un reloj de pulsera y tres pares de medias de *nylon* que había comprado para ella. Le gastó una broma:

—Me temo que vas a tener que regalar las medias a tus amiguitas, porque claro es que no puedes ponértelas llevando el hábito.

—¡Oh, papá, qué tonto eres! Lo primero, no tengo amiguitas. Y además (ahora ya te lo puedo decir), mi voto era llevar el hábito hasta que volvieras tú. ¿Lo entiendes ahora? Claro que no lo voy a tirar como un trapo viejo. Mañana me voy a confesar y comulgar porque mi voto se ha cumplido, y después me lo quitaré. Las Madres estarán muy contentas, ¡han rezado tanto por mí y por ti también...! Lo malo es que no sé qué voy a ponerme. Ya te he dicho que hace dos años que llevo el hábito, y mis vestidos viejos están apolillados. De todas las maneras, viejos y malos. Y ya sabes que no puedo comprarme nada nuevo.

Al día siguiente por la tarde se fue con ella de compras, mitad divertido por su honda concentración en sus necesidades, mitad emocionado por sus muestras de cariño. Era agradable verla sin el hábito y con la expresión de mártir borrada de la cara. La hubiera llevado a un doctor, pero no creía que en realidad tuviera algo. Lo que necesitaba era aire —¿qué era lo que podía él hacer por tener un piso, con la cuestión de las casas tal como estaba en Madrid?— y necesitaba también algo que la distrajera. No quería hacerse muchas ilusiones sobre su cariño hacia él. Pero esperaba y creía que el lazo tradicional de afecto entre padre e hija le ayudaría a conocerla rápidamente. Sí, le preocupaban sus pretensiones de señorita y su beatería afectada cuando hablaba de sus creencias religiosas; le preocupaba aún más el no poder penetrar en sus pensamientos; pero encontraba excusas para todo ello: era claro que no estaba bien. Había sufrido bajo la miseria sórdida de la casa de la vecindad con el resentimiento intenso e irracional de un niño. La falta de comprensión de su madre la había llevado a los brazos de las monjas, al refugio de la Iglesia. La actitud irresponsable, desvergonzada y cínica de Pedro, la había forzado a agarrarse a un conjunto rígido de leyes morales y sociales digeridas a medias.

En Pedro prefería no pensar.

Sus explicaciones de los trazos que le disgustaban en su hija eran demasiado superficiales y bien lo entendía así; la razón era que en el fondo se sentía agradecido por las migajas de ternura que le había prodigado. No quería pensar sobre las entrevistas con sus hijos.

El recuerdo del sermón que le había echado doña Felisa dos días antes le escocía aún. Al final de la cena se había sentado a su mesa y le había preguntado cómo se encontraba Madrid después de tantos años. No era difícil darse cuenta de lo que quería bajo su charloteo inocuo. Tenía curiosidad sobre las dos mujeres que le habían visitado en la mañana y, ¿por qué no explayarse con ella? Era una mujer que rebosaba cariño y sentido común y sabía por el amigo inglés a quien ella llamaba don Eduardito que era discreta y dispuesta a ayudar hasta en situaciones difíciles. Quiso saber qué le parecería su actitud a alguien completamente extraño pero capaz de simpatía.

Contestó la pregunta con unas cuantas frases cortas —aún había visto muy poco de Madrid, aún estaba muy confuso por sus nuevas impresiones para dar una opinión...— y se lanzó de cabeza al tema que les interesaba a ella y a él. Contó a doña Felisa que aquella mañana había tenido sus primeras entrevistas con su mujer y con su hija y que estaba aún muy preocupado con ellas para pensar en otras cosas. Su intención era provocar así preguntas de la buena señora que le facilitaran el contarle su historia; pero lo que doña Felisa replicó le dejó sorprendido, porque era una prueba de que había sentido algunas de sus dificultades.

—Naturalmente que me he dado cuenta que eran familia suya —había dicho—, porque en un negocio como éste tiene una que saber en seguida a qué negocio vienen los, y sobre todo las, visitantes. Pero debo decir que no se me había ocurrido que fueran su mujer y su hija. ¡Vamos!, no lo parecen, no sé por qué. Y... ahora puede usted decirme que no me meta en lo que no me importa, como siempre hago sin poderlo remediar, pero me parece a mí que no se lleva usted muy bien con la familia. No se apure, casos así los he visto a montones. Desde la maldita guerra y aún mucho antes, siempre ha habido familias divididas porque hay muchas maneras de pensar y cada uno piensa como quiere o como puede. Hasta ha habido hermanos que se han matado unos a otros por si debía mandar Franco o Negrín...

La interrumpió aquí. Con él no se trataba de nada político, sino de un problema puramente personal. En los años que había estado fuera se había creado una nueva forma de vivir, se había habituado a nuevas costumbres y maneras, había creado un hogar y hasta, como ella ya sabía, había adoptado otra nacionalidad. Pero, naturalmente, durante todos estos años no había dejado de sentir la nostalgia de su vida anterior, de su mujer y de sus chicos y del país donde había nacido y se había criado. Había llegado a un punto donde le parecía que no podía seguir adelante sin decidir definitivamente a cuál de los dos mundos pertenecía. Sí, ya sabía lo que la gente dice: que es el deber de uno no renegar de su país o de los suyos en ningún caso. Pero la realidad no era tan sencilla. Si uno siente que su propio país se ha convertido en un país extraño, su familia en un grupo de extranjeros y que ambos le son hostiles, el sacrificarse uno mismo a una obligación abstracta y el sacrificar a otros era completamente estéril. Y si uno cree que ha encontrado nuevos cariños es mucho más difícil aún sacrificarse inútilmente y rechazarlos. En pocas palabras contó a doña Felisa lo que le había traído a Madrid: su ansia de hacerse las cosas claras a sí mismo, su ansia de decidir a qué mundo pertenecía. Y la verdad era que sus primeras entrevistas no le habían aclarado nada.

Doña Felisa le contestó con una historia:

—Sí, hijito, si es que no le molesta que le llame así, le entiendo perfectamente. Lo ha puesto usted más claro que el agua. No es que yo crea que le puedo decir lo que pienso tan claramente, pero le voy a decir algo a mi manera, porque me parece que es usted una persona decente. Verá: mi pobre Pepe, que Dios tenga en Gloria, tenía un amigo que se hartó de vivir malamente aquí y se marchó a Buenos Aires, donde se quedó por veinte años y se hizo rico. Le escribía a mi Pepe contándole las ganas que tenía de volver; y al fin un día se presentó en su pueblo con todo su dinero. No sabe usted cómo le recibieron, hasta con cohetes, y poco después, la de todos: se casó con la chica más guapa del lugar. No crea usted que era viejo, sólo un hombre maduro. En la luna de miel se quedaron aquí, en su casa, y nos contó todos sus planes, para su mujer, para los chicos que iban a venir, las reformas que iba a hacer en el pueblo. Mi marido, que era un poco socarrón, el pobre, le decía «amén» a todo y meneaba la cabeza. Y, ¿qué le parece? Antes de que se pasara un año, nuestro amigo se presentó aquí una mañana y nos dijo si podía quedarse a dormir aquella noche, porque al día siguiente cogía el tren para Barcelona y allí el barco para Buenos Aires. Mi marido le preguntó: «Y tu mujer, ¿no viene contigo?» El hombre dijo: «No. No congeniamos. No nos entendemos uno al otro, no tenemos nada que hablar. Lo único, peleas; peleas con la mujer, con su madre, con el pueblo entero. Y te juro, Pepe, que no es mi culpa. Como marido valgo tanto como cualquier hombre y mi mujer no puede quejarse. En cuanto a lo demás, la tengo como si fuera una princesa. Y he hecho más por el pueblo que ninguno de los gobiernos en los últimos mil años: les he arreglado la iglesia que era una ruina, les he construido una escuela, les he comprado unos prados para que los más pobres tengan un trocito de tierra suya, pero aún sigo siendo "el Indiano" para ellos. Nadie me trata, todos me tienen miedo y todos me odian. No porque les haya hecho nada malo, sino precisamente por lo contrario, porque les he hecho unos cuantos beneficios; porque he vuelto con dinero a restregárselo por los morros, como dicen ellos. Y, bien sabe Dios, que la verdad es», y esto lo contaba casi con lágrimas en los ojos, «que yo había vuelto para encontrar paz y cariño y para hacer feliz a tanta gente como pudiera en la aldea». Mi Pepe le contestó: «Eso ya me lo temía yo, pero no he querido decirte nada, por no quitarte las ilusiones y porque podía haberte salido bien, de lo que me hubiera alegrado mucho. Pero la verdad es que tú debías haberte dado cuenta de que ya no perteneces a esta tierra. Tus raíces ya no están aquí. Y sobre todo, debías haberte dado cuenta de que nadie quiere que otro sea su protector y su amo, simplemente porque tiene montones de dinero».

Antolín había protestado. Su caso era distinto. Lo primero, él se había marchado de España a la fuerza, y a la fuerza había abandonado a la familia, si no quería que lo mataran o lo metieran en presidio; así que le habían desarraigado contra su voluntad. Lo segundo, no había vuelto rico, ni pensando en meterse a protector de nadie.

—Podrá no ser lo mismo por lo que toca al dinero, pero por lo demás, me parece que el caso le viene como un guante. Usted ha vuelto para encontrar paz y cariño, pero al mismo tiempo queriendo cambiar a la gente para que se lo den como usted quiere que se lo den.

—No, no, doña Felisa, al contrario. No me entienda mal si le digo que en Londres tengo todo el cariño y toda la paz que necesito.

—Pero entonces, hombre de Dios, ¿a qué diablos ha vuelto? ¿A revolver las cosas y provocar odios?

Una vez más había fracasado con sus explicaciones; ante los otros y ante sí mismo. No podía dar una contestación concreta a doña Felisa. Podía haberle dicho que había vuelto a España para encontrar una justificación de su vida en Inglaterra; pero ni aun esto; sería una verdad a medias. Después de tanto pensar, aún era incapaz de explicar el impulso que le había llevado a España.

Este largo paseo que estaba dando sin rumbo —¿dónde estaba ahora?— se le apareció de pronto como una huida. Trataba de escapar de la parte de sí mismo que le había forzado a venir a Madrid, que había destruido su paz en Londres, y que le atormentaba con exigencias confusas que no entendía.

Para hacer más rotundos sus pensamientos, exclamó en alta voz y en inglés: «*You want to run away from yourself*» Antolín. Quieres huir de ti mismo, Antolín.

Hacía unos momentos que un chiquillo, menudo y sucio, vestido con unos pantaloncillos sujetos con una cuerda y una camisa emporcada a la que faltan todos los botones, trotaba pegado a los talones de Antolín. Ahora, al sonido de las palabras extranjeras, la carilla se le iluminó, el chiquillo dio unos pasos rápidos y tiró a Antolín de la chaqueta:

—Míster, míster, deme una peseta. ¡Hambre, mucha hambre!

Antolín volvió a la realidad con un sobresalto. ¿Dónde diablos estaba? ¿Cuánto hacía que había dejado la calle de Alcalá? Se encontraba en medio de una carretera polvorienta que se extendía entre hileras de casuchas y trozos de tierras baldías llenas de ortigas y cardos. Miró al chiquillo que se había entregado a una pantomima desenfrenada, frotándose el estómago moreno con una mano y llevándose una comida invisible a la boca con la otra. Era una prueba de la viveza del monillo aquel que hubiera reconocido como inglesas sus palabras...

Antolín metió la mano en el bolsillo en busca de una peseta y decidió no desilusionar el orgullo del chiquillo por su capacidad de conocer a un inglés, a un míster. Así, le preguntó en un español lento y teatral, lleno de infinitivos y falto de artículos:

—Tú, ¿para qué querer peseta? ¿Dónde vivir?

—Para madre, míster. Y para pan, míster.

El chiquillo se empinó y echó su carilla hacia atrás con el gesto indudable de confiarle un secreto. Cuando Antolín se agachó, le gritó en su oreja: «¡Viva la República!»

Como en respuesta surgieron otros gritos del más cercano solar. El chiquillo chilló:

—Estoy aquí, madre. ¡He cogido un míster!

Una mujeruca greñuda surgió a través del campo, avanzando con el andar torpe de un pato de una mujer en los últimos meses de preñez. Miró al extranjero con los ojos llenos de esperanza y cuando regañó al chiquillo, su voz no sonó muy convincente:

—¿Dónde andas tú, golfo? ¿No te da vergüenza de andar por ahí lleno de mierda y molestando a este caballero?

Antolín continuó su farsa lingüística:

—¡Oh, no molestar a mí el chico! ¿Usted ser la madre? Mí querer dar al niño una peseta para dulces.

Tomó ella la moneda de la mano de Antolín, casi violentamente:

—¿Para dulces? ¡Para pan, señor, para pan!, que es lo que más falta nos hace. Somos cuatro, y mi marido sin trabajo.

—Diga usted que es mentira, míster. Está en la cárcel. Padre está en la cárcel, pero madre tiene miedo de decírselo a usted porque cree que es un soplón. No le ha oído hablar *inglis* como yo.

La mujer le dio un pescozón:

—¡Cállate, condenado!

—No me callo, y no me da la gana, y usted es tonta. Es un míster, y lo sé yo. Llévale a casa, madre, que vea cómo vivimos.

Antolín se dio cuenta, con disgusto, de que el momento de abandonar su juego infantil había pasado. Tragó saliva, porque se le había formado un nudo en la garganta. Ahora, ¿qué es lo que se le ocurriría decir a un inglés, tal como ellos se le figuraban?

—¡Oh, sí, señora! Mí gustar mucho ver su casa. Mí ser amigo de su República.

La mujer echó a andar de nuevo hacia el campo desolado, dejando atrás al chiquillo y a Antolín, que por un momento dudó si seguirla o no. En la dirección que había tomado no se veía nada más que un llano de tierra arenosa, que rebrillaba amarilla bajo el sol poniente. Pero después de unos momentos se encontró en el borde de una zanja honda que era invisible desde la carretera. Parecía una cantera abandonada o la excavación para los cimientos de una casa que nunca llegó a construirse. La ancha rampa que conducía al fondo había sido sin duda usada por camiones pesados. En algunos sitios las paredes verticales estaban cortadas en escalones para evitar su derrumbamiento. El fondo de la excavación era ahora una especie de patio de casa de vecindad: cuatro chiquillos medio en cueros se revolcaban jugando, otras dos mujerucas cosían al sol sentadas en sillas bajas, parloteando entre ellas, y unos cuantos trapos se secaban colgados de una cuerda. La parte más alta de la pared tenía orificios, cuatro puertas cubiertas con cortinas de sacos. El guía de Antolín se dirigió a una de estas aberturas, diciendo rápidamente a las otras mujeres:

—No os asustéis, el señor es de confianza. Es uno de esos místers chalaos, que quiere ver cómo vivimos, para luego escribirlo en los papeles.

Instantáneamente las mujeres y los chiquillos rodearon a Antolín, empujándole a través de la «puerta» de la casa de la preñada. Era un cuarto sin ventanas excavado directamente en la arenisca. La única luz era la que entraba por la puerta y el reflejo que producía en el techo, un mosaico temblón de latas viejas y trozos de chapa. Donde el moho no había roído el metal, estaba pulido como un espejo que brillaba con un fulgor plomizo. Antolín identificó viejas latas de gasolina y anuncios con el esmalte saltado, entre trozos de origen desconocido acoplados unos a otros y clavados con gruesos clavos de hierro.

La mujer señaló al techo:

—Los hemos clavado ahí porque cuando llueve, el agua se cala y gotea encima; pero usted no sabe el trabajo que cuesta sacar brillo sólo con arena. Se echa el bofe.

La cueva estaba amueblada: un par de camastros, una mesa de pino, un viejo baúl, unos cajones de madera, un despertador barato lleno de abolladuras, y un pequeño hornillo de barro donde cocía algo en un puchero colocado sobre unas brasas. Antolín sentía el piso blando bajo sus pies. Miró hacia abajo y vio que estaba cubierto de tiras y trozos de alfombra y estera, cosidos unos a otros por alguien con un vivo instinto de colores y dibujo. La mujer había seguido su mirada y explicó orgullosa:

—Eso es para la humedad, míster. Debajo hemos puesto paja, para que el agua no pase. Usted no lo creerá, lo que cuestan estos retales de alfombra, y eso que son sólo cachos viejos de los que antes se tiraban a la basura.

Antolín salió al «patio». Le parecía que el techo de la cueva iba a caérsele encima. Como si la mujer le adivinara el pensamiento, dijo:

—A eso es a lo que tenemos más miedo, a la humedad. Le dan a una unos dolores en los huesos..., y a veces se hunden las cuevas. El invierno pasado, no, el otro, un cerro entero que había al lado del puente se hundió y enterró a las gentes que vivían allí en las cuevas. Hubo algunos muertos.

—Anda, madre, muchos más; más de veinte, que los conté yo —chilló el chiquillo que a toda costa quería recuperar su papel principal de descubridor del míster.

Por algunos minutos él y las tres mujeres soltaron un torrente de palabras amontonando detalles macabros de la catástrofe. Antolín escuchaba apenas; tenía la vista fija en los cuatro cajones de madera, uno al lado de cada puerta, a los que se había intentado dar forma de macetas. En la tierra negra de que estaban llenos, crecían geranios flacos que parecían querer sacar sus flores por encima de las paredes del foso a fuerza de estirar el cuello de sus tallos. Sus flores rojas resaltaban violentamente contra la pared amarilla.

Pero cada una de las mujeres reclamaba ahora su atención para que escuchara su historia. El inglés tenía que enterarse bien de cómo era su vida:

Al marido de la primera le habían fusilado al terminarse la guerra porque era un comunista; tenía un chiquillo. El marido de la segunda había estado preso muchos años porque era el secretario de un grupo de la C.N.T. en su fábrica; después, cuando le habían soltado, le habían desterrado a un pueblecito de Andalucía donde se estaba muriendo de hambre porque no podía protestar contra el jornal de miseria que le daban, si no quería que le volvieran a encerrar. El marido de la tercera, la madre del chiquillo que le había arrastrado allí, había sido detenido una noche en aquella misma cueva hacía tres años y aún estaba en la cárcel, sin que aún supiera por qué. No había hecho nada malo, decía su mujer, pero era un socialista y se había peleado en la Guerra Civil como todos. Tenía tres chicos.

Antolín no pudo evitar el mirar al vientre de la mujer. Se

dio cuenta ella y comenzó a enrollar entre los dedos una esquina del delantal:

—Ya sé lo que está usted pensando, misten Pero yo soy una mujer honrada, no una mujer mala. ¿Qué puede una hacer cuando no hay nada que dar a los chicos? Pero no era por vicio, no señor. —Se puso las manos sobre el vientre—: Lo peor es que antes de que pasara esto las cosas no eran tan malas. Pero ni para ser ramera tiene una suerte ya. Un descuido, y ahora ya no tiene una ni las pocas pesetas que le daban. Porque a los hombres ya no les gusto así.

—¿Cómo puede usted…? —Se corrigió instantáneamente y continuó en su papel de inglés de comedia—: ¿Cómo usted poder vivir aquí? ¿Cómo venir vivir aquí?

Otra vez las mujeres rompieron a hablar a la vez: al final de la Guerra Civil muchísimas familias se encontraron sin un techo sobre sus cabezas. Habían acampado al aire libre, bajo mantas enganchadas a cuatro palos que les protegieran de la lluvia. Pero el hombre que poseía estas tierras y que era un tío muy rico que estaba edificando casas allí cuando estalló la guerra, apareció un día y mandó unas cuadrillas de hombres con picos y palas que se pusieran a hacer las cuevas en las zanjas y en las caleras. A lo primero, creyeron que les quería hacer una caridad y bien agradecidos estaban. Les había dicho que aquellos que quisieran vivir en las cuevas podrían hacerlo, pero que los otros se tenían que marchar porque no estaba dispuesto a aguantar aquello en sus tierras. Habían echado a suertes «como los gitanos», a ver a quiénes les tocaba quedarse, porque todos querían, y eran muchísimos más que las cuevas. Pero luego resultó que tenían que pagar renta. No mucho, cinco pesetas al mes. Y buena renta que sacaba de todos, lo menos quinientas pesetas, y encima de todo «aún tenían que estarle agradecidos, porque aquello era mejor que no tener casa».

Antolín quería echar a correr. No pudo pensar en nada, más que en vaciar sus bolsillos y repartir un puñado de dinero entre las tres mujeres. Le ardía la cara. Puso otra peseta en las manitas del granujilla que le miraba con sus enormes ojos muy abiertos, y escapó rampa arriba.

Cuando se encontró de nuevo en la carretera, se detuvo y trató de orientarse. Hacia el Este, lejos de la ciudad, la alta cúpula de un edificio aislado se encendía en llamas bajo los últimos rayos sesgados del sol. En la cima de la cúpula, contra el cielo azul obscuro, surgía una figura envuelta en púrpuras y negros de crepúsculo. Antolín reconoció el edificio. Era la capilla del Cementerio del Este y la figura sobre la cúpula era el Ángel de la Muerte. Pensó: «La muerte que reina en estos campos se arropa en llamas del Infierno».

Ayudó a sacar a Antolín de su depresión el tener que volver a la ciudad y para ello pelearse por un sitio en el tranvía de las Ventas. Esto le hizo pensar en las multitudes de Londres. ¿Cómo se portarían, si vivieran en el miedo al hambre, o la cárcel, o con cuevas húmedas como su único hogar? ¿Se estarían quietos y ordenados en sus colas, aguardando pacientes, como habían hecho hasta en los años de los bombardeos, o se lanzarían ellos también al asalto de los autobuses, gritando, luchando a manotones y patadas?

Cuando llegó a la Puerta del Sol era casi de noche, y las farolas, los cafés y los anuncios luminosos lucían ya. Todo era tal como Antolín lo recordaba de otros tiempos: gentes paseándose en la hora perezosa entre el fin del trabajo y la cena, conversaciones a gritos, alegría ruidosa, tiroteo de bromas y piropos, un zumbido constante de miles de voces que ahogaba el ruido del tráfico. Antolín era feliz. Se dejó arrastrar en una ola de reconocimiento y recuerdos. También él sentía la comezón de mirar cada cara bonita y charlotear con un amigo. Igual que una mariposa, siguió fascinado hacia las luces brillantes, hacia las puertas abiertas del Bar Sol.

Pidió un vermú y acercó a sí uno de los platillos con gambas que se alineaban en el mostrador. Un camarero llenaba vasos de cerveza del grifo, con movimientos diestros, sin pausa. Se veía que era un maestro en el arte de tirar cerveza, y la espuma blanca subía lentamente en cada vaso, exactamente a la misma altura con la misma presión.

—Esto es algo que hacemos mejor que los ingleses —pensó Antolín, cascando entre sus dedos el caparazón rojo de una gamba.

Le invadieron un orgullo y una alegría infantiles.

5

La taberna del señor Paco está estratégicamente situada en el Paseo de los Ocho Hilos, en el centro de la parte más industrializada de Madrid. Había sido una cuestión de suerte: cuando treinta años hace, el señor Paco se estableció allí con un tabernucho en una choza de tablas, no podía ni pensar que los tiempos cambiaran así. En aquella época, aquél era un barrio de miseria, en el que los más ricos eran los que como él tenían una casucha de tablas; los más pobres vivían en chozas diminutas construidas con chapas viejas y latas vacías. La mayoría de sus parroquianos eran gitanos y traperos. Su mejor día de negocio era el domingo. Guisaba un gran caldero de callos o caracoles y allí bajaban a merendar las familias de obreros de los cercanos distritos de Embajadores y Lavapiés. Se sentaban después de su paseo, alrededor de las mesas hechas con cuatro tablas —la ilusión de una excursión al campo— en los campos yermos de la «China», llamada así sólo Dios sabe por qué. El nombre del paseo, mejor carretera, era apropiado y evidente: el Paseo de los Ocho Hilos estaba flanqueado por enormes pilones de hierro y de uno a otro se extendían cuatro pares de cables de alta tensión. Las torretas tenían su chapa pintada con una calavera y dos tibias cruzadas, un haz de rayos, y un terrorífico «¡Peligro de Muerte!» que avisaba a las gentes de un riesgo fatal. El viento que, poco o mucho, siempre azotaba la llanura, arrancaba de los cables un gemido constante que reforzaba el aviso y empujaba a los paseantes al otro lado del camino.

En este lado, casi a los pies de la taberna, había una trinchera profunda por la que corrían los trenes de la línea de circunvalación. La línea proporcionaba al señor Paco otro grupo de clientes, al menos durante los primeros años. Los «pescadores» solían llegar a la caída de la tarde y quedarse en la taberna hasta que el dueño los echaba. Los apodaban así, los «pescadores», por la manera especial en que robaban mercancías de los trenes. Esperaban en lo alto del puente sobre la trinchera y dejaban caer sobre los vagones abiertos un gancho de carnicero atado a una cuerda. La pesca era tan excitante como un juego de azar. A veces pescaban fardos que valían una fortuna para ellos, pero mucho más frecuentemente lo único que enganchaban eran cosas absurdas que abandonaban por el campo por no saber qué hacer con ellas. El negocio tenía sus riesgos porque los guardas de los trenes estaban armados con carabinas, aunque se decía que sólo eran capaces de usarlas si los pescadores olvidaban su promesa de untarles la palma de la mano. Hace ya muchos años que desapareció la hermandad de los pescadores; los únicos que ahora mantienen su tradición son los golfillos que se esconden entre los topes de los vagones en la cercana estación de Las Pulgas, viajaban en ellos en lo hondo de la trinchera hasta cerca de la estación del Mediodía donde los trenes se detienen esperando a que les den entrada, y durante el recorrido tiran a la vía bloques de carbón o algún saco de patatas que recogen en la noche recorriendo el camino a pie en sentido inverso. De vez en cuando, un chiquillo es arrollado en la obscuridad por un tren y al amanecer se encuentran sus pedazos entre los raíles.

En el curso de los años la barriada fue creciendo, primero con almacenes, talleres y fábricas, después con casa de vecinos para trabajadores, verdaderas colmenas de celdas apelmazadas. Los traperos y los gitanos desaparecieron. La taberna del señor Paco cambió de apariencia y se convirtió en un verdadero establecimiento que ocupaba la planta baja de una casa de vecindad pequeña que el mismo señor Paco había edificado y de la que era dueño. Era punto de cita de los obreros de las fábricas cercanas que coincidían allí a medio día para comer. Muchos llevaban su propia comida y pedían unos vasos de vino; para otros el señor Paco preparaba cocidos o guisotes en pucheretes individuales. Después del trabajo muchos volvían a beber un vaso antes de ir a casa.

Más que nunca la taberna del señor Paco era el centro de reunión de toda la vecindad. Por su dinero se le consideraba persona respetable, y en verdad las autoridades le tenían en buena estima. Por su discreción; y porque nunca había ocultado su antipatía hacia la policía que tanto le había apestado en los viejos tiempos, a él y a sus clientes, las gentes tenían confianza en él. Para los obreros, la taberna era un refugio seguro. Era rarísimo que por allí apareciera uno de la secreta, y si aparecía por allí, era instantáneamente reconocido y el aviso de su presencia entraba en la taberna antes que él. Se cambiaban todas las conversaciones y el dinero desaparecía de las mesas donde se estaba jugando una partida de mus. Los únicos representantes de la ley que aparecían cada día por allí eran una pareja de guardias grises —la policía armada— que iban recorriendo su ronda, que daban los buenos días al entrar, y que preguntaban al señor Paco cómo iban las cosas, se bebían sus vasos de vino y desaparecían sin mirar a los parroquianos.

En la taberna del señor Paco, Juan se reunía diariamente con su instructor político, Ramón, que era cerrajero en un taller cercano de la fábrica en que trabajaba Juan. Se encontraban a la hora de la comida de mediodía, se sentaban a la misma mesa y se repartían una botella de vino. Juan daba sus informes y recibía las consignas del Partido, los sellos del Socorro Rojo y el rollo de ejemplares del *Mundo Obrero* que había de repartir en la fábrica. Podían charlar libremente sin llamar la atención de nadie.

Aquella mañana siguieron la rutina de siempre: se sentaron

en la mesa del rincón, Ramón fue al mostrador por la botella de vino y Juan le dio ostensiblemente su parte en ella, junto con el dinero recogido para el Socorro Rojo.

—Esta vez no es mucho —dijo Ramón, guardándose las monedas.

—La gente tiene miedo de que les cojan con un sello encima.

—Que los rompan.

—Eso es lo que les digo siempre. Pero ya sabes cómo son. A muchos no les importa pagar su cuota, pero el sello dicen que me lo guarde yo.

—El dinero es lo que menos nos importa, aunque tiene su importancia, claro. Lo que importa es que la gente se acostumbre a hacer algo y a correr un riesgo, aunque haya soplones entre ellos.

—Ya lo sé. Pero en mi taller no son así las cosas y la mayor culpa es de Rufo. Siempre está haciendo discursos, y no es que esté mal, lo que pasa es que creen que con escucharle ya han hecho bastante; con eso y con discutir a gritos como él, no hace falta hacer más.

—No es mala persona Rufo, estoy conforme; si no fuera tan emocional... No tiene disciplina absolutamente y le hace falta; eso y una orientación clara.

Juan se arrepintió de haber hablado de Rufo y provocado así las críticas de Ramón que le sonaban de mal augurio para él. Una de las cosas que más temía era que su instructor, y único contacto con el Partido, le acusara de dejarse llevar por las emociones. Sabía que era demasiado sensible y que constantemente tenía que hacer esfuerzos, a veces dificilísimos, para no dejarse llevar por su «sentimentalidad», y esto le hacía demasiado inseguro de sí mismo y vulnerable. Su aprensión no le había engañado; Ramón siguió casi sin pausa:

—Supongo que a todos os ha dado un ataque de sentimentalidad con la venida de tu padre, ¿no? Muchos besitos y abrazos con los ojos llenos de lagrimones, ¿eh?

Juan enrojeció:

—¡A ver si te crees que aún soy un crío!

—Bueno. No hagas caso de mis bromas. Cuéntame lo que ha pasado. No las historias de familia que no nos interesan, sino lo que importa para lo nuestro. ¿A qué ha vuelto tu padre? ¿Y qué sabes de los contactos que tiene aquí?

—A lo que ha venido de verdad, no lo sé. Pero se ha hecho inglés, con un pasaporte inglés de verdad, y esto algo quiere decir. Al menos yo no creo que los ingleses le den un pasaporte a cualquiera, sin que haya una razón para ello, algo así como cuando Franco hizo españoles a todos los alemanes. Y además, mi padre, en lugar de venir a casa, se ha metido en una pensión de postín en la calle de Peligros y se ha traído un montón de ropa. Diga lo que quiera que allí no es más que un simple camarero, la verdad es que ha perdido todas las costumbres proletarias, si es que antes las tenía, que no lo sé.

—Chist. Espera. Acabas de decir dos cosas importantes: la primera, si tu padre tiene de verdad un pasaporte inglés, tienes que andarte con cuidado, porque los imperialistas no dan documentos a nadie que no sea de su absoluta confianza. Segundo, si era camarero, ándate con muchísimo más cuidado aún. Todo el mundo sabe que los camareros están corruptos y acostumbrados a venderse por unas propinas que les dé lo más podrido de la sociedad en que viven. Te apuesto a que la mayoría de los camareros de Madrid son confidentes de la policía, al menos indirectamente. Ninguno de ellos es consciente de su clase.

—No sé. En todo caso, mi padre me dijo que estaba en contacto con los socialistas allá y, creo, en Francia también, porque cuando vino se paró en París.

—Bueno. Lo que tienes que hacer ahora es averiguar con qué grupos trabaja aquí, en Londres y París, y quiénes son sus contactos, españoles e ingleses. —Ramón frunció las cejas, se interrumpió y preguntó bruscamente—: ¿Le has dicho que estás en el Partido?

—Yo no le he dicho nada, pero me figuro que sabe cómo pienso.

—Contéstame sí o no, y no te andes por las ramas. Esto no es una broma. ¿Sabe tu padre que estás en el Partido? ¿Sí o no?

—Puede tener una idea, pero no lo sabe de cierto. En todo caso yo no le he dicho nada.

—Si tú no le has dicho nada, ¿de dónde ha sacado la idea?

Ésta era la pregunta que Juan estaba temiendo. Era estrictamente verdad que nunca había dicho a nadie en tales palabras que era un miembro del Partido Comunista, pero se acordaba muy bien de todos los errores que había cometido al principio, cuando todo su empeño era que el Partido le aceptara como miembro. Se acordaba de una carta llena de alusiones que había escrito a su padre, y se acordaba de la contestación de éste, llena de reproches por su imprudencia. En aquel mismo momento le llenaba de vergüenza el que hubiera sido su propio padre —ni aun uno del Partido— quien le diera una lección de cómo portarse en la clandestinidad. Y no era esto todo. Cuando aún no había sido admitido en la célula y todo lo que tenía que hacer era pegar pasquines en los lavatorios o en las farolas de la calle, o distribuir algunos números de *Mundo Obrero*, había presumido con los suyos y con los extraños de sus hazañas revolucionarias. Sí, se había curado de estas tendencias infantiles —estaba seguro de que nunca había contado nada importante— pero, ¿cómo podía dejárselo claro a Ramón sin perder su confianza?

—Mira, Ramón, mi padre debe de figurárselo porque nos pusimos a hablar de la política del Partido Laborista inglés y de su alianza con los imperialistas yanquis contra la Unión Soviética. No estaba de acuerdo conmigo y me dijo: «Entonces tú no eres socialista, esto ya lo veo. ¿Qué diablos eres? ¿Un anarquista?». Naturalmente me enfadé cuando me tomó por uno de esos traidores, y así se lo dije; entonces me dijo: «Pues entonces, si estás haciendo trabajo clandestino, no queda más que un partido con el que trabajes. Si estás metido con los comunistas, me temo que has cometido el mayor disparate de tu vida y no sabes en lo que te has metido».

—Tú eres un estúpido idiota. ¿No te das cuenta de que tu padre es cien veces más inteligente que tú? Te ha sacado las cosas del cuerpo sin que te enteraras. ¿Estás seguro de que no le has contado nada más?

—Seguro, palabra de honor.

Ramón se quedó mirándole y moviendo la cabeza:

—Está bien, vamos a dejar las cosas así. Has cometido una soberana estupidez, esto está claro, y tienes que andarte con cien ojos. Hasta que no sepamos exactamente cómo andas con tu padre, no puedes hacer más trabajo clandestino. Dame todos los periódicos y los sellos.

—¿Qué es lo que voy a hacer entonces? ¿O es que quieres decir que ya no sirvo para nada y me echáis?

—Hombre, no tanto. Pero, ¿es que no te das cuenta de que te has ido de la lengua y has armado un lío que puede ser un peligro para todos los camaradas de la célula? Tú mismo te has destruido para lo que hubieras podido ser útil el día de mañana. Lo único que puedes hacer es demostrarnos tu habilidad y buena fe de otra manera: dedícate enteramente a tu padre, nos puede ser útil. Cómo, no lo sé. Pero al menos le puedes sacar dinero para el Partido y te puedes enterar de a qué ha venido aquí y cuáles son sus planes. También nos puede ser útil saber lo que pasa entre los refugiados de Londres. A lo mejor le podemos utilizar para algo práctico, claro es, sin que se entere. Después de todo, si tiene un pasaporte inglés, Franco quiere estar a bien con los ingleses para sacarles dinero y negocios. En fin, ya veremos cómo te portas. No podemos olvidar tampoco que la policía es seguro que le tendrá vigilado y por él os va a vigilar a toda la familia, incluso a ti, claro.

—Me dijo que había traído algunas cartas de presentación para negocios, pero no me ha dicho qué negocios eran y yo no se lo he preguntado.

—Ésta es una de las primeras cosas que tienes que averiguar. Y el que no se te haya ocurrido preguntarle en seguida, es la prueba de que la venida de tu papaíto te ha trastornado la cabeza... Bueno. Nos seguiremos reuniendo aquí, si no, a la gente le chocaría; pero no quiero que te pongas en contacto con ninguno de la célula hasta que yo te avise. Y se te encuentras alguno por casualidad, no tienes que dar explicaciones. En todo lo demás sigues como hasta ahora; si quieres hablar en la fábrica acerca de tu padre, hablas, pero acuérdate, sin detalles. Los detalles a nosotros.

Se produjo una agitación en la taberna. Los obreros iban marchándose en pequeños grupos porque faltaban unos pocos minutos para reanudar el trabajo. Sin llamar la atención, Ramón recogió el rollo con *Mundo Obrero* que Juan había empujado entre la botella y su vaso, y se marchó. Juan se fue un poco después con un grupo de su fábrica. Se alegró de que nadie reparara en él.

A Juan se le dio mal la tarde. Llevaba ya una semana entera sin cambiar el trabajo en su pulidora: una serie interminable de tubos dorados todos en el mismo tamaño. Era un trabajo puerco. Un polvillo impalpable —metal húmedo de ácido— le impregnaba las manos y se le pegaba en la nariz, en la boca y en la garganta. No podía evitar el tragarlo, aunque supiera que le daba malos cólicos. Al menos —se consolaba a sí mismo— aún no escupía o vomitaba sangre como alguno de sus compañeros. No era tísico ni aun estrecho de hombros. Y con mejor comida seguramente ni las tripas le darían guerra. Sí que era verdad que no llevaba muchos años en la fábrica. Juan tenía la categoría de ayudante, bueno para pulir automáticamente, pero no con la experiencia suficiente para otros trabajos de dorador, más interesantes y menos sucios. A veces, esto le molestaba; otras veces se alegraba porque tenía la ventaja —o la desventaja— de dejarle libre la cabeza para pensar. Hoy el monótono trabajo le dejaba libre de compadecerse a sí mismo y de enfurecerse con el resto del mundo.

No lo entendía nadie, y menos su familia. Si Ramón se había equivocado con él, la culpa era de su familia, sobre todo de su padre. Si era verdad que le había sacado las historias del cuerpo con intención, entonces era un traidor al movimiento. No quería creerlo, aunque ya había perdido sus ilusiones sobre su padre, que en tiempos le pareciera un gran revolucionario. Pero, ¿qué era lo que su padre había hecho, después de todo? Lo mismo que muchos más: irse a las milicias, llegar a ser oficial en el ejército y quedarse en el frente hasta el fin. Si se había escapado, había sido por suerte y no por coraje. Era típico de él que hubiera ido a Inglaterra, donde habían ido tan pocos. En todo caso, era demasiado que allí hubiera desarrollado una mentalidad tan burguesa que le hubiera llamado idiota por pertenecer al Partido. Debía ser un poco más inteligente que todo eso.

Si Amelia y su madre no entendían sus ideas, tanto mejor. Eran mujeres, y las mujeres nunca aprenden a usar sus sesos. Además, las dos estaban completamente entontecidas con sus creencias, como si tomaran opio. La una con sus espíritus, y la otra con su Sagrado Corazón y sus san no sé qué. Era difícil vivir con ellas y escucharlas. Tampoco valía la pena tratar de convencerlas. Hacía tiempo que había renunciado a educar a Amelia.

Pedro... Pedro era simplemente un granuja. Ni aun era un fascista. No tenía interés en las teorías de su propio movimiento. Lo único que le importaba a él de Falange era tener una tapadera para sus negocios sucios. Si Pedro hubiera creído en algo, aunque fuera en fascismo, Juan le habría entendido mejor y le habría apreciado, al menos como un adversario político. Y no le trataría a él como le trataba, como a un bebé a quien hay que darle la papilla con una cucharita. Pedro no era tonto, pero estaba podrido hasta la médula. Era raro que su padre no lo hubiera visto en seguida. Esto demostraba la razón que tenía Ramón al decir que los camareros están mentalmente corrompidos... Era difícil tener un hermano como Pedro que parecía haberse escapado de una película americana y que no era más que un chulo de zorras. Hace mucho tiempo que debía haber terminado con Pedro, y lo hubiera hecho, si el Partido no le hubiera dicho que tenía que aguantarse y tratar a Pedro como una fuente de información ocasional. Poco más o menos lo mismo que tenía que tratar a su padre en el futuro, aunque por otras razones. Aun su padre no era como Pedro.

La primera vez que Ramón le había explicado la utilidad de tratar a su hermano, se quedó tremendamente extrañado. Entonces era un ingenuo. Ramón le había convencido completamente y sus razonamientos le habían, más que otra cosa, dado una idea clara de la fuerza del Partido y de lo inevitable de una revolución mundial.

Ramón le había explicado cómo funcionaba el proceso revolucionario; cómo gentes al margen de la sociedad, por ejemplo su hermano Pedro, actuaban como fermentos; cómo el mercado negro y la prostitución por hambre activaban la desintegración del orden capitalista y de la moral capitalista. Era como si estuviera viendo desmontar una máquina y volverla a montar pieza a pieza, para que viera cómo funcionaban todos sus engranajes. Ramón le había mostrado que, en su caso concreto, el hecho de que su hermano fuera un falangista, pero no un falangista convencido, hacía segura su casa para guardar en ella material de propaganda, mientras que el hecho de que Pedro fuera un chulo y viviera del mercado negro, daba al Partido un arma para el caso de que a Pedro se le ocurriera un día amenazar a Juan con denunciarle.

Era una gran cosa el poder mirar con despego a la propia familia, sin debilidades y sin consideraciones personales. Era una cosa por la que estaba agradecido al Partido. Juan se había enseñado a sí mismo a no preocuparse por la manera de vivir de su hermano, aunque en sus disputas le llamara aún todo lo

que se le venía a la boca. Claro que no era más que un desahogo. Desde luego, era verdad que ya no se enfadaba ni desesperaba por las cosas que Pedro hacía y que antes le sacaban de quicio. Por el contrario, ahora le daba un placer secreto el saber que Pedro se prostituía cada vez más en un servicio inconsciente a la causa. Pobre Pedro, nunca sacaría provecho de su sacrificio. Después de la revolución soviética en España habría que liquidarlo sin remedio. Tragando saliva, espesa con el polvo metálico, Juan se dijo a sí mismo que no odiaba a su hermano; lo único que le causaba era desprecio y lástima, aunque tuviera que humillarse ante sus aires paternales. Sí, era verdad que de muchacho le odiaba, pero entonces no era más que un chiquillo abandonado de quien nadie se ocupaba. Su madre dejaba a Pedro que hiciera con él lo que quisiera, con tal de que trajera comida a la casa y la dejara a ella hablar con sus espíritus. Pedro era entonces su amo, y le odiaba con una rabia loca. Ahora era diferente. Pedro se creía aún el cabeza de familia, pero a Juan esto le hacía gracia, sabiendo que el gran Pedro no era nada más que un instrumento ciego. Hasta la comida que Pedro traía y que ganaba con sus trucos sucios le ayudaba a mantenerse fuerte y sano a él, a Juan, uno de los que estaban edificando una España nueva.

Juan trató de pensar una frase dialéctica que fuera hermosa de oír, describiendo cómo lo más podrido de una sociedad capitalista protegía su salud personal de la explotación capitalista que estaba sufriendo; pero desistió de ello, porque era mucho más fácil sentir lo que sentía que expresarlo.

Hasta ahora, siempre que Pedro había hecho algunos comentarios jocosos sobre su padre emigrado, había sentido al menos un poquito de ira sentimental. Hasta tal vez había replicado demasiado abiertamente. Pero hoy Ramón le había liberado para siempre de esta actitud inmadura. Tenía razón: se había hecho ilusiones sobre su padre, cuando su padre, en realidad, no sólo había sido incapaz de aprender las lecciones de la Guerra Civil, sino que se había convertido en un reformista piadoso al estilo inglés, lo cual quería decir que se había puesto al servicio del fascismo imperialista, un fascismo que adoptaba su último disfraz.

Naturalmente, ésta era la razón por la que su padre era incapaz de entender los ideales de Juan.

Mira qué bien se había entendido su padre con Pedro, al menos juzgando por lo que Pedro había contado de su entrevista. Desde luego a Pedro no le iba llamando tonto como a él. Igualmente se había dejado engañar con todas las marrullerías de Amelia. Ésta había venido a casa dándose aires y presumiendo que de ella dependía lo que su padre iba a hacer. Lo peor era que a lo mejor tenía razón. Una lástima que Amelia nunca quisiera hablar con él, porque si fuera así, ahora seguramente podría ayudarle en su nueva tarea; claro, sin saberlo. No iba a contarle a Amelia que estaba interesado en lo que su padre decía porque el Partido se lo había mandado...

¿Qué hubiera hecho si se hubiera enterado? ¿Contárselo al padre confesor o a la madre superiora? No lo sabía. Sabía muy poco sobre su hermana. Nunca le había preocupado mucho. Mirando atrás, le parecía que aun cuando eran niños habían hecho buenas migas, aunque a veces se habían unido contra el marimandón de Pedro. Más tarde, durante la guerra, claro que todos habían sido evacuados a colonias infantiles distintas. Para Juan había sido un beneficio tener que manejárselas a solas. Le había hecho libre. Pero, ¿qué era lo que había ocurrido con Amelia después? ¡Oh, sí! Cuando él comenzaba a trabajar como aprendiz, ella estaba interna en el colegio de monjas.

El entrar de aprendiz de dorador había sido una decisión suya. Nadie le había ayudado a encontrar trabajo, ni nadie se había preocupado por lo que hacía. Pedro y su madre no le hacían caso alguno. Cuando Amelia salió de la escuela, tuvieron la primera bronca. Para Amelia era denigrante tener un hermano que trabajaba en una fábrica y que cada tarde venía vestido con un mono azul que chorreaba mugre. Se daba aires de importancia y sólo podría ser su hermano si dejaba de ser un obrero. La putilla esa, con su novio de cuello planchado y sus aires de señorito... Sí, era verdad que ahora no trataba con su novio, así que algo se había torcido en la relación. O él no era bastante beato para ella, o era ella la que era demasiado beata para él.

Desde luego, se explicaba fácilmente todos sus rezos y todo su poner los ojos en blanco: Amelia estaba histérica y nada más. Había millones de mujeres histéricas. Unas lo pagaban con sus chicos, y otras, que no tenían a nadie con quien desahogarse como Amelia y su madre, se desahogaban con otra cosa. Su hermana siempre había sido muy nerviosa, hasta cuando era chiquitina y se quejaba de que era muy bruto jugando con ella, como si estuviera hecha de barro más fino. El padre, naturalmente, la había mimado mucho entonces, y la madre se enrabietaba con los mimos. Ahora Amelia despreciaba a unos y otros y estaba convencida de que era superior a los demás. A lo mejor terminaba como una monja, con visiones y llagas milagrosas, muy pálida y muy estirada en la cama, adorada por una turba de bobalicones. Juan no creía que un hombre pudiera hacer carrera de ella, aunque esto era lo que realmente necesitaba. Tal vez si el novio que había tenido se hubiera acostado con ella, y le hubiera dado unas tortas bien dadas, y la hubiera dejado con un crío... Pero no lo había hecho; y ella seguía esperando al príncipe. ¡Nada de obreros para la señorita Amelia! Tampoco a un obrero le serviría una señorita ñoña. Lo que su padre había encontrado en ella, no podía ni imaginarlo. Ni aun su propia madre lo entendería, conociéndola como la conocía.

No parecía que el padre y la madre se hubieran entendido. Claro que si él fuera diferente, menos bragazas, cogería una estaca y le sacaría los espíritus del cuerpo. Bueno, también había razones de clase para lo de su madre. En esto tenía razón Ramón. Ahora, la venida de su padre había empeorado las cosas con su madre y con su hermana. Amelia estaba más presumida que nunca. Seguramente soñaba con devolver al padre al seno de la Santa Madre Iglesia, junto con todas sus libras, y así ganarse una vida cómoda aquí y la gloria eterna por añadidura. Su madre, durante las tres últimas noches, había estado regruñendo y hablando sola. Esto había comenzado desde el día en que fue a ver al padre y algo de lo que había rumiado no había escapado a sus oídos: quería saber a través de los espíritus qué era lo que iba a hacer con ella aquel hombre que ni se había dignado venir a verlos en casa. Parecía que madre tuviera miedo de que se interpusiera entre ella y sus amigos fantasmas.

Ramón había ayudado a Juan a entender las razones detrás de la manía de su madre, que había empezado en la época en que de pronto se había aviejado, como si hubiera terminado de ser mujer. Estas razones formaban parte de un proceso lógico: el desarrollo del espiritismo en la España de Franco, entre la clase media hambrienta y la aún más pobre clase obrera, constituía un síntoma y un factor real de desintegración del poder de la Iglesia. (Esto era Ramón en su mejor momento como pensador, y Juan se sentía orgulloso de poder reproducir en su mente el diagnóstico.) Mucha gente había perdido su fe religiosa cuando había visto el comportamiento de la Iglesia después de la victoria de Franco. Los creyentes más sinceros no podían soportar la idea de una religión impuesta por la fuerza, en nombre de la que se cometían toda clase de sacrilegios y se desarrollaba una hipocresía blasfema. Pero muchos de ellos tenían la necesidad de creer en algo sobrenatural, necesitaban un consuelo a su desamparo. El espiritismo o cualquiera otra fe llenaba este abismo.

Lo malo de ello era que el espiritismo, igual que la Iglesia, entontecía al proletariado e impedía ver la realidad revolucionaria; les hacía creer en fuerzas sobrenaturales en lugar de tener fe en su propia fuerza. Como un opio para las mujeres de los trabajadores, era peligroso. Como una ayuda al derrumbamiento del poder clerical, era estupendo. Juan se quedó dudando sobre el caso de su madre. Desde luego era para ella como una droga, pero por otra parte, nunca había entendido, ni entendería, de ideas revolucionarias, ni tampoco había tenido ninguna inclinación a la beatería. No, esto era una manera equivocada, personal, de ver la cosa. Lo que Ramón había dicho era que lo que había que tener en cuenta con el espiritismo de su madre y el fanatismo de su hermana era que ambas cosas las convertían en delatoras potenciales. Los fanáticos religiosos cuentan todo a su confesor, los espiritistas todo lo cuentan en el círculo de iniciados, es decir, en el círculo de comadres de ambos sexos. Ramón insistía, y con razón, en que su madre y su hermana eran mucho más peligrosas para su trabajo como un miembro del movimiento ilegal que su hermano falangista, y le repetía que nunca debía dejarles conocer el más mínimo detalle de su labor.

Algunas veces Juan necesitaba echar mano de todo su entusiasmo y disciplina para no mandar a paseo a Ramón, cuando le apestaba con sus discursos sobre las «tácticas en el hogar». Como su hermano era un falangista cínico y un estraperlista barato, su casa era estupenda para guardar material de propaganda clandestina; como su madre y su hermana eran dos fanáticas y dos parlanchinas, había que evitar que tuvieran la sospecha más remota: ¿cómo podía él combinar las dos cosas en un piso donde estaban como piojos en costura, dándose pisotones unos a otros cuando se movían y oyendo al vecino de al lado cuando se les ocurría mear en el orinal? Hay muchas cosas muy fáciles de decir, pero en la práctica no son tan sencillas. Además, si todo era lo contrario de lo que parecía ser, entonces Franco era la mejor ayuda para el comunismo.

Una vez se lo había dicho así a Ramón y Ramón se le había quedado mirando muy serio y le había contestado fríamente:

—¡Ah! No te quepa ninguna duda que Franco en el poder es mucho más útil para el Partido que un reformista como Indalecio Prieto. —Se había animado con su teoría y había seguido con el sermón—: Con un gobierno socialista-reformista en España, perderíamos uno de nuestros mejores puntos de propaganda, es decir, el poder presentar al mundo cómo el gobierno más reaccionario y el Vaticano se ponen de acuerdo con los así llamados poderes democráticos y ministros socialistas, para mantener el fascismo en España.

No le había sonado muy claro a Juan y aún le sonaba falso, pero la verdad era que él no estaba educado teóricamente como Ramón, que había estado en el extranjero. Y Ramón no había duda de que estaba en lo cierto, porque lo que él decía era lo que las cabezas del Partido habían aprobado. ¿Qué diría su padre de estas cosas? Seguramente le chocarían.

Pero tendría gracia ver a Ramón manejándoselas en lugar suyo. Es mucho más fácil dar órdenes y explicar teorías leninistas-estalinistas que vivir en casa con un falangista estraperlista, una fanática religiosa y una espiritista, y convertir todo ello en beneficio para el Partido.

Quedaba sólo una hora para terminar el trabajo. Juan se había envuelto en sus pensamientos, absorto en su monólogo silencioso, y las bromas y las conversaciones de sus compañeros habían sonado en sus oídos como un zumbido lejano. No había cesado ni un momento de trabajar. Paró y fue como si el ruido del taller se desbordara en un rugido. Rufo gritó a través de la nave:

—¿Y qué pasa? ¿Te han prometido un aumento? —Se volvió a sus vecinos—: Estos grandes revolucionarios son los primeros en gritar como locos, y también los primeros en echar los hígados por la boca trabajando para el amo. Estos chupones no son valientes para contestarle al capataz.

Juan, con un esfuerzo, se mantuvo callado. Estaba obedeciendo las órdenes de Ramón, pero le hubiera gustado ver a Ramón aquí, en sus zapatos, teniendo que tragarse los insultos de un bravucón. «Un buen chico, pero demasiado emocional.» Ramón y sus frases rebuscadas... Bien, si Juan manejaba inteligentemente a su padre, el Partido vería que valía para algo más que la venta de sellos y periódicos, y hasta podría llegar el día en que podría decirle a Ramón lo que pensaba de su visión mezquina y de la estrechez de su juicio.

Hubiera querido contestar con una broma insultante y que los demás se rieran a costa de Rufo y no de él. Pero tenía la cabeza vacía y no acudían las palabras; en lo único que podía pensar era en los minutos interminables que faltaban aún.

Cuando sonó la sirena de la fábrica, Juan cambió rápidamente sus ropas por las de calle, se lavó deprisa y corriendo la cara y las manos en un cubo y se marchó a toda velocidad, haciendo oídos sordos a las bromas y las risas. «Buena disciplina», pensó amargamente, aunque sin saber muy bien lo que esto significaba.

Subió la cuesta del portillo de Embajadores pensando adónde iría. No se decidía si ir a buscar a su chica o no. Estaba deprimido y de mal humor, y tenía miedo de que se enzarzaran en una de sus querellas interminables. Pero con alguien tenía que hablar y desahogarse; e ir a casa directamente, ni pensarlo. No tenía amigos. Al final decidió que iría a buscarla como siempre y siguió lentamente cuesta arriba, hacia el centro de la ciudad. Tenía dos horas por delante. Lucía tenía veladas.

Trabajaba Lucía en un taller de modista de la calle de Atocha. Para una modistilla joven era una buena colocación —no una casa de modas, sino uno de esos talleres anónimos, pero bien establecidos, a los que nunca falta trabajo porque cubren las exigencias de una clientela y una vecindad especiales.

La propietaria, doña Rosa, había sido ella misma una modista sin más ambiciones que casarse, pero su novio desapareció unos días antes de la boda y la dejó preñada de dos meses. Rosita —como la llamaban entonces— no se atrevió a presentarse ante la maestra y las compañeras del taller, después del plantón y cuando el cuerpo comenzaba a redondearse demasiado. Junto con su madre se mudaron a un distrito de Madrid donde nadie las conocía. Las dos mujeres, vestidas de luto riguroso, alquilaron un pisito en una callejuela detrás de la plaza del Progreso; para sus nuevos vecinos, Rosita era una viuda joven, cuyo marido había fallecido tres meses después de la boda. Era una buena modista, y pronto comenzó a tener clientes entre las familias más pobres, particularmente después del nacimiento de su hijo, cuando las mujeres más viejas se sintieron atraídas por un sentimiento de simpatía y solidaridad. En el curso de veinte años había creado un buen negocio y se había establecido en una calle céntrica, con un taller que daba trabajo a doce muchachas.

Doña Rosa, actualmente un poquito más de cuarenta, era una mujer reposada, serena, con un garbo discreto. Ella misma era su mejor modelo, gracias a su figura alta y delgada. Sus clientes eran las mujeres y las hijas de empleados modestos y comerciantes pequeños, mujeres que se peleaban por ser elegantes a la moda, pero que no podían comprar más que materiales baratos. El mérito especial de doña Rosa, y su mayor fuente de ingresos, era que podía atreverse a enseñar a sus clientes las últimas revistas de moda de París y cortar el modelo más complicado de que pudieran encapricharse sus ilusionadas clientes, de la tela menos apropiada para ello, sin perder la nota de originalidad y sin hacer ridícula a la compradora. En el taller, doña Rosa dejaba a un lado su seriedad profesional y se convertía en una especie de madre alegre y tolerante con una caterva de hijas traviesas. Había un resto de nostalgia en su impulso de compartir sus bromas y sus secretillos; cuando le pedían consejo, una timidez secreta le hacía titubear y por eso su consejo era aún más apreciado. Algunas veces parecía como si doña Rosa prefiriera las más ruidosas y alegres de sus asistentes, pero sin parecerlo, protegía contra sus bromas a la tímida Lucía, hija única, igual que ella misma, de una viuda pobre.

Lucía no había cumplido aún los dieciocho años; era menuda y delgada, piel dorada y ojos y pelo castaño obscuro. Sus facciones eran corrientes, sin expresión o distinción especial que la destacara de los miles de muchachas de su tipo que llenan las calles de Madrid. Lo único tal vez que la hacía sobresalir era que no se maquillaba. Esta negativa insólita a hacerse más atractiva, como las otras lo intentaban, junto con su seriedad y sus movimientos tranquilos le habían valido el mote de «María la Sosa», un mote en verdad no merecido. Su trabajo no era el más adecuado para hacerla más viva: costuras interminables o el hilvanar de las piezas que componían cada prenda. La oficiala de su grupo la había privado del placer de hacer adornos como a otras «aprendizas adelantadas» confiaba, porque decía que le faltaba gracia para ello. En un sentido no lo lamentaba. La misma monotonía del trabajo dejaba su fantasía en libertad completa. Porque en realidad Lucía pensaba mucho y seriamente, aunque sus conocimientos, fuera de su trabajo, eran escasos y expresar en palabras su pensamiento le costara un verdadero esfuerzo.

Esta tarde Lucía estaba impaciente y hasta sentía tener que velar dos horas, a pesar de que lo que ganaba en estas dos horas era lo único de que podía disponer para sus gastos menudos; el jornal se lo daba íntegro a su madre, y no era mucho. Pero hoy, lo que quería era ver a Juan y oír de él la entrevista con su padre. El hombre de Inglaterra era para ella una figura misteriosa y atractiva. Tenía la esperanza de llegar a conocerle; y hasta era posible que tuviera el valor de preguntarle todas las cosas que a ella se le ocurrían sobre aquel país.

Las mujerucas de su casa solían hablar de Inglaterra como si fuera un estercolero lleno de pecados, feo y raro, habitado por herejes, chalados y mujeres perdidas. Pero las películas inglesas que Lucía había visto —y a ella le gustaban las películas sobre la vida de otras gentes como *Qué verde era mi valle*, una película que aburrió a sus amigas— le habían dado de Inglaterra una visión muy distinta. Las gentes parecían exactamente como las de Madrid. Las cosas que le atraían eran precisamente las cosas que encontraba raras. Por ejemplo, en el noticiario que ella había visto sobre la boda de la princesa, parecía como si las muchachas inglesas pudieran vestirse como les diera la gana, sin que pareciera que seguían una moda. Era una clase de libertad que a ella le gustaría tener. Aquí, si una no llevaba el mismo escote que las otras y no se preocupaba de pendientes y broches como las demás, la llamaban aburrida y estúpida y decían que vestía como una paleta recién llegada del pueblo. Pero a ella no le gustaba llevar un montón de pulseras y colgantes. A algunas les sentaba bien, pero la mayoría de las chicas estarían mucho mejor sin toda la bisutería de que se mostraban tan orgullosas; sin las pestañas pintadas; y sin pintarse las uñas de color sangre de toro. Si ella fuera una muchacha inglesa, vestiría como se le antojara y nadie le tomaría el pelo. Al menos, ella imaginaba que así era en Inglaterra, pero le gustaría preguntarle al señor Antolín sobre ello. Y además sobre la ropa negra. En las películas no había visto ninguna muchacha vestida de luto, ni mujer alguna que llevara medias negras, a pesar de la guerra. Su madre le había hecho llevar luto tres años por la muerte de su padre. En un sentido hacía las cosas más fáciles, porque no había que preocuparse de combinar los colores que se ponía una; de todas las maneras ella no entendía mucho las ropas que hacen juego. Pero era tan aburrido y tan estúpido el ir siempre vestida de negro por el qué dirán los vecinos...

Había otra cosa sobre Inglaterra. En algunas de las películas, parecía que cada familia tenía su casita con un jardín y muchas flores. Si era así, el tiempo no podía ser tan malo en Inglaterra como contaban. Las casitas eran muy alegres, y las mujeres podían tumbarse al sol en el jardín de atrás y mirar a los niños jugar con arena, y los maridos les ayudaban a tener la casa limpia. Las mujeres eran mucho más libres y hacían un montón de cosas que ninguna mujer, ni aun en Madrid, se atrevería a hacer; además hablaban con sus maridos de todo. El padre de Juan tenía que conocer todo esto y tal vez no le importara contarle cómo era de verdad la vida en Inglaterra.

Las casitas de las colonias de obreros de las afueras de Madrid no se parecían en nada a las casitas inglesas. No sabía si le gustaría tener una para Juan y ella, cuando se casaran, pero en todo caso era tonto soñar con ello. Aún les tomaría años el poderse casar, y para entonces no sería muy fácil encontrar ni una casa, ni un piso, donde meterse. Claro que no podían quedarse con su madre que no tenía más que una simple alcoba sin ventanas. Ni tampoco con la madre de Juan, ¡gracias a Dios! Tal vez, en unos años podían ahorrar bastante para alquilar un pisito donde la alcoba tuviera una ventana. Pero lo más importante era tener salud hasta entonces, y Lucía estaba preocupada con Juan. Siempre andaba malucho del estómago y a veces escupía verde, según decía él, del polvillo maldito del metal. Le hacía falta también crecer un poco más, no había derecho a que con los hombros que tenía fuera tan enclenque. Menos mal que no tenía que velar como ella; si no, no lo aguantaría. ¿Qué pasaría si se convirtieran en realidad los sueños de Juan sobre una España soviética y tuviera que trabajar como un estajanovista, catorce horas al día? No quería ni pensarlo. Además, no le parecía bien que no le quedara a nadie un poquito de tiempo para ser feliz. ¿No decían que querían cambiar el mundo para que todo el mundo lo fuera?

Estas mujeres inglesas en sus jardincitos parecían felices. Sería maravilloso vivir en una de estas casitas, tener una habitación para el niño, pintada como la de ellos con dibujos de Walt Disney, con patos y conejos y ratoncitos Pérez, y un marido que viene por la tarde a casa, se sienta al lado de la chimenea y le cuenta todo a su mujer, y le pide su opinión sobre sus problemas. En una de las películas, la mujer —y era la mujer de un simple obrero, pero con muchas cosas preciosas en la casa— tenía un cuarto sólo para el niño, todo él pintado con conejitos. A Lucía le había recordado aquella película de Walt Disney en la que los conejitos pintaban huevos de Pascua, metiendo el culito en pintura, sentándose un momento sobre cada huevo y dejando allí estampado un corazoncito rosa. Nunca se había atrevido a hablar a Juan de esto, pero seguramente el señor Antolín entendería lo que quería decir, porque él vivía en Londres. Sólo que, primero, tenía que convencer a Juan de que la llevara a ver a su padre. ¿Era ya la hora de recoger?

Las otras muchachas estaban recogiendo ya, pero su atención estaba más concentrada en el balcón abierto donde una de las aprendizas estaba mirando al desfile diario de novios. En aquel momento gritó:

—¡Aquí está Patas Largas!

Un muchacho alto, delgado como un alambre, estaba recostado contra la pared de enfrente, encendiendo un cigarrillo con aire de aburrimiento. Una de las muchachas se asomó al balcón, cosquilleó a la otra aprendiza en las costillas y dijo:

—Y ahí está tu gorila. ¿Sabes? Entre una jirafa y un gorila me quedo con la jirafa, ¡que los gorilas están llenos de piojos!

Una de las ayudantas empujó a un lado a las dos muchachas y dijo:

—No os peguéis, ¡aquí está mi taponcito!

Su novio era un muchacho gordo y bajito que parecía un tentetieso. Sus movimientos eran tan absurdos como los de un muñeco. Su novia trataba todos los días de anunciar su llegada para anticiparse a las bromas de las demás.

La más traviesa de las dos aprendizas saludó a una nueva víctima:

—Mirad al filósofo. ¡Se ha tragado un hueso de pavo y se le ha atragantado en el gañote!

Se amontonaron todas las muchachas en el balcón y sus carcajadas hicieron que Lucía se pusiera roja. Hubiera querido escapar, pero intentarlo hubiera servido sólo de pretexto para bromas más pesadas; se forzó a reír como las otras y a unirse a ellas en el balcón. Era verdad, Juan parecía un alma en pena. Se había recostado contra una columna del portal de enfrente, con los brazos caídos, las rodillas dobladas, un cigarrillo colgando de los labios, como un muñeco de trapo al que se le escapa el serrín.

Una de las muchachas en primera fila dijo:

—Yo sé lo que le hace falta a tu Juanito, Lucía: que le den bomba como a un neumático. Llévatelo al garaje de Atocha, dan aire gratis.

La nueva tempestad de risas se cortó con la llegada de doña Rosa. Dio unas palmadas y dijo:

—A ver si os calláis. ¡Hala, coged vuestras cosas, y ya os estáis largando con vuestros novios! Aquí no quiero jaleo y ya han dado las ocho.

Se desbandaron como gorriones, con un revoleo de faldas y gorjeos indignados. Así, en bandada chillando, empujándose, riendo, surgieron en el portal y se dispersaron cada una en busca de su cada uno. Las dos aprendicillas, las dos más jóvenes que recogían los alfileres caídos en el suelo y hacían los recados, brincaron en la calle, agarradas del brazo, burlándose a gritos de las parejas, para disimular su infantilidad que les hacía seguir sin importancia a los ojos de los muchachos. La oficiala, a quien las otras llamaban la Solterona, jugó seriamente su papel tragicómico de cada noche: se quedó en el quicio del portal, como esperando al novio retrasado, hasta que todas las parejas se dispersaron.

Juan saludó a Lucía con un corto «¡Hola!». Ella preguntó:

—¿Qué te pasa? ¿Estás de mal humor?

—No me pasa nada —contestó él, displicente.

Echaron a andar sin decir palabra, hasta que la muchacha comenzó a enfadarse:

—Bueno, ¿qué pasa? Después de trabajar todo el día no tiene maldita la gracia encontrarse con caras agrias. Y no me parece que yo te haya hecho algo.

A Juan le hubiera gustado estrellarse con alguien para echar fuera su resentimiento, pero le parecía injusto hacerlo con la muchacha. Además, también necesitaba alguien que le consolara:

—No te enfades, rica. Estoy un poco cabreado y tienes que dejar que me calme.

—Está bien. Cuéntame qué te pasa.

—No me pasa nada.

—No seas tonto. Si no quieres contarme nada ¿cómo te puedo ayudar? ¿O quieres que te cuente un cuento?

—Si empiezas a burlarte de mí...

—No me burlo. Tú eres el que tiene que no ser tonto y contarme qué es lo que pasa.

—Bueno... ¿sabes...? ¡Oh, las mujeres no entendéis de estas cosas! Si fueras un hombre..., pero al fin y al cabo no eres más que una chiquilla, aunque yo te quiera un poquito. No te preocupes, ya se me va a pasar.

Lucía se sintió herida y contestó bruscamente:

—Cuéntaselo a tu papaíto, o si no a tu hermanito, que es muy listo.

—Mi hermano es un sinvergüenza y mi padre, un no sé qué.

—Pero, Juanito, si necesitas un hombre de experiencia a quien hablar... Anda, cuéntame algo de tu padre. ¿Cómo es? ¿Se va a quedar con vosotros, se vuelve a Londres, o qué?

—Ni Dios sabe lo que va a hacer. Tiene los bolsillos bien forrados y ahora que está aquí, nos mira como si fuéramos bichos raros. O como si fuéramos chiquillos, todos, incluso mi madre, y sólo él fuera el que sabe qué hacer en la vida.

—Bueno, pero, ¿qué te ha dicho?

—Nada. Me preguntó si trabajaba y si tenía novia.

—Le dijiste que sí, ¿no?

—Claro. Y se echó a reír.

—Llévame a verle, Juanito.

—¿Para qué? ¿Para que tenga algo más de que reírse?

—No, tonto: porque quiero conocerle. A lo mejor no es tan malo como le pintas.

—A mí no me importa llevarte, pero si te echa un sermón, allá tú.

—Entonces ¿te ha echado un sermón?

—¿Uno? ¡Catorce! Que tenía que ser un buen chico y mirar por mi madre y mi hermana; que tenía que aprender bien un oficio; que no debía meterme en líos; que tenía que dejar de ser un comunista y convertirme en un burgués orondo como él, para ganar dinero y poder echar sermones a otros.

—¡Oh!, todo eso lo dices porque estás de mal humor.

—No, no es cuento. Es simplemente que mi padre viene de un país donde parece que atan los perros con longaniza y no entiende lo que estamos pasando aquí. He tratado de explicárselo, me ha escuchado sin decir palabra, y cuando he terminado me ha dicho muy fresco: «Bien. ¿Y tú crees que todo eso se arregla haciendo lo que tú quieres?»

—¿Qué le contestaste?

—Le contesté lo que otro le hubiera dicho: «¿Qué es lo que yo quiero? ¿Qué quiere decir con eso?» Me contestó: «Bueno, lo que estás haciendo gritando, y excitándote como haces, chillando "¡Muera Franco!" en la calle o repartiendo el *Mundo Obrero* impreso en papel retrete». Y a renglón seguido me encasquetó otro sermón que sonaba muy bien pero que maldito lo que nos puede ayudar conforme están las cosas. Que la gente joven como yo tenía que empezar a aprender desde la a, aprender cómo leer y escribir, como si fuéramos analfabetos, y aprender a hablar, como si fuéramos mudos. Naturalmente, me enfadé y le solté unas cuantas verdades. Pero el viejo es testarudo, está enamorado de Inglaterra y de su movimiento laborista, y cree que allí están cambiando el mundo, justamente porque la gente ahora no tiene que pagar al dentista y a los chicos los rellenan con vasos de leche en la escuela. ¡Como si todo eso no fuera un enjuague! No son tan estúpidos como parecen esos ingleses; los amos, digo. No pueden seguir explotando a los obreros como en los viejos tiempos, y están haciendo lo que Lenin dijo que harían, convertir a los trabajadores en burgueses con una casita, un jardincito, leche gratis para los críos y de propina la comadrona, si hace falta.

—A mí no me parece tan mal —dijo tímidamente Lucía.

—Claro que no. ¿Cómo va a parecerte mal? Esto es lo que pasa con vosotras, las mujeres. En cuanto os dan una limosna ya estáis contentas, aunque los amos saquen millones. A vosotras no os importa. Te llevarías muy bien con mi padre.

—A lo mejor. A mí me gustaría tener mi casita y bastante para vivir. Estar segura de que a los chicos no les iba a faltar de nada y que cuando llegáramos a viejos no nos íbamos a morir de hambre.

—¡Bien pueden hacerlo! ¡Con tal que el pueblo no exija sus derechos!

Juan había replicado con una amargura tan violenta que por un rato ambos anduvieron en silencio. Después Lucía dijo en una voz suave:

—Dejando a un lado todas esas cosas, ¿qué es lo que tu padre va a hacer con tu familia?

—Ya te lo he dicho, no lo sé. Le pregunté y me contestó que no iba a ir a vivir con nosotros, por lo menos ahora; tal vez más tarde. Le pregunté si iba a volver a Inglaterra, y me dijo que no lo sabía. Le pregunté sobre nosotros, y me dijo que todos éramos ya mayores, con nuestra propia vida y no le necesitábamos. Lo único que me ha dicho es que tratará de ayudarnos lo mejor que pueda, se quede aquí o no, pero a condición de que lo merezcamos. Y yo me pregunto: ¿qué es lo que quiere decir con «que lo merezcamos»? Fíjate, cuando me dijo esto, le dije yo: «Tú sabes que estoy en el movimiento clandestino, ¿me vas a ayudar?» En lugar de contestarme «sí» o «no», me replicó: «¿Cómo quieres que te ayude?» Lo único que se me ocurrió contestarle fue que podía comprar algunas estampas del Socorro Rojo y, ¿sabes lo que me contestó?

—Me lo imagino.

—No puedes imaginártelo. Me contestó que eso era un timo.

Ya estaban otra vez metidos en política. Lucía pensaba que el señor Antolín era un poco duro en lo que decía, pero había mucho de verdad en ello. Cada sábado Juan le hacía pagar un par de pesetas a cambio de los papelitos aquellos. Sabía que la moneda se usaba para cigarrillos y otras cosas que proporcionaran un poco de placer a los comunistas en prisión. Por esto valía la pena sacrificarse, pero le hubiera gustado más que los regalos hubieran ido a todos los presos y no a unos cuantos elegidos. Claro que esto no podía decírselo a Juan, que la llamaría estúpida. Cambió la conversación:

—Y, ¿qué dice tu madre sobre todo eso? Tu padre, me refiero.

—¡Oh!, ella está muy contenta y mi hermana también. Bueno, para decir la verdad, Amelia está más contenta que mi madre, porque cree que su papaíto la quiere como a las niñas de sus ojos y la va a llevar a Londres o le va a poner un piso en Madrid con coche, piano y una doncella. Mi madre cree que mi padre ha traído dinero y que las cosas van a marchar bien; pero no sé, al mismo tiempo está preocupada y cree que van a pasar no sé qué catástrofes. Se lo han dicho los espíritus. Lo que no sé es si a lo mejor no está convencida de que la catástrofe va a ser para otros y todo el dinero para ella...

—No seas bestia, Juan.

—No lo soy. Mira, a mi madre le tiene sin cuidado mi padre y a él le pasa lo mismo. Mi madre nos ha contado yo no sé cuántas veces que ya muchos años antes de que él se marchara no podían llevarse juntos. Lo único que pasa ahora es que el viejo ha vuelto con dinerito, y mi madre espera volver a la vieja vida y ser el ama de la casa, con toda la moneda que le haga falta y mi padre haciendo lo que le dé la gana, sin que la moleste a ella. Pero me parece que se va a tirar una plancha; ya verás, al final el único que va a salir ganando es Pedro.

—¿Pedro? ¿Por qué? Yo diría que es el último que puede sacar un céntimo de tu padre.

—No estoy tan seguro. Mi padre dice que va a tratar de hacer algunos negocios y aquí no hay más negocio que el estraperlo. En esto, mi querido hermanito es el amo, y si el viejo no abre bien los ojos, Pedro le va a dejar pelado. Yo no voy a meterme en ello, allá se las arreglen los dos.

—Con tu enfado todas las cosas las ves negras. Eso es lo que pasa.

—Bueno, sí, estoy de mal humor, pero por otras razones. El que mi padre haya venido no es más que más complicaciones para mí. El Partido está preocupado con él, aunque yo no sé qué es lo que creen, que es un espía de la policía o algo así; en todo caso es a mí a quien echan la culpa, como si fuera culpa mía tener un padre que vive en Inglaterra.

—Pero, ¿tú no les has explicado...?

—Claro, pero como si no. El hecho es que mi padre no es de los nuestros. Es un socialista o al menos es lo que él se llama, y en esto el Partido tiene razón, los socialistas son los peores.

—Pero, ¿no están haciendo buenas cosas en Inglaterra?

—Precisamente por eso.

Lucía se alegró de que estuvieran a la puerta de su casa. Era muy difícil contestar y más difícil aún decir lo que a ella le parecía. Se echó a reír, dio un codazo a Juan en las costillas y dijo:

—¿Ves qué tontos somos? Ya hemos llegado a casa y en todo el camino no hemos hablado más que de política, como si no hubiera otras cosas en el mundo. ¿Cuándo me vas a llevar al cine?

Se quedaron un rato en el rincón más obscuro del portal hablando bajito, muy apretados uno al otro. Se despidieron con un beso furtivo, después de asegurarse de que no estaba mirando ninguna vecina curiosa. Juan se marchó deprisa. Eran más de las nueve y tenía hambre.

Se sentía mejor. Se había quitado de encima algo de su resentimiento contra su padre y contra el Partido. A lo mejor no era una mala idea poner juntos a Lucía y al viejo. A todos los viejos les atraen las chiquitas, pensó, sintiéndose un hombre de mundo cínicamente superior. Ya en vena, comenzó a considerar la manera de echar una zancadilla a Ramón. Sería más importante que Ramón y hasta podía llegar a ser el que le diera órdenes, si su padre estuviera mezclado en algo gordo y lo descubriera él. Si así fuera, no iba a hacer la tontería de contárselo a Ramón; le diría simplemente que se trataba de una cosa muy seria y se negaría a hablar, como no fuera con alguien de los de arriba.

En medio de todo no había sido un mal día; lo único que faltaba para terminarlo bien era que Pedro hubiera traído para una cena decente.

En la esquina de la calle del Amparo alguien llamó a Juan, sin que él se enterara, hasta que una mano le tomó violentamente del brazo y le hizo dar un respingo:

—¿Estás sordo, tú? —El de la secreta no esperó la respuesta, sino que continuó—: ¿Llevas armas?

Pasaba tan a menudo cuando volvía a casa de noche que levantó en alto los brazos en un movimiento automático y dejó que el detective le palpara el cuerpo y las piernas.

—¿Dónde vas?

—A casa.

—¿Dónde vives?

—Aquí en el diecisiete.

Juan sentía pesar en sus espaldas la mirada del detective y de los dos guardias armados de carabinas que le acompañaban. No se atrevió a volver la cabeza. Sólo cuando entró en el portal, miró con el rabillo del ojo. Allí estaban, en medio de la calle, mirándole.

6

El obscuro cuartucho de don Américo estaba casi preparado para la sesión de aquella noche. Había frotado hasta hacerlo brillante el tablero de caoba de la mesa velador dispuesta en el centro, había corrido las cortinas verdes, tan viejas y tan usadas ya que había que tratarlas con tiento para que no se hicieran jirones. Cada vez le costaba un suspiro pensando que no eran, como debían, de terciopelo negro. Había alisado el viejo mantón de Manila que le servía de colcha en el camastro adosado a la pared del fondo, en la especie de nicho que ésta hacía con el tejado; y hasta había limpiado el polvo de los dos enormes baúles en los que guardaba su tesoro: sus libros sobre espiritismo. Se quedó contemplando un momento la única lámpara colgando sobre la mesa, en una anticipación gozosa del momento en que atornillaría allí, en lugar de su vulgaridad de bombilla de luz blanca, la bombilla mágica de luz roja intensa que sumiría en la sombra los rincones del cuarto, ahora desnudos bajo la luz. Bajo esta luz implacable, los alborotados cabellos grises de don Américo aparecían blancos y su traje negro, brillante de roce, gris como las alas de un grajo. Un grajo ya viejo y apolillado, con una nariz como un pico, una barbilla hundida, hombros caídos, y esqueléticas manos con algo de garra en ellas; en cambio los ojos no eran los de un pájaro, sino los de un perro perdiguero, grandes, tristes y luminosos.

Don Américo debía su nombre a la excéntrica imaginación de su padre, un viejo anarquista que rehusó elegir el nombre de su hijo en el santoral. Una de las pequeñas tragedias de su vida había sido el que un día un cura le dijera que, puesto que existía «Nuestra Señora de América», el nombre era cristiano; porque, aunque don Américo se había alejado muchísimo del primitivo anarquismo de su padre, mantenía firmemente su anticlericalismo. Se había criado en todas las ideas que el viejo rebelde había abrazado sin discriminación, simplemente porque eran contra todas las convenciones admitidas: las teorías sociales de Bakunin, vegetarianismo, nudismo, esa rama del «amor libre» que va junto con el más estricto puritanismo, y un ateísmo primitivo que describía a Jesús como el amante y explotador de María Magdalena y culminaba en la exigencia de que las monjas fuera hechas madres, y los curas y frailes capones, ensalzando a la vez la ética del Sermón de la Montaña. Esta mescolanza había convertido a don Américo en un joven tímido, asustado y maravillosamente inocente, en la época en que su padre le inició en el último credo que había adoptado, las doctrinas de un espiritista que se llamaba a sí mismo Allan Kardec.

Este hombre era el autor de cuatro volúmenes enormes en los cuales no sólo demostraba la supervivencia del hombre después de la muerte, sino también la posibilidad para los vivos de encontrar consejeros y guías en este mundo espiritual. Aún mucho más importante para lectores españoles, mostraba que sus doctrinas espiritistas estaban en absoluto de acuerdo con las doctrinas cristianas en general y con las de la Iglesia Católica Apostólica Romana en particular, aunque, naturalmente, los altos dignatarios de la Iglesia rehusaban el poner en manos de simples laicos los beneficios de esta merced de Dios. Al principio de este siglo, los escritos de Allan Kardec figuraban en el *Index*; pero en España se habían tomado tan en serio que algunos católicos fervientes se dedicaron ellos mismos a la tarea de buscar, obtener y destruir, a todo coste, todos los ejemplares posibles. Don Américo aún conservaba —según él «como oro en paño»— los cuatro gruesos volúmenes que habían sido de su padre, y los cuales habían resistido con él todas las vicisitudes de su vida.

Su vida no había sido fácil. Nunca se había forzado a ganar dinero como un «esclavo de la burguesía» o sometido a la disciplina del trabajo, algo para lo que las enseñanzas de su padre no le habían preparado. Su única experiencia práctica de la vida de otras gentes había sido su servicio militar, que le había llevado a Cuba, a toda la miseria y violencia de aquella guerra; lo cual sólo había servido para aumentar su miedo y su odio a toda autoridad establecida. Después de la muerte de su padre, había vivido en miseria y soledad, con una pensión muy reducida y una herencia aún más escasa. Cuando se convirtió en propagandista y sacerdote del espiritismo de Kardec, sus recursos disminuyeron, pero se encontró menos solo, y su fe inquebrantable en la nueva revelación a la cual se había dedicado le sostuvo a través de hambre, insultos y persecución. Se consideraba a sí mismo rico con la posesión de estos dos grandes baúles llenos de folletos y recortes de periódicos, muchos de ellos en idiomas que él no entendía pero que había hecho traducir, todos probando la incontrovertible verdad del espiritismo.

Don Américo tenía discípulos dispuestos a ayudarle, pero como era incapaz de imponerse a alguien, lo único que hacían era evitar que muriera de hambre. Habría podido ganar dinero de sobra si hubiera escuchado las ofertas de algunos tipos que querían comprar su complicidad y la de su médium para lograr los favores de alguna chica guapa o de alguna viuda rica con ayuda de la «guía espiritual». Su mayor gloria y orgullo era que nunca había sucumbido a la tentación. La gente sencilla que veía su existencia austera tenía fe en él, y su confianza le sostenía en momentos críticos de duda. Pero era una tentación.

«Dios sabe que podía vivir como un príncipe», pensaba,

mientras contemplaba la luz de la bombilla. «Pero no vendo mi alma, no, aunque vea los peligros que me esperan. ¡Más peligros que nunca!»

Dos veces le habían detenido y los «villanos» de la comisaría le habían dado una paliza. Querían saber qué clase de política se discutía en las sesiones; y se había salvado de algo peor únicamente convenciéndolos de que era un viejo chalado rodeado de unas cuantas mujeres idiotas.

Pero estaba asustado. Tenía miedo de ser perseguido por el clero o por las beatas fanáticas que crecían en la vecindad como los hongos.

Por ejemplo, la hija de la señora Luisa, Amelia. La chica estaba embrujada por el padre confesor y las monjas, mientras que su madre era uno de sus más fieles discípulos. Esto era peligroso, aunque seguramente Amelia no iba a denunciar a su propia madre... Don Américo no la creía capaz de ello; sin embargo cuando se cruzaban en la escalera le trataba con un desprecio altivo. Además —aunque él no quería pensar mal de nadie y sobre todo de los que acudían a él— la señora María había dicho algunas cosas raras sobre la señora Luisa, exactamente como si no creyera en el mundo de los espíritus. A veces se preguntaba por qué venía la señora María a las sesiones, pero mejor era no empezar a dudar. ¡Había tanto espionaje y tanta comadrería...!; de todas formas, alguien en la casa tenía que haber hablado de él a la policía...; ¡tantas almas equivocadas se divierten haciendo daño con odio y malicia...!

Don Américo salió de sus meditaciones y comenzó a desenvolver su preciosa bombilla roja —una simple bombilla de laboratorio fotográfico— de las capas de algodón en que estaba envuelta. Manteniéndola delicadamente en su mano izquierda, tomó un pañuelo en la derecha, se subió trabajosamente a una silla y destornilló de su casquillo la bombilla blanca. Después cambió de mano ambas bombillas con movimientos parecidos a los de un malabarista en una película lenta y atornilló la bombilla roja con más cuidado que si se tratara de una pompa de jabón. Cuando se encontró de nuevo en tierra firme estaba orgulloso de su habilidad manual y encantado del fulgor rojo obscuro.

La bombilla le había costado quince pesetas, dos días de comida. Cuando la vieja se había fundido, no había sabido qué hacer. Le habían dicho, y creía que era verdad, que la gente no vestida con el uniforme de Falange, o al menos con ropa de gente rica, que entraba en una tienda de material fotográfico se hacía inmediatamente sospechosa. Los enemigos del régimen usaban la fotografía para sus fines, tales como la reproducción de sus periódicos clandestinos o la falsificación de sellos; también, todo el mundo sabía que, durante la guerra, los rojos había sacado fotografías de todos los sitios estratégicos del país y habían llevado los negativos a la embajada inglesa. A muchos los habían fusilado por esto. Y don Américo no podía permitirse el lujo de hacerse más sospechoso de lo que era.

De todos los que pudiera imaginarse, había sido Pedrito quien le había sacado del apuro. Se había burlado de él —¡ay, estos jóvenes de hoy!—, pero aquella misma tarde le había traído una bombilla nueva de marca alemana de antes de la guerra. Una bombilla hermosa. Estaba agradecidísimo a Pedro, a pesar de sus bromas sangrientas. Cuando le había preguntado cuánto era, Pedro le había dicho: «Por ser para usted, quince pesetas; para otros, diez. De alguna manera tengo que cobrarme el dinero que le saca a mi vieja».

Un desvergonzado era el muchacho aquel, pero entonces todos los muchachos eran lo mismo. Al menos, Pedro se portaba como un buen hijo. Sin él, su familia estaría muerta de hambre, y si algunas veces la señora Luisa le daba a don Américo una barra de pan con una loncha de jamón dentro, a Pedro se lo debía, y él quedaba agradecido. Al fin y al cabo, lo que cuenta con Dios es la intención.

Don Américo había terminado de colocar simétricamente espaciadas las siete sillas, rodeando la mesa, cuando alguien llamó a la puerta. Abrió, y Conchita entró como una tromba, le golpeó la espalda y gritó:

—¿Qué, abuelo, ya ha preparado el teatro?

Le dio un beso resonante en medio de la frente —era un poquito más bajo que ella— y gorjeó:

—Hay que aprovecharse de la obscuridad, ¿no?

—Estás loca de remate, muchacha —dijo muy serio, aunque agradecido y alegre por dentro—. ¿Cómo te sientes hoy?

—Estupenda, ¿no lo parezco?

Los dos se echaron a reír. La preocupación de don Américo por la salud de Conchita les hacía gracia a los dos; pero él nunca se había recuperado de sus experiencias con sus médiums anteriores, todas ellas neuróticas, pálidas y con ojos de loca, que le mantenían en un terror constante con sus ataques de nervios y sus desmayos cardíacos. La salud desbordante de Conchita era para él una fuente inagotable de asombro y satisfacción. Alta, fuerte, bien construida, bien rellena, rezumando alegría y despreocupación. A don Américo aquellos besitos que le estampaba en la frente le sabían a gloria, aunque fuera un abuso de su estatura. Tenía que admitir que era muy difícil tomarla por una creyente sincera, fuera de los momentos en que estaba en trance. Pero entonces, toda su impudencia ruidosa desaparecía y se volvía absolutamente seria. Se ponía hermosa entonces, con una belleza superhumana. A él no le chocaba. Las santas mártires tampoco habían sido fanáticas de cara amarillenta, sino mujeres hermosas que con su belleza misma habían inflamado a sus bárbaros jueces y los habían forzado a cometer sus horribles bestialidades con ellas.

Lo malo con Conchita era que inspiraba celos y envidia en algunas de las otras mujeres. Él había oído a alguna de ellas decir que su nuevo médium era una zorra que le sorbía los sesos a él, un vejete verde, tonto por añadidura. Don Américo dejó, prudentemente, la puerta abierta desde el momento en que Conchita entró.

Pronto comenzaron a llegar los miembros de su presente círculo. Primero los cuatro que vivían escaleras abajo en la misma casa: la señora María, la señora Luisa y dos viejas solteronas, cuyos nombres verdaderos nadie conocía, como no fuera el cartero, porque todo el mundo las llamaba las «Pensionistas». La señora Carmen, la mujer del tendero del número dos, llegó la última; era aún más gruesa que la señora María, pero mucho más amable, pensó don Américo, suspirando hacia adentro. Les dejó poco tiempo para saludos y cotilleos. Aunque se preocupaba poco de lo que cada una hacía en su vida, siempre tenía algún miedo a las rencillas entre vecinos y su primera preocupación fue colocar a las dos Pensionistas entre la señora María y la señora Luisa. Después cerró la puerta que daba a la escalera, y el ruido seco del pestillo que les aislaba del mundo exterior, juntamente con el misterio de la luz roja que llenaba el cuarto de sombras, hizo a las mujeres bajar instantáneamente la voz.

Entre el borde de la puerta y el suelo apareció un trazo fino de luz blanca, que por momentos adquirió el carácter de un reflector que tratara de perforar las tinieblas. Don Américo estaba armado contra esta invasión. Mientras las seis mujeres se acomodaban en sus sillas, él ajustaba entre el piso y la puerta una tira de vieja alfombra que tenía para este fin. Ahora sí estaban aislados del mundo. No quedó más luz que el resplandor del rojo globo. La atmósfera del cuarto comenzó a espesarse. Las patas de las sillas rasparon las baldosas, crujieron faldas, unas cuantas gargantas carraspearon. Todos esperaban en silencio.

Don Américo dio cuerda a su viejo gramófono, metió en la bocina una bola de trapos viejos y puso el disco en marcha, la aguja del diafragma sobre él. Después se sentó al lado de Conchita. Los siete pusieron sus manos sobre la mesa, sus dedos tocándose, formando «la cadena». La aguja del gramófono se deslizaba en las primeras vueltas del surco, vírgenes de sonido. Producía un susurro tenue ahogado por el ronquido de los engranajes del viejo mecanismo. Disco y aguja estaban ya tan desgastados que las primeras notas de música no eran más que gruñidos inarticulados que la mordaza de trapos en la bocina estrangulaba, pero después un violín sollozando suavemente, acompañado por un órgano lejano, comenzó el *Ave María* de Gounod.

Alguien dio un hondo suspiro. Un pie chocó contra una de las patas de la mesa. Don Américo ordenó «¡Silencio!» en una voz sepulcral. Todos comenzaban a respirar rápidamente. De pronto Conchita se puso rígida y dejó caer sus brazos a lo largo del cuerpo. Sólo se oía ahora su respirar anhelante. Los otros contenían el aliento hasta que el aire se escapaba en pequeñas explosiones de los pechos oprimidos.

Conchita comenzó a hablar en una voz monótona:

—La veo. Sobre su hombro.

—Pregúntale quién es —dijo suavemente don Américo.

La voz de Conchita se cambió a un falsete de niña:

—Soy Teresita y estoy aquí con mi mamaíta. Sois muy buenos todos por haberme llamado.

La señora Luisa se puso tan tensa que sus músculos y sus articulaciones le comenzaron a doler. Ya conocía el ritual y cómo hacer las preguntas:

—Y, ¿cómo estás tú, hijita? Y, ¿cómo está papá?

La vocecilla que salía de la boca de Conchita canturreó alegremente:

—Soy muy feliz, mamá. Siempre. Claro, vosotros no sabéis cómo es esto y yo no te lo puedo explicar. Anoche estuve con papá, pero él no me vio, estaba durmiendo. Yo sí le vi, claro.

—Y, ¿viste lo que va a hacer, corazoncito mío?

La voz de la chiquilla se apagó:

—Sabes, mamá, aquí... hay tantos espíritus malos y anoche había muchísimos, y no me dejaban preguntar a papá. Sabes, son muy malos y corrían detrás de mí con sus gritos y sus bromas, y así no me dejaron ver bien.

La señora Luisa exclamó:

—Entonces, ¿tú tampoco puedes ayudarme, nena?

—Sí, mamá, voy a ayudarte; sólo que no veo las cosas claramente aún. Papá es bueno, pero hay tantos espíritus malos alrededor de él, que no hacen más que empujarle, que todo lo que he podido ver es que va a pasar algo muy malo si él se deja guiar por ellos, y que tú tienes que apartarte de todo ello, mamá. —La vocecilla se extinguió. El gramófono había llegado al fin del disco y ahora sólo se oía un chirrido sordo e isócrono.

De pronto Conchita gritó en su voz natural, pero medio atragantándose:

—¡Se ha ido! ¡Se ha ido...! ¡Lo veo! Dos hombres matando uno al otro. ¡Le matan, le matan! —Rompió a reír histéricamente.

Don Américo encendió una lámpara de bolsillo y abofeteó los carrillos de Conchita. Corrió después a la cocina, encendió allí la luz y dejó la puerta abierta para que se iluminara la habitación. Conchita estaba sollozando bajo la lámpara roja. La señora Luisa se retorcía las manos y repetía incesantemente: «¡Dios mío, Dios mío...!» La señora Carmen pedía agua con una voz asmática, entrecortada. Las dos Pensionistas se habían cogido las manos y la señora María les estaba hablando:

—No se asusten, no es nada, es lo que yo he estado diciendo siempre, esos dos hermanos van a acabar matándose uno a otro.

Don Américo trataba desesperadamente de calmar a unas y otras, pero nadie le escuchaba. Chancleteó a la fuente de la cocina y comenzó a llenar vasos de agua con manos temblonas.

La señora Luisa protestó:

—¡Pero los espíritus no han dicho nada de mis hijos!

Transfigurada, la señora María se volvió a ella y repitió con un sonsonete horriblemente alegre:

—Se van a matar los dos, ¡los dos! La niña lo ha dicho.

Éstas eran las escenas que don Américo temía más, aunque había adquirido una cierta rutina para enfrentarse con ellas. Lo más urgente era cambiar en seguida las bombillas. Sabía por experiencia que las mujeres no se calmarían hasta que la luz blanca les permitiera verse claramente. Sólo que ya no era tan ágil, ni sus ojos tan agudos, como él hubiera querido. Le tomó bastante tiempo subirse a una silla y cambiar las bombillas. Se quemaba los dedos con la bombilla roja, pero soportó heroico el dolor. En sus prisas había olvidado envolverse la mano con el pañuelo antes de tocar la lámpara, y cuando se dio cuenta de que se estaba abrasando, era ya tarde. Lo único que hubiera podido hacer, si no hubiera aguantado la quemadura, era provocar un cortocircuito o dejar caer la lámpara roja sobre la mesa. Se consoló pensando que había mantenido su serenidad y no había olvidado sus conocimientos técnicos en circunstancias peligrosas.

Mientras tanto, Conchita se había recuperado (magnífica muchacha, pensó, ¡otras se hubieran desmayado o hubieran gritado!) y preguntaba ansiosamente qué era lo que había dicho. Nadie contestaba. Don Américo le dio unos golpecitos en un hombro:

—Maravillosa, hija, maravillosa. ¡Has estado maravillosa!

Las otras mujeres no hacían caso del médium. La señora Luisa y la Señora María se habían enfrentado uno con otra, furiosas las dos. La señora Luisa insistía en una voz chillona en que el espíritu de su hijita no había dicho nada sobre los dos hermanos, nada sobre quiénes eran los dos hombres cuya muerte había predicho.

—Y además, no ha sido mi hija quien lo ha dicho, sino Conchita y en su voz propia. Todas lo hemos oído, así que no invente...

—No, no y no —replicó a gritos la señora María—. No estoy sorda ni ciega. Ha sido el espíritu quien ha dicho que sus hijos, su Pedro y su Juan, se van a asesinar el uno al otro. Y no voy a ser yo la que se extrañe, siendo uno de ellos uno de esos granujas de fascistas y el otro uno de esos rojos que andan robando y asesinando. —Tomó aliento y se volvió a las dos Pensionistas—: ¿Tengo razón? ¿Es verdad o no? Aquí estamos nosotras, ustedes y yo, que no hablamos nunca con los muertos, como la señora Luisa. No se puede jugar con esas cosas, pero tenemos buenos oídos para saber lo que se dice, ¿no?

Una de las hermanas abrió unos ojos enormes, bovinos, y tartamudeó:

—No sé, no sé... La verdad, no sé. Es todo tan difícil. Y además el susto... Me ha dado mucho miedo. Naturalmente, he oído lo de los dos hombres muertos, pero esto nos ha asustado tanto a las dos, a mi hermana y a mí, ¿no es verdad?

La otra hermana afirmó con la cabeza y dejó rodar dos lágrimas por su cara arrugada. La señora Carmen se había tragado, uno tras otro, dos vasos de agua, y se sentía lo bastante fuerte como para intervenir:

—¡Las cosas que pasan, Dios mío, las cosas que pasan! Una familia tan decente, y ahora esta desgracia terrible que les cae encima. ¿Quién lo iba a pensar? —Se volcó sobre la señora Luisa, le puso las manos sobre los hombros y dijo con una simpatía de funeral—: Hay que tener resignación, señora Luisa. ¡Ay, los hijos...! Ya sabe usted cómo son los hijos, nada más que penas. Cuatro tengo yo, y no sé qué hacer con el mayor...

Don Américo consiguió al fin hacerse oír. Golpeó sobre la mesa —no muy enérgicamente, porque quería evitar el más mínimo escándalo sobre sus sesiones y tenía miedo de las habladurías de los otros vecinos— y la disputa de las mujeres se cortó, esperando lo que iba a decir. En el silencio momentáneo, Conchita preguntó quejumbrosa:

—Pero, ¿qué ha pasado? ¿Qué espíritu ha venido y qué es lo que ha dicho?

—Quietos —ordenó don Américo.

Como si fuera una respuesta burlona, el gramófono emitió un último chirrido y la cuerda saltó. Don Américo comenzó:

—¡Hermanas! No debemos dejarnos llevar por nuestros impulsos. Todos hemos oído por qué tribulaciones está pasando la señora Luisa, pero no debemos dejarnos llevar por nuestra imaginación. Los espíritus —desde luego me refiero a nuestros amigos, los espíritus buenos— lo que quieren es ayudarnos y lo intentan lo mejor que pueden. Teresita nos ha dicho que los espíritus traviesos no le dejaban ver los acontecimientos futuros que se realizarían, de acuerdo con la voluntad de Dios, ni tampoco los pensamientos de la mente del señor Antolín. Conchita, nuestro médium, nos ha dicho con su propia voz que veía dos hombres matándose uno a otro. Pero, primero, no se trataba de un mensaje de nuestra Teresita. Segundo, no sabemos quiénes pueden ser esos hombres. Y tercero, puede haber sido una broma maligna de esos espíritus hostiles que explotaron el momento en que se marchó Teresita para hablar a través de la boca de nuestro médium y sumergirnos en confusión. Creo que deberíamos reunirnos el próximo viernes y tratar de obtener otra manifestación de Teresita que nos sirva de guía futura.

Mientras hablaba, don Américo se había ido acercando insensiblemente a la puerta de la escalera, y cuando pronunció las últimas palabras, la abrió de par en par. Este gesto, más que su sermón, impuso la paz entre las mujeres. Hubieran querido reanudar sus argumentos, pero hasta la señora María se daba cuenta de que cada palabra dicha en la escalera sería recogida y comentada por uno u otro de los vecinos. Era demasiado peligroso. Las dos Pensionistas, sin embargo, eran felices. Habían absorbido cada una de las frases altisonantes y estaban agradecidas a que ya no tuviesen que dar su opinión, después de las palabras del maestro; fueron las primeras en desfilar. Las otras tres siguieron después de prodigar los saludos de despedida a don Américo y a Conchita, que aún estaba caída en su silla. Sólo la señora Luisa se retrasó hasta que la señora María llegó al segundo piso y ella se sintió en seguridad. Abrió la boca para hablar, pero lo pensó mejor después de mirar a Conchita y se marchó. Tan pronto como desapareció, Conchita saltó de la silla:

—Yo también me voy, si nadie quiere contarme lo que ha pasado.

—Quédate un poquito más, por favor, chiquilla —suplicó don Américo. Se pasó un pañuelo por la frente, miró a la ampolla que se estaba formando en el dedo índice de su mano derecha, y suspiró—: ¡Estas buenas mujeres...! Ya te voy a contar todo, querida. ¡Es maravilloso que te hayas recobrado tan deprisa!

Y el viejo le relató con exactitud, aunque con adornos y comentarios suyos, lo que había ocurrido en la sesión y sobre todo en la interpretación arbitraria de la señora María:

—¡Ay!, no quiero decir que lo haya hecho de mala fe, entiéndeme bien, muchacha. Pero es triste pensar que todos los resentimientos mezquinos de cada día surgen a la luz, inmediatamente después de las manifestaciones divinas. Porque, sabes, me atrevo a llamarlas divinas. Naturalmente, me doy cuenta de todo y debemos perdonarlas; ninguna de estas pobres mujeres tiene una vida fácil. No hay más que miseria y el camino para guiarnos a la verdad es arduo para estas pobres almas ignorantes...; en fin, nosotros somos los primeros que no debemos criticar. ¡Espérate un momentito!

Don Américo fue a la cocina, sumergió su dedo dolorido en aceite, y volvió con una botellita de aguardiente barato. Llenó dos vasitos:

—Toma, bébete esto, te sentará bien después del tremendo esfuerzo que has hecho.

Se sentó y bebió un sorbito de su vaso:

—No creas que no me deprime a mí también esta pelea contra la ignorancia que llevo toda mi vida. Pero no hay remedio. En este mundo lo único que cuenta es el dinero. Si tuviera un poquito de dinero ahora, las cosas serían muy distintas. Entonces vendrían a las sesiones las señoras de verdad, educadas, inteligentes, mujeres de mundo que no harían escenas como la que hemos presenciado. Y además ayudarían a propagar la luz de la verdad.

Conchita se echó a reír a carcajadas:

—¡Ay, abuelo, abuelito, eres más granuja de lo que se cree la gente! Conque quieres hacer dinero, ¿eh?

Se ofendió:

—No, Conchita, no. No es el dinero lo que me interesa, y tú lo sabes bien. Yo puedo ser feliz en cualquier rincón, soy feliz en este rincón. Pero vivimos en un mundo donde sólo cuentan las apariencias. Mira esta simple bombilla roja. Tú no sabes los trabajos que he pasado para hacerme con ella. Pero ahora imagínate, si yo tuviera una gran sala, como debería tener, aislada de los ruidos del mundo, con cortinajes negros..., ¡qué manifestaciones podríamos tener, tú y yo! Hasta podríamos obtener materializaciones. Tú ya sabes lo que es el ectoplasma. —Don Américo comenzó a recitar los sucedidos más increíbles que había leído en sus recortes y revistas—. Y, sabes, tal vez llegaríamos a lograr una levitación...

A Conchita le daban ganas de vomitar escuchando cómo había médiums que producían ectoplasma a través de los orificios de su cuerpo. Se lo imaginaba todo demasiado vivamente. Si era aquello lo que quería que hiciera ella... Le interrumpió al principio de otra descripción más entusiasta:

—Ahora, dígame la verdad, don Américo. ¿He dicho yo realmente que los dos hermanos se iban a matar uno al otro?

—No, muchacha, no. Tú sólo has dicho que dos hombres se mataban uno a otro y además, nos lo has dicho con tu propia voz. Así que no era un mensaje de Teresita. Y esto es justamente lo que yo quiero decir. En un ambiente diferente y en una atmósfera más favorable, podíamos haber sabido la verdad. —Y don Américo se lanzó de nuevo a sus sueños.

Conchita le miraba, fascinada por la pasión ferviente que

ponía en sus fantasías. No se podía hacer nada. Era exactamente igual que las pobres mujerucas que esperaban que ella iba a curar sus enfermedades o las de los suyos, convencidos de que tenía más poder que doctor alguno, por la simple razón de que tenía el dibujo de una cruz en el paladar. La ciega fe del viejo la irritaba, pero al mismo tiempo le admiraba por ello. Esto era lo malo con ella. No tenía fe en nada.

Don Américo seguía dando rienda suelta a su imaginación, pero Conchita ya no le escuchaba. Apenas le oía. Estaba sumergida en sus propios pensamientos. Había una pregunta que se repetía insistentemente en su cabeza. Cuando don Américo se calló e intentó volver a llenar los vasos, Conchita rechazó el aguardiente, miró su reloj y se levantó a toda prisa:

—¡Dios mío, la hora que es! Soy una tonta estándome aquí embobalicada, mientras mi madre está esperando para cenar. ¡De buen humor estará! —Le dijo adiós con toda la efusión y alegría que él esperaba, pero tan pronto como se cerró tras ella la puerta de la buhardilla, cambió la expresión de su cara. Aquella expresión le seguía martillando los sesos: ¿Qué era lo que le había hecho hablar de los dos hombres matándose uno a otro? ¿Por qué lo había dicho? Y, ¿qué significaba todo aquello?

Esta vez no había sido su afán de hacer travesuras como una chiquilla. No. Había sido un impulso repentino que no había podido resistir. Algo o alguien le había hecho decir aquellas palabras sin pensar. Sí, sin pensar. Otras veces había predicho a la señora Luisa toda clase de vagos infortunios, sin más razón que la antipatía que tenía por ella. Pero esta vez había sido diferente. No era ella la que había hablado. ¿Era posible que estuviera jugando un juego peligroso con fuerzas desconocidas? ¿Es que podía haber algo en todo esto del espiritismo?

No lo creía, ni quería creerlo. Todos los hechos de su vida, que tan bien recordaba, estaban allí para desmentirlo.

Conchita nació el día del Armisticio en 1918. La comadrona que asistió a su madre bañó su cuerpecito en un barreño lleno de agua caliente, la envolvió en los innumerables pliegues de mantillas y pañales, la fajó; y cuando ya estaba lista para hacer su entrada en el mundo de los humanos, empapó un copo de algodón en vino manzanilla —el mismo que había fortalecido al padre, a la madre y a la comadre durante el parto— y con él frotó enérgicamente el interior de la boquita de la criatura:

—Esto es para hacerle la boca —dijo.

Posiblemente porque el vino quemó los tiernos tejidos, la criatura comenzó a llorar desesperada, abriendo la boca de par en par. En este mismo momento, la comadrona gritó excitadísima a la madre:

—¡Esta niña tiene el don!

La señora Úrsula, la madre de Conchita, repetía cada vez que contaba la historia que su marido —¡siempre había sido un descreído!— había soltado una blasfemia. Pero ella, la señora Úrsula, todavía empapada de sudor después de sus labores, había sentido correrle a lo largo del espinazo algo que le daba una alegría maravillosa.

—¿Por qué dice usted eso, señora Juana? —preguntó a la comadrona.

—Porque la chiquilla tiene en el paladar la cruz de Caravaca, la más clara y más bonita que he visto en mi vida, y créame que, después de treinta años y de sacar más de mil críos al mundo, sé lo que me digo.

Desde luego: las dos, la señora Úrsula y la comadrona, sabían perfectamente lo que significaba tener en la familia un chiquillo con este signo. No sólo traía suerte y riqueza, sino que también tenía el don de curar. Por ejemplo: la mejor cura contra la mordedura de un perro rabioso era conseguir que uno de esos seres afortunados lamiera las heridas. Si la persona mordida tenía fe, la curación era indudable, y de todas maneras el perro acababa mal, de muerte violenta. La señora Úrsula conocía hechos históricos: en Olvera, un pueblecito donde vivía una de sus primas, un perro de ganado se había vuelto rabioso y había mordido a doce personas. Afortunadamente vivía en Olvera una pobre muchacha semiparalítica, que tenía el don. «Mi prima me contó que la pobrecilla se pasaba el día sentada en una silla baja, cayéndosele la baba todo el día, y que su madre le ponía una cazuela entre las rodillas para que no se manchara el delantal. Y ahora yo le pregunto a usted: ¿Dónde hay otra pobre idiota como ésa que tenga una banqueta preciosa de barras de metal y a la que todo el mundo hace caricias y lleva regalos todos los días y le atiborran de dulces? Bueno, pues todo era porque tenía la cruz de Caravaca que le trajo suerte.» La historia seguía: por tener la pobre idiota la cruz de Caravaca, trajo la suerte a Olvera. Y cuando aquel perro se volvió rabioso, lo primero que hicieron los mozos fue acorralarle en un rincón y matarle a palos. Después los doce que habían sido mordidos fueron a ver a la paralítica para que los curara, y como ella y sus padres eran buenos cristianos accedió a lamer las heridas de todos.

«Mi prima cuenta que tenía bastantes babas para lamer al pueblo entero si hubiera hecho falta. Pero es un hecho probado que los doce se curaron y que ninguno se volvió rabioso. Sólo que, como usted sabe, hay muchos descreídos en este mundo. El cura y el doctor armaron un escándalo y dijeron que no estaba rabioso, sino sólo hambriento y muerto de sed por escaparse de su amo y correr hasta el pueblo. Pero me hubiera gustado ver lo que hubiera hecho el doctor con doce rabiosos en el pueblo.»

La señora Úrsula repetía —y ninguna vez olvidaba repetirlo con orgullo— que ella se había dado cuenta en el acto de la importancia del don de la recién nacida. Allí mismo, en la cama, recordó que estas maravillas ocurren siempre cuando en el mundo pasa algo grande. Conchita había nacido el día en que todos los vendedores de periódicos voceaban el extraordinario con el fin de la guerra europea. Y la muchacha idiota del pueblo de su prima había nacido también en un día marcado, el día del desastre de Santiago, en el que España perdió Cuba, sí, es verdad, pero fue uno de sus mayores días de gloria. Y la señora Úrsula, que había aprendido su historia en un convento de monjas, explicó a la admirada comadrona que en Santiago el almirante Cervera había dejado que los americanos hundieran la escuadra entera, sin rendirse, porque dijo que «valía más honra sin barcos, que barcos sin honra». A los americanos les dio tanta vergüenza que muchos de ellos —«así me lo contaba mi abuelo»— se echaron a llorar. Las guerras y los milagros, como el de su hija, siempre vienen juntos.

El padre, la madre, la comadrona y los vecinos celebraron el acontecimiento con una comilona en la que hubo bebida de sobra. Y la reputación de la recién nacida como capaz de realizar curas milagrosas quedó establecida. Antes de que Conchita aprendiera las letras, aprendió que sólo tenía que poner sus manecitas sobre una persona enferma, o lamerle la herida, si se trataba de una herida, para que se realizara una cura milagrosa. Las monjas del colegio al que la mandaron lucharon contra esta creencia suya durante años, y al final la convencieron de que todo aquello era superstición. Pero llegó un día en que unas de las hermanas la llevaron en gran secreto a una celda donde una monja estaba enferma en la cama. Conchita puso sus manos en la cabeza de la monja, como le habían enseñado, y después ella y las monjas rezaron juntas un padrenuestro. Una semana más tarde, la monja enferma bajaba al patio, aún pálida y débil, y quince días después reanudaba su tarea de domar chiquillas de barrio bajo. Sin embargo, las monjas no mostraron mucho agradecimiento. Poco después convencieron a los padres de Conchita de que era hora de que la sacaran del colegio y la pusieran a trabajar, porque —dijeron a su madre— «era ya una mujercita», como si su madre no lo supiera. Conchita estaba convencida de que su madurez física no tenía nada que ver con ello, sino que las monjas querían deshacerse de ella, porque la historia de la cura milagrosa de la monja se había divulgado y se había convertido en una broma entre la comunidad. De todas formas, Conchita se había resentido amargamente entonces, en parte porque le gustaba ir al colegio, y en parte porque le parecía una injusticia que las monjas no hubieran echado a otra de las chicas que hacía ya mucho tiempo que era «una mujercita», a sabiendas de maestras y pupilas.

El padre de Conchita había fallecido cuando ella no tenía más que quince años, dejando a la madre y a la hija con la despensa vacía. En los años entre la muerte de su padre y el matrimonio de ella, el don de Conchita no sólo alivió a muchos, sino que hizo a ella y a su madre independientes de la miseria que ganaban, la una como asistenta y la otra como aprendiza de bordadora. La única dificultad para Conchita era que, a pesar de sus éxitos innegables logrados con algunos de sus tratamientos, no tenía la más mínima fe en la gracia misteriosa de los dibujos de su paladar. Desde un principio se había vuelto escéptica sobre ello, aunque había guardado el secreto. Era la falta o el mérito de las monjas. Conchita había sido una colegiala inteligente y ávida de aprender, que había asimilado cada migaja de conocimiento que las monjas le habían ofrecido, pero el incidente con la monja enferma había destruido su fe en su honestidad, sin devolverle la fe en sus dones. El vacío que esto dejaba en ella lo llenó devorando todos los libros que caían en sus manos.

Cuando se puso en relaciones con un muchacho, entusiasta socialista, que le enseñó a mirar el mundo a través de sus ojos, se aficionó de tal forma a su credo simple que por poco ingresa en el Partido. Bajo su influencia dejó de realizar más curas, porque le daba vergüenza de sí misma. Esto le fue fácil, porque después de casados se establecieron en Lavapiés, donde nadie conocía su reputación y la dejaron en paz.

Al marido de Conchita le fusilaron algunos años después de terminarse la Guerra Civil. En la flor de sus veinticinco años se encontró confrontada con un futuro de negra miseria, junto con su madre que se había ido a vivir con ella. Conchita volvió a sus bordados, y la madre a ser asistenta, sin que esto les salvara de pasar hambre. Hasta que un día, Conchita se encontró en la calle a doña Consuelo —la Tronío—, una vieja cliente de la tienda donde Conchita trabajaba; y doña Consuelo le habló tan cariñosamente que la muchacha volcó sobre ella todas sus miserias.

Doña Consuelo era un oyente experimentado. Cuando Conchita terminó, le dio, sin hacer comentario, un billete de cincuenta pesetas y le explicó, discreta pero secamente, cómo ella misma se ganaba la vida.

—No es que yo quiera empujarte a nada, hija —terminó—, pero eres una persona mayor, independiente, has visto el mundo y eres guapa. Me parece tonto que pases hambre. Los tiempos son malos y no van a mejorar pronto. Los que no saben mirar por ellos se mueren de hambre, mira la realidad de las cosas y ven a verme; en lo que pueda, te ayudaré. No creas que lo hago por todas.

Y Conchita fue a casa de la Tronío cuando desesperó de la vida. En el taller ganaba nueve pesetas al día; su madre ganaba ocho fregando suelos; juntando sus ganancias no tenían bastante para comprar pan en el mercado negro, cuando se habían terminado su escasa ración de pan malo. Por las noches, la señora Úrsula se quejaba de dolores en los riñones y se le hinchaban las piernas. Necesitaba al menos aspirina. Pero la aspirina, lo mismo que el pan, sólo se podía comprar de estraperlo, porque entonces, en plena guerra en Europa, las medicinas eran aún más escasas que el pan en España. Conchita fue a casa de la Tronío cuando tuvo que pagar la casa, cuando su madre necesitó medicinas, o cuando su estómago vacío necesitaba un remiendo. Siempre salió asqueada de allí; le parecía indecente y falto de sentido tener que hacer el amor sin disfrutar de ello.

La señora Úrsula no sabía nada pero se imaginaba mucho de lo que estaba pasando. En un momento apropiado, cuando Conchita se sentía más asqueada de la vida que nunca, su madre le confesó después de muchas vueltas que había prometido a una vecina que Conchita iba a ayudar a su hijo, un muchacho de diecisiete años, que sufría anemia aguda. La vecina estaba dispuesta a pagar veinticinco pesetas adelantadas.

—Piénsalo, hija, más que lo que ganamos las dos matándonos un día; y sin ningún trabajo para ti. —Si el muchacho se ponía bueno, la madre estaba dispuesta a pagar la enorme suma de cien pesetas.

Cuando Conchita pensaba en aquel su primer caso clínico, se echaba a reír. El muchacho estaba enfermo, porque comía poco y se masturbaba mucho. Le dio tanta lástima y le encontró tan infeliz e ignorante, que tomó a su cargo curarle. Al cabo de una semana devoraba cuanto le ponían en la mesa y pronto revivió con toda la energía de la juventud. Pero el resultado de esta milagrosa cura fue que Conchita se hizo famosa desde la plaza de Antón Martín a la Ronda de Atocha. Y después de toda su propia miseria pasada, ya no tenía la energía de negarse a ayudar a otros. Al menos, se decía a sí misma, ni mentía ni engañaba; lo único que hacía era aconsejar lo mejor que podía, cerrar la boca y dejar que las gentes pensaran lo que quisieran.

Tan pronto como Conchita comenzó a ganar dinero bastante para sus necesidades, suprimió sus visitas al comedor de la Tronío, pero pensó que por lo menos debía ir un día a despedirse. Al fin y al cabo la había salvado de la miseria. Doña Consuelo, disgustada de perder una pupila atractiva, alegre y sensata en quien se podía tener confianza con los clientes más delicados, insistió en una explicación. ¿Es que tenía quien le hiciera una mejor proposición? Conchita, medio azorada, medio irónica, le contó el don que poseía a través de la cruz de Caravaca grabada en su boca. Y vio asombrada que doña Consuelo perdía la cabeza oyéndola, tomaba la lámpara de encima de la mesita y casi se la metía en el gaznate mirando el signo mágico y, una vez cerciorada de su existencia, la invitaba, suplicaba, mejor dicho, a que se convirtiera en su médico de cabecera.

Éste fue el punto crítico en la carrera de Conchita. Con doña Consuelo tuvo un éxito fácil y rápido curando sus mareos y náuseas, con el simple uso de su sentido común, obligándole a cortar sus abusos de comida y bebida y a prescindir de su corsé acorazado. A cambio de ello, doña Consuelo la trataba como su confesor y comenzó a recomendarla a sus clientes y amigos. Fue un choque y una desilusión para Conchita encontrar que tantos de aquellos caballeros ilustres y educados creyeran a pies juntillas en sus poderes sobrenaturales, pero no titubeó en aprovecharse lo mejor posible. Sus honorarios alcanzaron cifras fantásticas que le permitían asistir gratis a sus clientes pobres; pero, mucho más importante, sus actividades le dieron una influencia real sobre hombres que tenían en sus manos el poder de vida y muerte. Hasta el momento ya había conseguido sacar de la cárcel a tres obreros que se pudrían como otros cientos de prisioneros políticos, sin saber cuál sería su destino. Había encontrado trabajo para gentes que estaban en la miseria. Podía disponer de las raciones ilimitadas que se ponían a disposición de los oficiales del ejército a precio de coste, y había realizado más de una cura con ellas, porque la enfermedad más corriente era simplemente hambre. Y oía, directamente, secretos privados y públicos que le daban una visión bastante justa de la realidad española.

Lo que había aprendido sobre la gente en este ambiente de corrupción y falsedad la desarrolló en dos direcciones diferentes: su travesura innata, alegre y escéptica, se endureció y se convirtió en cinismo, y su naturaleza impulsiva y cálida se transformó en un deseo decidido y abrasador de aliviar la miseria y los sufrimientos que encontraba entre su propio pueblo. En sus maneras seguía siendo la muchacha vivaracha y alegre de barrios bajos, en su mente una persona seria que perseguía una sabiduría que se le escapaba.

La relación con don Américo había brotado de esta mezcla contradictoria.

Como un veterano de la guerra de Cuba, el viejo tenía derecho a una pensión, pero por años no le habían pagado, y la esperanza de que lo hicieran era más que remota cuando alguien le contó la historia a Conchita:

—Tú que tienes relaciones con la gente alta, podías hacer algo por él. El pobre vive del aire y un día se lo va a llevar —le dijeron.

Al cabo de un par de meses las recomendaciones de un falangista de alta categoría habían obrado el milagro. Don Américo no sólo recibió su pensión, sino también los atrasos de cinco años. Fue su salvación. Pero su entusiasmo por su nueva amiga no era tanto por su ayuda, sino porque le había llevado la alegría de su presencia. Y Conchita se encariñó con él porque era cómico, patético y sincero hasta el límite. Asistió a algunas de sus sesiones por pura curiosidad y las preguntas tontas de las mujerucas que asistían a ellas la hicieron reír. Rechazó la doctrina con su lógica sana como un engañabobos, aunque la inquietaban aquellas escenas y se sentía como la aprendicilla que va por primera vez con sus compañeras de taller a la echadora de cartas a ver si le va a salir novio. Había algo que no podía explicarse satisfactoriamente, algo como en sus curas. No podía creer en ello y sin embargo molesta como se sentía por la fe crédula de los que acudían a ella, no podía por menos de verter en sus curas no sólo sus conocimientos rudimentarios de medicina e higiene, sino también toda su voluntad, toda su energía y vitalidad. Ejercía una influencia sobre sus pacientes y lo sabía. Tal vez, después de todo, había algo, aunque su cruz de Caravaca no tenía nada que ver con ello. Nunca se sentía segura.

Ocurrió que la médium de don Américo, una muchacha histérica, se murió de tuberculosis, y el viejo quedó desconsolado. Le parecía que en tanto que no llamara a la puerta de la mansión de los muertos, estaba traicionando su misión en la tierra. Medio en broma, medio por lástima de los sufrimientos del viejo, Conchita se ofreció a probar sus poderes de médium. Fue a la prueba determinada a hacer una comedia y divertirse con las crédulas mujeres. Entonces ni lo pensó. Nadie mejor que ella conocía los secretos de las casas de vecindad del barrio, y nada más fácil que impresionar a don Américo y sus devotas con profecías rotundas que se convirtieron en realidades. Don Américo estaba absolutamente feliz. Jamás había trabajado con un médium como aquél, jamás había obtenido mensajes tan detallados, tan concretos, capaces de convencer a los detractores más empedernidos.

La señora Luisa (de ninguna manera uno de estos detractores, pero difícil de convencer porque sólo los mensajes más íntimos y personales podían satisfacerla) estuvo a pique de desmayarse cuando la voz del espíritu de su Teresita, a quien había perdido a la edad de dos años, le anunció la llegada de Antolín en un futuro próximo. Tenía la seguridad de que no existía un alma viviente con excepción de ella y sus hijos que supiera lo que Antolín había escrito anunciando por primera vez su intención de venir. La señora Luisa había dudado que decidiera el viaje. Ahora, a través del mensaje espiritual, estaba segura de que su marido volvería. También sabía que su venida provocaría disgustos.

Todo había sido una inspiración súbita de Conchita basada en una información fidedigna. Conocía a Pedro de vista, y aquel mismo día le había visto salir de la casa de doña Consuelo, sin que él la viera.

—Supongo que el granuja ese no es uno de sus clientes —había dicho al ama.

—¡Ca!, viene por aquí a lo que cae —le había contestado doña Consuelo—. En este negocio hay que tratarse con toda clase de tipos. Pero tengo que decir que en medio de todo no es un mal muchacho; sólo que, igual que muchos, se ha ido de la mano. Tal vez siente la cabeza cuando su padre venga de Londres. —Y doña Consuelo le contó a Conchita cuanto sabía de la existencia de Antolín y de los detalles de su carta que había oído diez minutos antes.

Aquella tarde, cuando Conchita se enfrentó con la señora

Luisa a través del reflejo rojo de la bombilla, le entraron ganas de darle un susto. La vieja bruja —como siempre la llamaba— le era antipática por la manera egoístamente fanática en la cual interpretaba el espiritismo, y porque a su manera de ver era una mujer seca de cuerpo y alma, que no entendía ni se preocupaba de sus hijos, pero presumía de un señorío decadente, como si fuera la única persona decente del barrio. Le parecía a Conchita que el marido de la señora Luisa no era más que un pobre idiota si pensaba en volver a la España de Franco y al refugio de los pechos de aquella tía. Si había escrito de verdad, como doña Consuelo le había explicado, es que no tenía los redaños de quedarse donde estaba. Era fácil predecir su llegada; y si al mismo tiempo predecía disgustos —como inevitablemente los habría— tal vez la señora Luisa se iba a echar a temblar.

Más tarde se alegró de haberlo hecho, aunque sus ideas sobre Antolín habían cambiado bajo la influencia de otro amigo y paciente suyo, el viejo señor Eusebio.

El señor Eusebio era uno de los favoritos de Conchita porque le podía tratar sin hacer paripés. Le había dejado hacer lo que quisiera con su lumbago, no porque creyera lo más mínimo en las virtudes de la cruz de Caravaca, sino porque era una forma de protestar contra el Seguro de Enfermedad instituido por Franco para los trabajadores. Le había gustado el médico que había antes en el barrio, un hombrecillo vivaracho, con las maneras de un dependiente de tienda de comestibles. El señor Eusebio le había puesto el mote del Tenderín por esto, y porque trataba de alimentar a todo el mundo gratis. El Tenderín acostumbraba, después de trepar las escaleras sin fin, a menear la cabeza a su paciente y decir: «Lo que le hace falta es lo que no puedo darle, aire libre y filetes, muchos filetes, y leche, mucha leche y buena. Como las cosas están, poco es lo que puedo hacer. Vamos a ver, ¿qué quiere que le recete? En todo caso pondremos extracto de carne, ¿eh?» Y a continuación escribía las recetas más caras imaginables de tónicos, reconstituyentes y cosas semejantes a expensas del Seguro, y repetía: «Lo que a usted le hace falta, es lo que a todos, cambiar de vida». Posiblemente no era un buen médico, pero ponía toda su voluntad en sus pacientes. Al cabo de un tiempo, sus jefes le llamaron y le recriminaron lo que gastaba en recetas: «El Estado no puede gastar más de dos pesetas y media por enfermo de ese tipo». El Tenderín hizo su ronda de visitas una vez más, contó a todo el mundo exactamente lo que había pasado, y dimitió. Su sucesor era, según la descripción del señor Eusebio, unos de esos muchachos que tienen título porque son algo de Falange, y prescribía aspirina para todo, incluso hernias o sífilis. En consecuencia, el señor Eusebio prefería a Conchita como curandera: «Tampoco puede quitarme los dolores, pero al fin es un placer que le dé a uno friegas una chica guapa, y poder mandar el Seguro a la mierda».

Para Conchita era un descanso el poder charlar con el alegre viejo. Para él no había fuerzas ocultas, ¡no señor! Pero en cambio le contaba todas las complicaciones de la vida, la suya y la de sus amigos. Últimamente lo que le preocupaba más era Antolín y su familia:

—¡Vaya un lío, muchacha! Esto no puede acabar bien. Antolín no sabe o no quiere enterarse en qué nido de víboras va a meterse. Y yo no sé qué hacer.

Conchita resolvió hacer algo sobre ello. En las sesiones se dedicó a mantener a la señora Luisa temblando de miedo, no porque quisiera darle una lección, sino porque quería a través de «Teresita» obligar a la mujer a portarse con Antolín de tal manera que éste se llevara el choque más grande de su vida y tomara el avión siguiente para Londres. Conchita aún se imaginaba a Antolín como un pobre diablo, pero el viejo Eusebio había acabado por transmitirle algo de su cariño y su lástima por su amigo. Se preocupaba cuando le daba por imaginarse a este hombre metido en el mundo de Pedro y doña Consuelo. Se lo tragarían, o lo destruirían sin remedio. Si trataba de poner paz entre Pedro y Juan, acabarían por destruirle. Era como si estuviera jugando con cerillas encendidas en una fábrica de pólvora. Y ella quisiera evitar la explosión.

Pero esta tarde —así pensaba Conchita, parada en el portal de su casa— era ella misma la que había echado más explosivos al fuego. Había hecho las cosas infinitamente peor. ¿Por qué se le habría ocurrido decir algo que ni había pensado? Desde luego, teníala cabeza llena con Antolín, sus chicos y sus mujeres, y desde luego lo «dos hombres» tenían que ver con ellos. Pero, ¿quiénes eran ellos? ¿Era posible que ella tuviera también el don de segunda vista? Le entraban ganas de reírse de sólo pensarlo. Nadie mejor que ella conocía estos cuentos. Pero no podía echarse a reír por la idea de matar. Podía convertirse en realidad.

«Dos hombres matando... ¿Pedro y Juan? ¿O Pedro y su padre? ¿O Juan y su padre? Yo qué sé. Yo qué sé lo que he dicho. Y ¿de dónde lo he sacado yo? No he oído ninguna voz, no lo he inventado, me ha salido de dentro. Pero yo no lo he dicho», pensaba obstinadamente. Una puerta dio un portazo detrás de ella, y dio un brinco de susto. «Conchita, eres una idiota.» Después en voz alta:

—Tengo que hacer algo sobre esto. Siempre se puede hacer algo.

Cuando se abrió la puerta de su piso, la señora Úrsula estaba sentada a la mesa barajando cartas.

—Cada vez que echo las cartas hoy sale la muerte. Muerte violenta —dijo la señora Úrsula con entusiasmo.

—En este pueblo, la muerte violenta está detrás de cada esquina —murmuró Conchita. Después agregó—: Se le revuelven a uno las tripas de ello. Deje las cartas, madre, y vamos a cenar. Una también tiene que vivir.

7

Antolín se quedó mirando a su visitante en silencio y disgusto. No le contestó. Al cabo de unos momentos, como el silencio exigiera comentarios, el sacerdote dijo:

—Entiendo perfectamente su reacción. Al fin y al cabo es usted su padre, pero tenga en cuenta que yo soy su padre espiritual. No importa; vamos a dejar esto a un lado y vamos a hablar como hombres.

Antolín no encontraba una respuesta. Si se hubiera dejado llevar por su primer impulso, hubiera agarrado al intruso por los vuelos del manteo y le habría echado violentamente de la habitación. Sabía que esto era imposible. Tenía miedo de cualquier violencia y muchísimo más de un escándalo público como el que se produciría inevitablemente tratándose de un cura. Además, le gustara o no, no podía negar que los hábitos religiosos le producían un respeto innato. Y por último, aunque odiaba la situación que le hacía ridículo a sus propios ojos, le acuciaba la curiosidad por saber la parte que su hija jugaba en este asunto. Así, lo único que hizo fue mirar a la cara de don Santiago e inclinar la cabeza en una forma que podrían tomarse por una conformidad a sus últimas palabras. Don Santiago lo interpretó así y continuó, poniendo en cada frase un énfasis pomposo:

—Creo que éste es un punto en el que ambos estamos de acuerdo, señor Moreno. Usted y yo queremos, no diré la felicidad de Amelia, porque la felicidad de Amelia no es de este mundo, pero sí su bienestar. Usted puede concebir esto primordialmente en términos materiales, yo lo concibo en términos espirituales, que no son incompatibles absolutamente, como podría parecer, sino todo lo contrario, ligados íntimamente como el cuerpo y el alma.

—Aprecio todo lo que usted dice, don Santiago, pero francamente, no veo qué tiene usted que ver en un asunto de familia privado. Por lo que yo sé, nadie ha provocado ningún problema espiritual, o si prefiere llamarlo así, religioso, que guarde relación con ello.

—Pero, mi querido Antolín (y perdone que le llame así: no es que me esté tomando una libertad, es que nuestras posiciones respectivas en el caso nos imponen una cierta intimidad), mi querido Antolín, es absolutamente imposible establecer una línea divisoria entre la vida práctica y la vida espiritual. No voy a violar ningún secreto de confesión si me permito decir que Amelia me ha contado todas y cada una de las trágicas experiencias por las cuales ha pasado su familia. ¡Por Dios!, no me tome por uno de esos curas fanáticos que abundan en nuestro país. Me doy cuenta de las cosas y sé cómo contemporizar. Para mí, usted no es simplemente un hombre que abandonó a su familia, sino un hombre que bajo las circunstancias que no podía cambiar, que eran más fuertes que su voluntad, adoptó una decisión que, esto sí debo dejarlo claro, yo personalmente considero errónea, y como un resultado de ella se vio forzado a abandonar nuestra patria y desprenderse de su familia. De todo lo que ha pasado después, perdone que le diga, yo sé más que usted. Amelia, que es una buena cristiana, no tiene secretos para su confesor, y es un ser humano a quien yo conozco mejor y más íntimamente, estoy convencido de ello, que usted, su propio padre.

—Sí, lo admito, pero lo que yo quiero preguntarle es, exactamente, a qué ha venido a verme. Hasta ahora está usted hablando no sólo de las cosas que se refieren a mi hija y a los secretos que le haya confiado en confesión, sino también a un problema que yo encuentro muy difícil y complicado, el problema de cómo rehacer una familia.

—Exactamente, ése es el problema. Ha puesto usted el dedo en la llaga. Y esto me prueba, don Antolín, que no es usted uno de esos rojos cínicos que existen, sino un hombre de sensibilidad (y hasta me atrevería a decir arrepentido), que quiere reparar el daño hecho. No, no, no se irrite, el daño hecho sin intención, claro. Y aquí es precisamente donde yo tengo una misión que cumplir. Estoy aquí para decirle, como un sacerdote, en nombre de la Caridad Cristiana, que usted tiene el deber de recobrar su puesto como cabeza de su familia, como su mentor y protector. Yo estoy aquí para fortalecerle en sus intenciones. Estoy aquí para, reforzando lo que le pido en nombre de nuestra santa religión, suplicarle por el bien de mi hija espiritual, su hija Amelia, que merece que se le devuelva a su padre carnal, a quien quiere entrañablemente, como usted sabe muy bien, don Antolín.

Si la manera de hablar de don Santiago hubiera sido más sencilla, menos grandilocuente y retorcida, Antolín se habría conmovido. Quería conmoverse, liberar sus emociones comprimidas. Las palabras del sacerdote le habían tocado aun a pesar de la barrera espesa del lenguaje, le habían mostrado claramente el impulso que le había forzado a venir a España: su deseo de recobrar su sitio de jefe de familia y de hacer todo lo que pudiera para su felicidad. Detrás de este deseo reconocía el sentido de deber que le había enseñado por la religión, de la cual este sacerdote ante él era un exponente vivo. Las palabras pomposas y retumbantes tenían un sonido familiar, atrayente y consolador. Le devolvían a sus orígenes. Exactamente como el blando colchón de lana, que en realidad detestaba, pero en el cual se hundía cada noche, en este cuarto frío de hotel, con una sensación de descanso, porque carecía de sentido el enfadarse o el resistir su blanda caricia.

Lo pensó: «Es muy sencillo, he pecado, debo hacer penitencia». La dificultad consistía en que él quería expiar su falta, no ser perdonado; su penitencia tenía sentido únicamente si a través de ella convertía en su bien el mal que había hecho. Tal vez don Santiago le mostraría cómo resolver esta dificultad, si se la explicaba honradamente.

—Mire, padre —hasta entonces no había usado este título—, este problema es realmente mi problema personal, no el de mi mujer y mis chicos. Déjeme que se lo explique brevemente: yo me marché de España, como hicieron miles como yo, para salvar el pellejo. Todos, todos nos llevamos con nosotros la memoria de todo lo que queríamos, no sólo la mujer, los padres o los hijos sino todo lo que había sido muestra vida hasta entonces: Madrid y sus calles, el aire y el sol... Creo que me entiende. Hemos vivido en países extranjeros por diez años, siempre recordando y siempre enalteciendo nuestros recuerdos. Yo no tengo idea de cómo los otros encontrarían la realidad si volvieran mañana, yo sé solamente lo que la realidad me está mostrando: soy extranjero en un país extranjero. Estoy más solo aquí que nunca he estado en Londres. No puedo explicarlo bien. Naturalmente, hay un vacío de diez años entre medias, y diez años son la cuarta parte de mi vida consciente, sin contar los primeros diez años en los que uno vive en un mundo aparte. No hay duda de que yo he cambiado muchísimo, pero me parece que mi pueblo ha cambiado muchísimo más. Lo encuentro natural y lógico. Mis hijos eran niños y ahora son hombres, mi hija es una mujer. Sólo que, aunque esto lo entiendo, no encuentro manera de penetrar en su pensamiento. De mi mujer prefiero no hablar. Mucho antes de marcharme, no mucho antes de que estallara la Guerra Civil, no existía entre nosotros ese sentimiento que las gentes llaman amor, ni tampoco esa otra cosa que se toma por amor y que nos lleva al matrimonio.

Al cabo de unos segundos, Antolín continuó:

—En resumen, la realidad es que me encuentro cara a cara con cuatro extranjeros que por otro lado son mi mujer y mis hijos. Ni en uno solo de ellos he encontrado el hambre de cariño que me ha traído aquí. Lo único que encuentro en ellos es la convicción de que yo tengo deberes y ellos tienen derechos; que es su derecho no sólo el pedirme que cumpla con mis obligaciones, sino también hacer lo que ellos quieran que haga, porque todo es culpa mía y ahora tengo que pagar.

Don Santiago se estiró rígido en el asiento:

—Están en su derecho, don Antolín, en su derecho. Perdóneme que lo diga así, pero un sacerdote no puede desvirtuar la verdad. La falta es suya. Podemos admitir todas las circunstancias atenuantes que quiera (hace un momento yo mismo las detallé a su favor) pero la verdad desnuda es que el peso de la culpa cae sobre usted y sobre nadie más. Usted se lanzó a la Guerra Civil apoyando a los enemigos de la Fe y el Orden, apoyándolos activamente, fíjese en ello, y esto terminó llevándole a desertar de su país y familia. Si tengo que ser duro, perdóneme, pero no puedo evitarlo. Huyendo cometió usted otro pecado, negándose a confrontarse con las circunstancias de su primera ofensa. Y hasta diría que ha seguido pecando. Hace ya años que el Caudillo hizo un llamamiento a todos los españoles de verdad que tuvieran sus manos limpias, para que volvieran a su país que los necesitaba. En lugar de acudir a este llamamiento, cerró sus oídos y hasta llegó a renegar de su patria y convertirse en un súbdito inglés, el súbdito de un país hereje, donde Dios no existe.

Antolín sintió que la sangre le subía a la cabeza de rabia y vergüenza de haber desnudado lo íntimo de su ser a semejante hombre, con la esperanza simple de que le entendería y le ayudaría en su lucha, como un ser humano, como un cura o como ambas cosas. En lugar de darle pan, le lanzaba a la cara las piedras de la condenación oficial. El consuelo que le quedaba era que el otro le había interrumpido antes de que él se hubiera desnudado por completo. Esto le hacía más fácil encerrarse en sí mismo.

Don Santiago, que tenía de todo, menos de tonto, vio inmediatamente que perdía terreno con Antolín. No era un caso de tratarlo a patadas. Abrió la cara en una amplia sonrisa de camaradería y dijo alegremente:

—No tome a mal mis palabras: me he dejado llevar por el impulso de hacer un sermón, lo cual me atrevo a decir que no es extraño, pero de ninguna manera quería ofenderle. Créame, me hago cargo de todo, me doy cuenta de todas las debilidades humanas, y mi obligación es perdonarlas. Quería únicamente convencerle de su obligación de no dejar que se desmorone un hogar cristiano por culpa suya. Tendrá que tener mucha paciencia y sufrir con resignación; ¡acuérdese de que el timón está en sus manos fuertes, que han de aguantar las debilidades de los demás!

—Mire, don Santiago, para terminar una conversación que, como sabe, yo no he provocado y que se me está haciendo penosa, dígame, concretamente, ¿qué es lo que usted quiere?

—Como antes le dije, mi deseo es verle otra vez en el seno de su familia, construyendo un nuevo hogar que, claro es, no es obra de un día. Concretamente: lo que Amelia quiere y yo le ruego que haga, aunque esté fuera de mi papel, es que vaya usted a su casa y vea allí a los suyos, vea la miseria de su vida, hable abierta y francamente con todos ellos y que (pero esto es sólo nuestra esperanza) al fin se reúnan en un abrazo apretado y se lancen juntos a una nueva vida. Le necesitan, don Antolín. Con la excepción de Amelia, todos los demás miembros de su familia están corriendo riesgos tremendos ante Dios y ante los hombres. No sé si conoce usted lo que pasa, pero es mi deber informarle. Su hijo mayor está encenagado en el vicio, su hijo pequeño envenenado con las teorías fatales de los enemigos de Dios y de nuestro régimen, quiero decir, los comunistas. Y su esposa, siento decirlo, ha tomado un camino aún más peligroso, si cabe. Se abandona a prácticas diabólicas contrarias a las leyes de la Iglesia y del Estado. Don Antolín, los tres están arriesgando la condenación eterna, y el presidio también. Está en sus manos arrancarlos de ese peligro.

El cura hizo una larga pausa y terminó en un tono diferente:

—Pero, en fin, puesto que me pide que sea concreto, le daré este recado concreto de Amelia: me ha pedido que le diga a usted que le esperan en casa mañana a medio día, domingo, para comer todos juntos. En su nombre y en el mío, le ruego que no falte.

Don Santiago se levantó, se sacudió el manteo y tomó el sombrero. En el dintel de la puerta se volvió:

—¿Irá usted? —Con una sonrisa en la cara y una voz suave agregó—: No tenga miedo, a mí no me han invitado. Tampoco hubiera aceptado la invitación.

Antolín se sonrió débilmente y contestó:

—Iré, tarde o temprano tengo que hacerlo.

Acompañó al sacerdote hasta el descansillo y se quedó allí mirando cómo se deslizaba escaleras abajo la enorme sombra proyectada contra la pared, cómo cambiaba grotescamente su forma en cada revuelta, y cómo desaparecía en lo hondo. Cuando Antolín volvió a su cuarto, se encontró el camino cerrado por doña Felisa.

—¡Vaya, vaya, don Antolín, tiene usted visitas serias! —dijo.

Antolín hizo un gesto sin sentido y continuó su camino, pasando ante ella; pero ella le siguió como si no pudiera ser de otra manera, cerró la puerta del cuarto y dijo:

—Al menos, con amigos de esta clase, va usted a tener pocas dificultades con la policía.

Antolín se dejó caer en una silla, mitad enfadado, mitad agradecido de no estar solo, y habló sin tratar de pensar lo que decía:

—Perdóneme, estoy cansadísimo. Pero no es amigo mío, ni yo lo he llamado. Tampoco ha sido una visita agradable. No, absolutamente, no... Pero siéntese, doña Felisa. Aún me queda una gotita de ginebra para usted; ya sé que don Eduardito le hizo tomarle el gusto. A mí también me hace falta.

—Sí, amigo, tiene usted razón. Le calienta a uno, y es un buen desinfectante.

—Parece que no le gustan a usted los curas.

—No. No me gustan. Cuando entran en una casa, entra con ellos la negra. No vaya usted a pensar que soy mala cristiana, don Antolín. Pero nadie me va a convencer a mí que Nuestro Señor Jesucristo necesita estas cucarachas para que seamos buenos cristianos. Lo único que hacen es hacerle perder la fe a una. Usted no sabe... Desde que las cosas han cambiado en España, ellos son los amos. Y Dios le libre de tenerlos por enemigos, porque no le dejan en paz ni aun después de muerto. Le voy a contar una historia para que vea cómo están las cosas hoy. Tengo algunos parientes lejanos, mejor dicho, unos parientes de mi pobre Pepe, que en Gloria esté. Andan muy mal los pobres y viven como Dios quiere, en un agujero de piso en la calle Pacífico. Aunque no debía decirlo, les ayudo de vez en cuando porque el hombre murió; y de esto precisamente es de lo que quería hablarle. Era un buen hombre y trabajaba como un burro. Durante la guerra hizo lo mismo que otros muchos, pero estoy segura de que en su vida hizo daño a una mosca. Cuando la guerra se terminó, se las apañaron para crearse una manera de vivir, él, su mujer y su hija, que es una joya; pero en 1944 enfermó con ese mal que no hay médico que cure, y le llegó su última hora, como nos llegará a todos. El día antes de morirse, dos de esas damas catequistas o como se llamen, dos de esas brujas que siempre andan oliendo las sotanas, se presentaron en su casa y dijeron que debería confesarse y comulgar para que le pudieran dar la extremaunción, porque se estaba muriendo. La mujer y la hija trataron de echarlas porque él estaba oyendo cada palabra que decían —los cuartos son tan pequeños que andan pisándose unos a otros—, pero no había manera de echarlas. El viejo Antonio, que así se llamaba —y Dios le haya dado paz—, se sentó en la cama y les gritó. «Se podían ir a hacer puñetas», dijo, no quería confesarse ni que le untaran los pies con aceite, y si se empeñaban en gastar aceite, que se lo dieran a su mujer, que buena falta le hacía para guisar... Entiéndame bien, don Antolín, no es que yo esté conforme con esta manera de hablar; yo quiero irme de este mundo como Dios manda, con el saco de pecados vacío, y en paz con Él. Pero esto no es excusa para hacer lo que hicieron con el pobre Antonio, porque cada uno tiene sus creencias y el derecho de morirse como le dé la gana.

—¿Y qué pasó?

—La misma tarde tenían a la puerta al cura de la parroquia, echando chispas, diciendo que Antonio había insultado a dos de sus feligresas que trataban de arrancar un alma de las garras de Satanás. Y el enfermo tenía que confesarse y comulgar, dijo, porque se habían acabado los tiempos en que cada uno hacía lo que le daba la gana en España. Y si no lo hacía, se atendrían a las consecuencias. Bueno, el pobre Antonio no se anduvo por las ramas y le trató al cura lo mismo que a sus dos beatas, hasta que se marchó con viento fresco. Toda la vecindad oyó lo que le dijo, porque era julio y estaban de par en par todas las puertas y las ventanas. Al día siguiente se murió tan a gusto, gastando bromas a su mujer, su hija y los amigos hasta el fin. Y ahora viene la parte negra de la historia: la familia reunió todos los papeles del difunto, que también los muertos necesitan papeles y no sabe usted lo que le cuestan a uno, y fueron a arreglar el entierro. Entonces les dijeron que no podían enterrarle porque todos los cementerios de Madrid son ahora tierra consagrada y él había muerto en pecado mortal. Así que usted ve, no había dónde enterrarle, y le dejaron en aquel cuartucho en una caja de pino por cuatro días, don Antolín, cuatro días en julio, que al segundo día no había un vecino que pudiera parar en su casa. Se puede imaginar la que se armó. Pero nadie podía hacer nada, ni nadie sabía qué hacer, porque si protestaban, a lo mejor les metían en la cárcel. En la noche del cuarto día, antes del amanecer, dos vecinos se llevaron la caja escaleras abajo y la plantaron en medio de la calle del Pacífico, en plena vista de todos los que pasaban. Se lo tuvieron que llevar de allí, sabe Dios cómo, aunque fuera en el carro del Quemadero. Créame, don Antolín, yo soy una buena católica como antes le he dicho, pero si a mí me fuerzan a oír una misa dicha por el cura ese, me hago hereje antes... Así va usted a entender lo que he pensado, cuando he visto al reverendo ese que se le metía en casa. Las cosas no pueden ir muy bien para don Antolín, pensé, si los cuervos acuden. En fin, a su salud, don Antolín, y no haga mucho caso de mis cosas. Sólo que mire dónde pone el pie. ¿No era hoy cuando tenía su primera entrevista de negocios en Ricote? ¡Vaya un sitio de postín! Jesús, me voy, que es más que tarde. No debería usted dejarme abrir el grifo, porque ya sabe que cuando me pongo a hablar... ¡Hala!, vístase con su mejor traje inglés; y antes de que salga, ya le voy a dar un buen cepillazo.

Fuera del bar Ricote un ciego vendía billetes de lotería. Antolín se detuvo ante él y se quedó mirándole con una rebeldía furiosa. Se rehízo de su impulso y entró en el bar, resplandeciente de luces y níqueles, abriéndose camino entre la gente hasta que encontró un camarero que le indicó una mesa en el salón del fondo:

—Allí encontrará usted al coronel Caro y sus amigos, señor.

Con una sonrisa Antolín pensó en su propia carrera como *maître* en Soho. Tenía su utilidad: ahora mismo le daba todo el aplomo que le hacía falta en un sitio tan descaradamente lujoso como aquél, el cuartel general de los señoritos de Madrid, donde había puesto sus pies. También le hacía fácil clasificar a los concurrentes: juerguistas, granujas del mercado negro, sablistas, zorras profesionales, jóvenes degenerados con el bolsillo lleno de dinero. No era exactamente el sitio que él hubiera escogido para tratar de negocios serios, pero tampoco se iba a dejar impresionar, si ésta había sido la idea que había tenido el señor Caro al citarle aquí. ¡Coronel Caro! No tenía que olvidar darle el título de su rango; los oficiales retirados son muy quisquillosos sobre esto.

El coronel, con el botón de la Gran Cruz de María Cristina en la solapa de su americana negra, su panza estrictamente encorsetada, su cara rojiza y blanducha, no muy distinta de la del padre Santiago, estaba bebiendo manzanilla con verdadero gusto. La muchacha acurrucada a su lado exhibía los pechos abundantes bajo una blusilla transparente y de caderas más abundantes aún bajo una falda ceñida de satín negro que hacía el efecto desagradable de un pellejo de salchicha. Tenía una cara vacía y bobina. «Le gustan bastotas», pensó Antolín.

—¡Vaya, amigo Moreno, ya ha venido! Siéntese, siéntese. Justo a tiempo para beberse un vaso de manzanilla. Ésta es Mari Luz. No trate de decirle nada, porque está borracha. No bebe más que porquerías. A mí, deme usted vino, vino andaluz y nada más que vino. Las mujeres que yo he conocido cuando era joven podían tumbar a un tío bajo la mesa con vino, ¿eh? Pero estas niñas peripatéticas de hoy con sus porquerías que huelen y saben a farmacia, no tienen aguante. Todas acaban histéricas y es una lástima. Mírela. No está mal, ¿eh, señor Moreno? —Y dio un azotazo en uno de los muslos de la muchacha.

Mari Luz abrió unos ojos enormes de vaca somnolienta y rompió a reír, mostrando dientes y encías. De pronto se puso seria y gruñó:

—No seas bestia.

El coronel pidió a gritos otro vaso y lo llenó de vino para Antolín; empujó hacia él los platillos de aperitivo, le pidió su opinión sobre el vino, y después se echó hacia atrás en el diván, satisfecho, con su brazo izquierdo abarcando la cintura de la mujer. Ella le dio un beso en la mejilla y canturreó:

—Cachito, dame diez duros.

Su protector se volvió orgullosamente hacia Antolín:

—¿Ve usted lo que decía? Todas las tardes es la misma historia. Tan pronto como se ha bebido tres vasos de veneno, le da el ataque de melancolía y tengo que comprarle una dosis de su medicina. Está bien, chica, llama y que te la traigan.

Mari Luz hizo una seña al camarero que se acercó de medio lado y puso en sus manos temblonas un papelito doblado. Sin disimular ni lo más mínimo, Mari Luz lo desdobló, vertió su contenido en el torso de su mano y sorbió los polvos por la nariz, primero por una ventanilla, después por la otra. Con un suspiro hondo cerró los ojos y se dejó caer hacia atrás en el diván.

—Ahora podemos hablar, señor Moreno, ya he visto por la carta del amigo Bernal que tengo que explicarle las cosas como si fuera un extranjero. Diez años es mucho tiempo. El mismo Bernal está fuera de contacto, pero es buen fulano y le ha puesto en buenas manos. Así que voy a hablar castellano claro; las cartas sobre la mesa, es lo que digo yo. En general tengo suerte con las cartas. —El coronel guiñó un ojo con ostentación—. Los detalles no importan. La situación es ésta: yo le puedo vender todo lo que me mande de Inglaterra. Té de la China o camiones de ocho toneladas. Aquí hace falta de todo. En cuanto a los cuartos, no se preocupe; hay dinero de sobra si se sabe dónde está. El punto es, ¿cómo podemos hacer un buen paquete de pesetas...? No, ¡de libras! Si fueran dólares, mejor, pero para mí las libras son buenas.

—Yo creo que los artículos que puedo ofrecerle se venderían bien aquí. Claro, hay la dificultad de las restricciones de moneda...

—Tonterías, hombre. Ni dificultad ni nada, si uno se conoce los trucos. La dificultad es otra muy distinta: esos ingleses toman las cosas muy en serio, hay que dárselo todo escrito en blanco y negro, tan correcto y tan legal..., aunque a mí no me la pegan. Lo que les interesa son las cuentas claras y en esto soy yo un viejo zorro. Esto ya lo vamos a discutir más tarde. Ahora, vamos a ver, ¿qué trae usted para mí?

—Pues, mi coronel, en primer lugar máquinas, herramientas y aceros especiales. Además me han pedido que tantee el mercado para mandar paños de lana directamente de una de las más grandes fábricas de tejidos: y también automóviles, aunque en este caso no vienen de la fábrica sino de uno de los grandes agentes de Londres.

—Estupendo. Hágase cuenta de que ya está todo vendido. Pero beba, hombre, beba.

Abandonó la cintura de Mari Luz, llenó el vaso de Antolín con el vino dorado, y puso ambos codos sobre la mesa. La muchacha se enderezó con un respingo como si le hubieran interrumpido de pronto su siesta.

—Me parece que nos vamos a entender los dos, señor Moreno. Y tú, pequeña, ¡hala, lárgate de aquí! Esto es para hombres solos.

Mari Luz se estiró como una gata y se marchó, haciendo ondular las caderas. Inmediatamente tres jóvenes que ocupaban una mesa la llamaron. Acudió y se sentó con ellos. El coronel se inclinó solícito hacia Antolín y dijo:

—Ahora podemos hablar libremente, mi querido amigo. Como antes le decía, el punto es, no lo que nos puede ofrecer (no se preocupe, todo está ya vendido) sino... Bueno, aquí es donde tengo que empezar a explicar las cosas, porque ya veo que usted no sabe de la misa la media. Las cosas se están cayendo a pedazos, amigo; a pedazos. Entre usted y yo, le diré que yo sé muy bien lo que está pensando entre bastidores. Bueno, para ahorrarnos palabras y para que no meta usted la pata sin querer, me voy a explicar clarito: lo único que a mí me interesa es ganar dinero y ponerlo donde esté seguro, porque esto el día menos pensado pega un estallido. ¿Me entiende?

—Si le digo la verdad, no del todo.

—Se lo voy a explicar más claro que un libro, amigo Moreno. Todo el mundo me llama el «Coronel», pero esto creo que no hace falta explicarlo. Naturalmente, estamos hablando en confianza, pero el amigo Bernal me dice que puede uno confiar en usted, y Bernal y yo éramos como hermanos que hubieran mamado de la misma leche. Esto de «leche» se me viene a la lengua, porque es lo que a mí me ha hecho hombre. Creo que sabe que yo vengo de buena familia, sangre azul y escudo, mucho presumir, y ni cinco céntimos para mandar a cantar un ciego. Mi padre era un gentilhombre y mi madre camarera de la reina y yo no sé cuántas cosas, y claro, para mí no había más que un camino, el ejército. Naturalmente, en cuanto salí de la academia y me pasé mis dos añitos en Marruecos, mi gente me logró un traslado a Madrid y me metió en el palacio. Cuando Primo de Rivera tomó las riendas en la mano, me hicieron capitán, y así me quedé. Aquéllos sí eran buenos tiempos, amigo, con mis contactos... Imagínese que al viejo Primo se le metió en la cabezota que España iba a ser un emporio, y si cualquier fulano le venía con una nueva idea para negocios (bien entendido, como una aventura patriótica) le daba unos golpecitos en la espalda, le hacía un discurso, y le largaba una Real Orden autorizándole para hacer lo que quisiera: una línea de autobuses, una fábrica de leche condensada, o una colonia de hotelitos baratos. Pero no era tan fácil llegar hasta Primo de Rivera, alguien tenía que arreglar la entrevista. Ese alguien era yo. Sí, señor, el capitán Caro a su servicio, y «caro». Todos estos fabricantes y banqueros venían a verme y yo me encargaba de convencerle al tío Miguelito que el distrito de Guindalera, o el del Puente de los Franceses, estaba pidiendo a gritos una colonia de casas baratas, de esas que se compran a plazos, se hipotecan y se hunden antes de terminar de pagarlas; o que en Asturias, donde hay buenas vacas, hacía falta una fábrica de leche condensada; o en Barcelona, una fábrica nacional de bombillas. En dos patadas la cosa estaba hecha: un Real Decreto, una pública subasta y una tajadita para mí. ¡Oh, sí!, no me mire con ese asombro; si yo no lo hubiera hecho, lo hubieran hecho otros, y los negocios son los negocios, ¿no le parece? Cuando se acabó la historia de Primo de Rivera, yo me quedé como consejero de un monopolio extranjero que necesitaba buenos padrinos en los centros oficiales. Y cuando la guerra civil estalló, me avisaron a tiempo y desaparecí... Le puedo contar muchas historias, pero lo importante es que todos los negociantes de importancia de España me conocen bien, y, desde luego, mis compañeros de armas. Me hicieron coronel, y aquí me tiene. Yo no he cambiado, Bernal puede decírselo. Ahora, espero que comience usted a entender las cosas.

Antolín estaba confundido. El coronel aludía a chanchullos que no tenían nada que ver con sus modestas ideas de negocio. Había obtenido la representación de varias firmas inglesas porque esperaba ganar algún dinero inmediatamente y más tarde solicitar de la Tesorería que permitieran transferir a España sus ahorros. Después ya vería si podía establecerse en el país como representante de casas inglesas, si es que decidía quedarse en España. No se hacía ilusión alguna sobre el estado de corrupción en que estaba el país, pero esto no tenía nada que ver —al menos así lo creía— con sus intenciones de importar géneros ingleses. Lo que él quería era ganar su comisión; lo que los compradores hicieran con los productores, le tenía sin cuidado. Si el coronel le encontraba compradores, estaba dispuesto a repartir su comisión con él, si esto era lo que el tipo aquel buscaba. Pero, ¿era eso? Tanteando el terreno, dijo:

—Sí, comienzo a ver las cosas. Naturalmente, por mi parte no tengo nada en contra de que nos repartamos la comisión en buena armonía.

El coronel se quedó mirando a Antolín con ojos que se habían vuelto fríos y opacos, pero con una cara en la que se mantenía la sonrisa:

—Hombre, eso no se dice. Pero no es éste mi punto. La comisión..., eso son las migajas. No es que yo desprecie las migajas, pero eso no es negocio, amigo Moreno. ¿Qué es lo que vamos a sacar? ¿Cinco por ciento? ¿Diez? Eso es una limosna, una miserable limosna, amigo Moreno. Escuche:

Volvió a llenar los vasos y se acodó en la mesa.

—No pierda de vista esto: la gente está interesada sólo en

dos cosas, la primera hacer dinero, la segunda colocar este dinero donde esté seguro. En el extranjero, si puede ser. Aquí no importan los artículos que usted pueda ofrecer, aquí lo que importa es el dinero que se puede sacar de ellos. Le voy a dar un ejemplo en números redondos: imagínese que usted nos ofrece cinturones de cuero, un millón de cinturones de cuero, y viene y me dice: «Si usted compra esta partida, se gana una peseta por cada pieza y el que la compre otra». Esto es hablar de negocios. A nosotros no nos importa si los cinturones vienen de Inglaterra o de China, si son de primera calidad o si badana. Lo que queremos es ganarnos nuestro milloncejo, ¿se entera?

Como un chiquillo de escuela, Antolín preguntó:

—Pero ¿quién va a comprar un millón de cinturones de cuero?

—¡Ah!, ahí está el busilis del asunto. Si hay un millón de pesetas para mí, y otro millón para otro fulano, ya encontraríamos el truco, no se apure. Seguramente, cambiando el uniforme del ejército y decretando un nuevo modelo de cinturón.

—Lo siento, aún no lo veo claro. Bueno, sí, comprendo que se puede hacer un negocio semejante, aunque me parece un poco, bueno...

—Un poco cínico, ¿no? Sí, hombre, no se asuste en decirlo. Los negocios claros y las cosas hay que llamarlas por su nombre.

—Está bien, vamos a llamarlo cinismo. Supongamos que usted me compra un millón de cinturones. Yo gano mi comisión y usted hace con los cinturones lo que le venga en gana. No veo qué papel juego yo en ello.

—Ahora es mi turno decir las cosas en crudo: en negocios, amigo Moreno, usted no es más que un niño de teta. No se ofenda, es verdad.

—No me ofendo —Antolín estuvo a punto de añadir: «al contrario». Vació su vaso lentamente y dijo—: Pero repito que no veo dónde entro yo en esa combinación.

—¿No lo ve? Pues es muy sencillo, amigo mío. Todo depende del precio. Usted me vende a mí los cinturones a un precio determinado y en la factura pone otro. O si lo prefiere de otra manera, usted me firma un contrato para suministrarme un millón de cinturones —entiéndame que esto es sólo un ejemplo— y después me entrega cien mil. A usted se le paga como si hubiera entregado el millón, y usted se encarga de depositar la diferencia en hermosas libras esterlinas en uno de los bancos de Londres. Y, ¿ahora se entera?

—Esta clase de negocios no se puede hacer con firmas inglesas, señor Caro.

—No se haga el tonto, señor Moreno; repito, no se enfade.

—Parece que usted no conoce todos los trámites ingleses para las exportaciones...

—¿Por qué tengo que conocerlos? Leyes, ¿y qué? Si hace falta, se le unta la mano a alguien en el Ministerio que sea importante y lo pueda arreglar. El fabricante va a tener su recibo de haber entregado un millón de cinturones, y así, de la diferencia entre el valor de ello y el valor de cien mil, me parece a mí que puede untar la mano del ministro o del agente de aduanas o de quien sea. A mí no me importa, con tal que no se olvide de nuestra tajada. Nosotros, por nuestra parte, ya nos vamos a encargar de sacarle los cuartos, y en libras, a nuestro gobierno. No se preocupe por eso, las libras no faltan aquí en cuanto se está seguro de que cada uno se va a quedar con algunas.

—Me parece que no nos vamos a entender, señor Caro.

—Claro que nos vamos a entender, no sea niño. Abra los ojos y fíjese lo que está pasando alrededor suyo... Pero, vamos a dejar los negocios y vámonos a cenar. Luego le contaré la historia de un muchacho amigo mío que estuvo en Londres hace seis meses. El granujilla se chupó veinte mil duros, así, sin parpadear. Un muchacho que ha terminado medicina hace tres años y casi está aún con pantalón corto, pero que no tenía en qué caerse.

El coronel silbó al camarero y pagó. Después arrastró del brazo a Antolín y dedicó una sonrisa paternal a Mari Luz y sus ruidosos compañeros.

Cenaron en una taberna pequeña y vieja, donde la mujer del dueño guisaba, según el coronel Caro, como «un ángel»:

—Naturalmente, todo viene del mercado negro. Sin el estraperlo no hay qué comer. —Miró a Antolín de reojo—. Todo esto le parece una canallada, ¿no? Pues se equivoca. La gente se ha acostumbrado y cada uno saca lo que puede. El que no sabe nadar se ahoga, y al fin y al cabo esto es justo. De todas la maneras hay demasiada gente en el mundo y cuantos menos idiotas haya, mejor.

Animado por la buena comida, Antolín inició una protesta:

—Pero si no existieran esos idiotas, como usted les llama...

—No siga, ya sé lo que va a decir, y tiene razón. No nos estaríamos comiendo estos jugosos bistecs si no hubiera veinte muertos de hambre. Verdad. ¿Y qué? Si las cosas estuvieran arregladas de otra manera, también nosotros tendríamos hambre, y en lugar de veinte, seríamos veintidós hambrientos, porque tendríamos que repartir estos filetes con los veinte, y no íbamos a tocar a mucho.

—En Inglaterra lo hacen.

—No me cuente historias. En Inglaterra pasa lo mismo que aquí. El que tiene los bolsillos forrados come langosta, y el que tiene un agujero en el bolsillo, pan y margarina. Leo inglés, ¿sabe?, y veo los periódicos todos los días. Y, ¿qué hay allí? Miseria y nada más que miseria. ¿Un racionamiento justo y equitativo? Sí, sí. Ya sé que cada uno tiene su ración cada semana, pero todo el mundo se queja de ellas y los papeles están llenos de historias del mercado negro. La única diferencia entre ellos y nosotros, es que ellos se preocupan de cubrir las apariencias y nosotros no.

—Sí, es verdad que los periódicos ingleses están llenos de historias del mercado negro, pero lo que no es verdad es que todo el mundo viva de ello. No es verdad, como no lo es que todo el mundo robe o mate, aunque haya historias de robos o crímenes en los periódicos de cada día. Lo que pasa en Inglaterra...

—No me dé una conferencia, señor Moreno, me quedo con los hechos concretos. Mire usted el muchacho de que le hablé antes, el doctorcito de Barcelona; éste es un hecho concreto. Cuando estalló la Guerra Civil, no había terminado la carrera aún, pero se unió a los nuestros y sirvió como médico en el ejército, así que cuando acabó la guerra le dieron su título y en paz. Viene de buena familia, pobres como ratas. Después de la guerra hizo oposiciones y ganó una plaza en una casa de socorro. Y el chico no es tonto; se dijo: «Aquí me muero de hambre, porque esto no da ni para un cocido al día». Y se hizo su plan. Con los ingleses, sí señor, con los ingleses. Recurrió a sus padrinos y consiguió que le mandaran a Oxford para hacer un curso en el uso de anestésicos. En el mismísimo Oxford, y por añadidura, con el encargo de comprar un equipo moderno para la ciudad de Barcelona, porque era una vergüenza que en Barcelona aún estuvieran dando el cloroformo poniéndole al enfermo un algodón en las narices. El muchacho se fue a Oxford y se corrió una juerga. Parece que las inglesitas no hacen ascos a los españoles. Y se trajo un equipo quirúrgico o anestésico, o como diablos lo llamen, y se embolsó cien mil pesetas limpias de polvo y paja.

—Está bien, pero, ¿qué tiene eso que ver con los ingleses?

—Todo, mi querido amigo. ¿Cómo cree que podría haberse guardado los cuartos, si no hubiera podido probar documentalmente que se los había gastado en beneficio de la ciudad de Barcelona? Y con una casa inglesa, ¿eh?

Antolín estalló:

—¡Y yo le digo, señor Caro, que no hay una firma decente en Inglaterra que se preste a estos chanchullos!

—Ya lo sé. Precisamente por esto es por lo que usted y yo nos vamos a entender. Para decir la verdad, yo mismo lo he intentado varias veces con casas inglesas y siempre me ha fallado. Pero, ¡maldita sea!, ese Carlitos de los demonios encontró la manera de hacerlo, y le salió al pelo. Es muy fácil: primero, Carlitos se fue a una de esas grandes casas que se dedican a estas cosas y escogió los aparatos que quería; después encargó a un agente que se los comprara y se los revendiera. El agente facturó los aparatos a España, con la bendición de todos y una factura legal, naturalmente incluyendo en ella su comisión. Pero además le dio a Carlitos otra factura suya con un precio muchísimo mayor. No sé cuánto le costaría a Carlitos, pero valía la pena pagarlo. El negocio estaba hecho: los fulanos de Barcelona, que estaban en el secreto, obtuvieron sus permisos de exportación de moneda y lo que les dio la gana, con la factura legal, mandaron los cuartos a Londres, y se acabó. Después, con la segunda factura, hicieron las entradas en las cuentas de ayuntamiento, retiraron las pesetas, y el resto se lo puede imaginar. Todo el mundo contento y cada uno con su tajada: el fabricante, el agente, las aduanas, los gordos, y Carlitos, claro. El dinero gastado estaba en regla en todas las cuentas y todo era legal. Así que aquí tiene usted la receta, y así es como nosotros nos podemos llenar los bolsillos. Nosotros, usted y yo.

—Sí —dijo Antolín, haciendo montoncitos con migas sobre el mantel y sin mirar el coronel—, es una granujada impía. Pero yo no soy más que el representante de casas serias de Inglaterra y ninguna de ellas haría facturas duplicadas.

—¡Oh, Dios mío, y que no es usted lento! Déjese de representaciones y haga negocios. A nosotros lo que nos hace falta es un hombre en Inglaterra que sea de confianza y usted está que ni pintiparado. No trate de vendernos cosas con un muestrario; vuélvase a Londres y ponga una oficina de exportación. ¿No quieren aumentar sus exportaciones los ingleses? Y ya va usted a ver qué buenos compradores somos.

—¡Vamos!, lo que usted quiere es que yo juegue la parte del agente que le ayudó tan bien a su amigo el doctor.

—Exacto. Lo que usted nos mande, una vez que esté establecido, o lo que nosotros le compremos, no tiene importancia. Lo importante es que podamos presentarle al Banco de España prueba de que tenemos que mandar tantas libras a Inglaterra. Se las mandamos a usted, y usted nos las pone en una cuentecita allí: nos van a hacer falta el día menos pensado.

A través de toda la conversación, Antolín estaba disfrutando de una satisfacción especial de su experiencia como camarero; le había enseñado a hablar y a pensar en dos planos diferentes; había aprendido cómo mostrar una cara cortés y agradable a gentes que le daban náusea. Había conseguido que el coronel se explicara cínicamente —es muy útil que le tomen a uno por tonto— y al mismo tiempo había podido resolver qué camino tomar. Desde luego, era claro que no iba a hacer negocios con el coronel. Él, Antolín, no era un estafador, no tenía talento para serlo aunque quisiera. Tampoco tenía la imaginación, ni los conocimientos técnicos, para burlar las leyes de dos países. Sobre esta parte del problema no tenía que romperse la cabeza. Si podía hacer negocios normales, los haría, y si no, no. Se negaba a creer que no existieran personas decentes en España. Pero lo malo era que no podía contestar al coronel como se merecía sin crearse un enemigo más. ¿Uno más? Tras la cara blanducha, suave y rojiza del coronel, se le aparecía la cara del padre Santiago. De todas formas, no se sentía muy seguro en la España de Franco con sus antecedentes y con la enemistad de personas de influencia. Ni con un pasaporte inglés ni con diez. Tendría que ganar tiempo; y así, cuando el coronel paró de hablar y se quedó esperando una contestación, Antolín la tenía preparada:

—Sí, algo se podría hacer en la forma que usted piensa, pero necesita un estudio muy minucioso. Desafortunadamente, yo no voy a poder estar aquí más de un mes. Claro que sería muy distinto si yo pudiera volver a Inglaterra con unos cuantos contratos —legales, claro— para las casas que represento; y unos cuantos mandados antes desde aquí justificarían el que me quedara más tiempo. Eso podría ser útil para sus planes.

El coronel se pavoneó satisfecho. El pájaro había caído en la red y en poco tiempo podría poner a cubierto en Londres un buen montón de dinero; lástima que no fuera en Nueva York. No era mala idea la de los contratos; y, ¿por qué no?

—Eso sí es una buena idea, amigo Moreno. Además le ayudaría a establecer el negocio cuando volviera a Londres. Tengo un montón de amigos que le pueden comprar cosas. Gente decente, ¿eh? Además, algo voy a sacar de ello, porque el obtenerles la licencia de importación corre de mi cuenta.

Los dos quedaron silenciosos por un rato. Antolín sentía una satisfacción un poco sardónica ante la idea de que este granuja escurridizo fuera a ayudarle a realizar negocios limpios y conocer personas decentes. Quería ganar algún dinero en Madrid, porque si no, no podía hacer nada por su familia. La sola idea del cuartucho que iba a ver mañana, le daba escalofríos. Si al menos pudiera proporcionarles un cuarto en condiciones para vivir personas... Pensó cuánto tiempo realmente iba a quedarse en Madrid. La proximidad del coronel le ponía nervioso.

El coronel estaba planeando una campaña completa. ¡Ah, sí!, le convenía que Moreno hiciera unos cuantos negocios limpios. Hasta podría permitirse el lujo de obtener todos los permisos y licencias sin cobrar un céntimo. Más tarde, representaría el hombre a amigos que pagarían lo que se les pidiera con tal de tener la posibilidad de hacer lo que él pensaba hacer, sacar dinero de España. Moreno tenía razón. Era lo bastante honrado para no engañarle, demasiado tímido para robarle —y si lo hacía, ¡ya se encargaría él de arreglarle las cuentas!— y tenía bastante de pillo para hacer cualquier chanchullo con cara de santo. Pero iba a tener que acuciarle un poquito.

—Estaba pensando, amigo Moreno, que el hierro hay que marcarlo cuando está caliente. Tengo un amigo que comercia en aceros y máquinas-herramientas, y estoy seguro de que le podemos encontrar esta misma noche en un sitio que yo me sé, y donde se pueden ustedes poner de acuerdo sin dar dos cuartos al pregonero. Vámonos allí; le gustará el sitio. Las muchachas que hay no están mal.

Doña Consuelo recibió al coronel y a su amigo con frases melosas y les introdujo en su sala. A través de la puerta cerrada se oían voces y risas. Antolín, un poco confuso, miraba a su alrededor, tratando de hacerse una idea del tipo de casa que era aquello. En realidad no parecía un burdel del tipo que el coronel con sus bromas gordas le había hecho esperar.

Una habitación ordenada meticulosamente, de aspecto severo. Butacas profundas enfundadas en tela gris claro con una gran «c» bordada en el respaldo. Un reloj de bronce con su juego de candelabros encima de la chimenea. Una rinconera con piezas de porcelana y cristal tallado. Cortinas de terciopelo rojo cayendo en pliegues pesados delante del mirador. Enfrente de ellos, una mesita de un tipo que estuvo en boga el siglo pasado, cuando aún las Filipinas pertenecían a España: un armazón de bambú con un tablero de teca y en él incrustados los cuadros de un ajedrez, hechos de ébano y nácar. Dos grandes pinturas al óleo en marcos dorados, que parecían más obscuras y polvorientas contra el fondo pardo que cubría la pared. Uno de los cuadros era una marina rebosando olas espumosas, y el otro, una escena idílica en la que figuraba una diligencia descargando sus viajeros en la puerta de una posada, bien provista de mozas frescachonas, gallinas alborotadas y chiquillos con la boca abierta. Un piano de media cola con dos candelabros de plata flanqueando el atril. Una gruesa alfombra de dibujo y color ya desvaídos. Un gran candelabro central, casi una araña, con bombillas eléctricas imitando velas. Y la dueña de la casa haciendo juego con la habitación con su traje severo de seda negra y espesa.

El coronel hizo las presentaciones:

—Éste es el señor Moreno. Don Antolín Moreno, un buen amigo, nacido y criado en Madrid, pero que se ha convertido en un londinense. Acaba de llegar aquí. Y aquí tiene usted, Moreno, a una vieja y querida amiga, aunque esto de vieja no es en años, fíjese, doña Consuelo de Ordóñez...

Doña Consuelo sirvió unas copitas de jerez y habló animadamente de naderías, mientras estudiaba cada detalle del aspecto y el porte de Antolín. ¿De manera que aquél era el padre de Pedro, y en la compañía del viejo zorro de Caro? Se olía algo detrás de todo aquello. Seguramente que no habían venido sólo para catar sus mujercitas. Tendría que enterarse.

Antes de que doña Consuelo pudiera enderezar la conversación al fin que le interesaba, el coronel le daba todo hecho. ¿Estaba don Tomás en la casa? ¿Sí? Se lo había figurado y por eso había traído a su amigo Moreno. Quería conocer a don Tomás, una cuestión de negocios que seguramente le iba a interesar... No, no. No quería que Consuelo le llamara; al contrario, la idea era hacerse los encontradizos y hablar así en un ambiente amistoso. Lo otro ya vendría después. Lo único que quería de ella era que tuviera la amabilidad de introducir a don Antolín a la juerguecita que tenían. E inclinó la cabeza hacia la puerta a través de la cual llegaba el ruido apagado de las risas.

—Pero, naturalmente, don Alfonso, tratándose de un amigo suyo... Apuren sus copas y vámonos al comedor.

Cuando doña Consuelo les introdujo en «el comedor», Antolín se sonrió secamente para sus adentros: ahora ya no tenía dudas. Bajo la luz cruda había una mesa enorme y sobre ella una batería de botellas y copas. En el fondo, más botellas aparecían alineadas en un aparador tan enorme como la mesa. En el rincón había un piano vertical, barato, y al lado de él un musiquero cuajado de musiquillas de moda. Las sillas alrededor de la mesa estaban dispersas sin orden, a veces dos o tres juntas. A lo largo de las dos paredes laterales, dos largos y hondos sofás se enfrentaban. En uno de ellos, una pareja estaba tan embebida en una exploración mutua, que no parecieron enterarse de la entrada de nuevas personas. En el otro sofá un viejo arrugado y calvo jugaba a las cartas con cuatro muchachas. Dos de ellas se habían acurrucado contra él en el asiento, dejando sitio para las cartas. Las otras dos se habían sentado en el suelo a sus pies. El aire era caliente y viciado. En el extremo más lejano de la mesa, cerca del aparador, aparecía sentada, y mirando distraídamente una copa llena de vino tinto, una mujer solitaria.

El grupo de muchachas rodeando al viejo saludó con gritos de alegría al coronel. Aprovechando el primer momento de relativo silencio, doña Consuelo hizo un gesto amable hacia Antolín y dijo:

—Este caballero es un amigo de la casa y espero que todas lo recibáis como merece. —Se volvió a Antolín—: Está usted en su casa. Aquí todos son amigos y no hay necesidad de andarse con formalidades.

Hizo una salida llena de dignidad y cerró la puerta tras ella. Una de las muchachas barajó las cartas y dijo:

—¿Quieren ustedes echar una partida?

Sin hacerle caso, el coronel se dirigió al viejo, tan cerca como el corro de muchachas permitía, y dijo:

—Don Tomás, le quiero presentar a un amigo que acaba de llegar de Londres y que quiere ver algo de la vida de Madrid.

Después de cambiar unos cuantos cumplidos, el viejo carraspeó:

—¿De Londres?, ¡caramba, caramba...! Es un paseíto. Siéntese con nosotros y beba lo que quiera, escoja lo que más le guste de lo que hay en la mesa. Como ve, me ha pillado en un momento de expansión. La noche del sábado, como decía nuestro gran Jacinto Benavente. Mañana no hay necesidad de madrugar y las fresas hay que cogerlas cuando maduran. No le digo que tome también una de estas chiquillas, porque no son mías. Pero si alguna le gusta, está en libertad de escoger. Ellas encantadas, las pobres. ¿No es verdad, niñas?

Sin esperar permiso las mujeres se habían vuelto ya hacia los recién llegados y les estaban bombardeando con preguntas. ¿No había traído el coronel ningún bombón? ¡Malo! ¿Es verdad que en Londres llueve sin parar? ¿Había traído nylons el amigo del coronel? Una de las muchachas, rubia teñida, con ojos negros gachones, se quejó de que a ella le gustaba más la crema de menta que el vino, pero don Tomás no le quería pagar una copita.

—¡Diablo! —exclamó don Tomás—, ¡una copita de menta cuesta seis duros, treinta pesetas, muchacha! Por ese precio te puedes beber una botella entera de manzanilla. Vicios no pago. —Se volvió confidencial a Antolín—: No se deje ablandar, porque se lo comen. Consuelo les da una comisión sobre lo que se bebe y se come y... ¡son capaces de pedirle a usted que las convide a cenar!

—Eso. ¡A cenar! —exclamó otra de las muchachas—. Entre los tres no vais a tocar a mucho.

Como si hubiera sido una señal de ataque, cada uno de los tres hombres se encontró asaltado por una de las mujeres. Al cabo de poco, la cuarta muchacha se separó de ellos y se acercó a un hombre joven que había entrado en la habitación unos momentos antes. La rubia falsificada, claramente la amiguita de don Tomás, saltó sobre sus rodillas huesudas y frotó su cara contra la suya. La muchacha con la voz más chillona y las caderas más exuberantes arrinconó al coronel. Antolín se encontró asimismo empujado al otro extremo del sofá, aislado del resto del grupo por la tercera muchacha que le susurró al oído:

—Por favor, convénzales de que nos conviden a cenar. A usted no le van a decir que no, señor.

A Antolín le chocó el uso del «señor», la urgencia y el secreto de la petición. Por primera vez la miró en detalle; hasta ahora había fijado toda su atención en don Tomás. La cara de la muchacha estaba tan cerca de la suya que no podía verla en su conjunto. Lo que veía era una chispa de luz inmóvil en el anillo dorado de cada una de sus pupilas. A esta distancia reconoció las chispitas de luz como el reflejo de la lámpara pendiente en el centro de la habitación. No se movían, porque los ojos de ella estaban fijos en él. ¿Miedo o hambre?, pensó. Los discos negros de las pupilas estaban apagados. Se le ocurrió a Antolín que eran como ventanillos abiertos en una honda cripta: el cerebro de la muchacha, sus pensamientos, una vida. Todo ello estaba allí dentro, escondido, silencioso. En los pómulos de la muchacha florecía una pelusilla microscópica que retenía partículas de los polvos del tocador. Antolín sintió una contracción desagradable en el estómago.

—¿Por qué crees que si yo se lo pido...? —preguntó.

La muchacha se acercó más a él y murmuró:

—Porque usted es un forastero y no uno de ellos.

Le replicó en otro murmullo:

—¿Tanta falta te hace cenar?

Los ojos de la muchacha se quedaron fijos otra vez, con las chispitas de luz eléctrica reflejadas en los anillos de sus pupilas, mirando en sus ojos, dentro de ellos, desde lo hondo de la cripta obscura, metiéndose en los recovecos de su cráneo, desnudándole.

El coronel Caro levantó la voz sobre el tumulto:

—Bueno, chicas, no ser una peste. Mi amigo y yo hemos cenado ya, y don Tomás ya sabéis que viene aquí bien cenado. Podéis beber lo que queráis; si queréis, podéis comeros unos bocadillos; pero no hay cena. Y no deis más la lata.

La compañía de Antolín se había vuelto para escuchar al coronel y ahora podía contemplar su cabeza. Tenía un cabello negro espeso, orejas pequeñitas con pendientes baratos —unos prismas de cristal, de color rubí, colgando de broches de metal dorado— y la piel de la mandíbula y el cuello era tersa, clara y fina, pero no la de una mujer verdaderamente joven. Al volverse, se había quedado con uno de sus muslos oprimiendo el suyo, el brazo derecho flojamente colgado en su hombro. Al oír el veredicto del coronel, el muslo y el brazo adquirieron vida, como si los pensamientos de ella palpitaran a través de ellos: desilusión, desprecio, rabia.

La rubia de ojos negros que estaba sobre los muslos de don Tomás se dio por enterada con su voz chillona y aniñada:

—Está bien, si no nos quieren dar de cenar, éste y yo nos vamos a acostar por un ratito.

Don Tomás estalló en una risita y le dio un azote. La muchacha insistió:

—No hay cena, pues no la hay, mala suerte. Pero si quieres divertirte un ratito como cada sábado, ahora estás a tiempo, porque no quiero ir tarde a casa. Y si no tienes ganas hoy, quédate con estos señores, pero déjame en paz.

El viejo movió un dedo amenazador y gruñó:

—Bueno, bueno, chiquilla, no arañes. Lo único que prueba esto es que cada uno mira por lo suyo.

Se levantó del sofá tan pronto como se pudo quitar a la muchacha de sus rodillas y salió de la habitación con ella. El coronel Caro se quedó mirándoles y dijo:

—¡El viejo cabrito! En fin, amigo Moreno, no se preocupe, siempre queda un consuelo. No va a tardar mucho en volver. Se le acaba pronto el gas.

—¿Y qué con nosotras? —preguntó la muchacha que se había pegado al coronel—. Después de todo...

—¿Qué le parece, don Antolín? Nos podemos marchar si quiere, pero sería una lástima. A don Tomás se le alegra el humor después de..., bueno, de una de sus juerguecitas, y sería una lástima perder la ocasión.

—No tengo nada en contra de esperar —dijo Antolín.

El coronel y su compañía se marcharon sin decir una palabra más. Antolín miró a su alrededor y vio que las otras dos parejas habían desaparecido. Sólo quedaba la mujer solitaria al extremo de la mesa, inmóvil, contemplando su vaso de vino que no había bebido. La muchacha que estaba con él murmuró:

—Supongo que nosotros tendremos que hacer lo mismo que ésos.

—No es necesario —contestó Antolín—, pero conste que no es un desprecio; es simplemente que estoy muerto de cansancio.

La muchacha torció la boca en un gesto amargo y Antolín agregó:

—Lo siento, pero de verdad preferiría quedarme aquí un rato, beber un vaso de vino juntos y charlar. Naturalmente, puedes hacer lo que quieras, no tienes que preocuparte por mí.

La muchacha reaccionó con descaro:

—No, hijo, no. Aquí nadie fuerza a otro, no eres tan bonito como todo eso. De todas maneras, nuestro oficio es así: a unos hombres les gustamos y a otros, no. Claro que tenemos que ganarnos la vida y si no gustamos a un hombre, la cosa no va bien. Porque cada una tiene sus problemas, ¿sabes...? —Y se lanzó a contar una historia romántica.

¿Por quién lo estaba tomando? Antolín se sintió irritado. Lo que estaba diciendo era, palabra por palabra, la misma historia que había oído cien veces a las golfas de Soho, tratando de sacar los cuartos a los vejetes de provincia. Debía ser un convenio internacional. Se dio cuenta de pronto de que ni escuchaba, ni oía, lo que la otra contaba.

Estaba cansadísimo. Había sido un día difícil y ni quería pensar en ello. Hacía mucho que no se había acostado con una mujer. Desde que se había despedido de Mary. Rechazó este pensamiento también. El calor del cuerpo de la muchacha llegaba al suyo a través de la tela de falda y pantalón respectivos. No era fea, sólo que la cara resultaba triste. Mañana tenía que comer con los suyos; tal vez debería comprar algo para la comida; pero, ¿qué? Nada, mañana era domingo y todas las tiendas estarían cerradas. Aunque no, Madrid no era Londres y seguramente podían comprarse algunas cosas, embutidos, dulces, fruta. Lo mejor sería comprar algo para postre y darles después algo de dinero. Iban a gastar un dinero que no tenían en preparar una comida para él, y los ingredientes tenían que comprarlos de estraperlo. Su mujer tenía una cara amargada. Si la hubiera encontrado en la calle, no la hubiera reconocido. Luisa tenía la cara amarilla, agria, y los ojos fijos de mujer enferma de los ovarios, pero había dicho que estaba bien de salud. ¿Podría acostarse con ella? La idea de ello bastaba para parecerle una indecencia. Con esta chica podría acostarse, si no fuera una persona absolutamente extraña y una prostituta. Desde que fue soldado no había vuelto a acostarse con una prostituta. Esta manía de contar la misma historia de padres inválidos o hermanitas pequeñas cuya inocencia virginal tenían el deber de proteger... ¿Cuál había sido exactamente su versión de la historia? ¿Había dicho algo durante los últimos dos minutos? La repentina llamada del silencio había deshecho la enmarañada madeja de sus pensamientos. Miró a la muchacha y encontró sus ojos fijos en los suyos.

—Está bien, todo es mentira y es mejor que no hayas escuchado.

La mujer solitaria se levantó al fin de la mesa:

—Me voy. Mala suerte hoy, y la hora que es ya, si alguien viene, viene borracho; y con borrachos no quiero nada.

—¿No te bebes tu vino?

—No. Me sentaría mal con las tripas vacías.

—No sé. Si no alimenta, calienta el cuerpo…

La mujer no replicó. Camino de la puerta tropezó con una cadera en la esquina de la mesa, y el vaso solitario en el otro extremo se echó a temblar, lanzando chispitas rojas contra la luz.

Cuando se cerró la puerta, la muchacha se levantó y se bebió el vaso de vino abandonado. Llenó otro vaso para Antolín, se lo trajo y dijo:

—Toma, bebe. Esta vida es un infierno.

—¿Qué es lo que le pasa?

—Que tiene hambre. Y no es cuento.

Antolín volvió a sentir una contracción en la boca del estómago. Se quedó mirando las manos de la muchacha, en reposo sobre su falda, porque no se atrevía a encontrarse con su mirada. Ella siguió la dirección de los ojos de él y levantó las manos, como mostrándoselas:

—Tampoco esto es cuento.

Las yemas de los dedos estaban roídas por una rejilla de cicatrices. Antolín tomó las manos en las suyas y se quedó mirando las extrañas marcas. En los diez dedos.

—¿Qué te ha pasado en los dedos? Nunca he visto nada semejante.

—¿Quieres ahora mi historia de verdad? Pues vas a tenerla. Ellos me han puesto así. Tú no eres uno de ellos, ¿verdad? —Se contestó a sí misma—: No, no lo eres. Bueno, cuando estalló nuestra guerra, mi hermano estaba en el servicio y era cabo del Cuartel de la Montaña. Mi madre se murió mucho antes, mi padre y yo vivíamos solos. Él trabajaba y yo también; yo tenía un buen trabajo, bordadora de oro fino. Bordaba casullas y estolas y los beatos me pagaban bien. Después del asalto al Cuartel de la Montaña, mi hermano se presentó en casa en mangas de camisa, con un fusil al hombro, y así se marchó a la sierra. No le volvimos a ver más que una vez antes de que quedara fijo en uno de los batallones de la sierra. Y cuando terminó la guerra creímos mi padre y yo que lo habían matado. Yo volví a trabajar, porque para mí siempre habría trabajo, me dijeron. Mi padre no. Estaba enfermo. Pero de verdad no podíamos quejarnos. Hasta que una noche, un año después de estallar la guerra europea, la policía se prensentó en casa y se llevó a mi padre. Primero le preguntaron dónde estaba escondido mi hermano, y cuando les dijo que no lo sabíamos, ni sabíamos que estuviera vivo, se llevaron a mi padre a culatazos. Yo me fui con ellos y les pedí que le soltaran. Esto pasó en 1940, cuando fusilaban a la gente al día siguiente de detenerlos. Les conté que mi padre y mi hermano hacía muchos años que habían regañado y no se habían vuelto a hablar, y que yo era la única que sabía dónde se escondía mi hermano. Le soltaron y me llevaron en su lugar. Yo no tenía la menor idea de lo que mi hermano había hecho, ni dónde estaba, pero me interrogaron. El jefe de ellos era un alemán a quien llamaban Carlos. Me pegaron, me retorcieron los brazos pero nada les podía decir, porque nada sabía. «Está bien», dijo uno de ellos, «nos vamos a traer a tu padre y le vamos a dar un paseo delante de ti». Entonces, el alemán, Carlos, dijo: «No, a esta fierecilla la domo yo, vosotros tenéis unos métodos muy primitivos». Me puso en todos los dedos una especie de dedales de tela de alambre, con un flexible de la luz atado a ellos. Lo enchufó en la luz y se echó a reír: «Con que tú eres bordadora en fino, ¿eh? Pues te voy a dar un tratamiento que vas a bordar más fino aún». Dio a la llave de la luz y los dedales de alambre se pusieron al rojo vivo como los alambres de un hornillo eléctrico, y me abrasaron los dedos. Afortunadamente, me desmayé. Al día siguiente me hizo lo mismo en los pezones.

La muchacha se desabrochó la blusa y sacó un pecho. El pezón estaba roído. Se echó a reír con una risita seca que hizo marearse a Antolín, y siguió con su voz grave de contralto, algo ronca:

—A la mañana siguiente me pusieron en la calle. Uno de ellos me dijo: «Le puedes contar a la gente lo que te dé la gana, que te has caído en el fogón o que te has quemado con una sartén llena de aceite, porque también damos el paseo a las buenas mozas». Yo le pregunté: «¿Es que han cogido a mi hermano?». Se echó a reír: «Anda, no preguntes. Márchate y no te metas en líos». Más tarde mi padre y yo nos enteramos de que mi hermano estaba en Francia y que precisamente entonces nos había escrito una carta que nunca llegó. Me podían haber tratado peor. Después doña Consuelo se encargó de mí. Mi padre cree que aún estoy bordando —agregó con una sonrisa amarga.

Ahora sí, Antolín sentía un impulso de tomarla en sus brazos. Pero para ello hubiera tenido que ser su amante o su marido, o alguien a quien ella quisiera, alguien que tuviera el derecho de abrazarla, de protegerla, de besarla, de hacerla sentirse feliz transmitiéndole su calor humano. Se sentía estúpido, no sabía qué hacer o qué decir. Las palabras que se formaban en su cabeza eran vacías y vanas. ¿Qué otra cosa podía hacer? ¿Darle dinero? Lo que ella necesitaba era lo que él no podía darle: consuelo, cariño, un escape de la cripta obscura a una casita llena de sol. Las luces desbordantes del comedor de doña Consuelo debían lanzar más sombras negras dentro de ella.

Los dos estaban sentados en silencio aún, cuando el coronel hizo una pomposa entrada en la habitación escoltando a su compañía:

—¿No ha vuelto aún el viejo? ¡Bravo, es un flamenco! —gritó. Se fijó entonces en el pecho desnudo de la muchacha, que había olvidado abrocharse la blusa, y estalló en una risa babosa—: ¿Es eso todo lo que habéis hecho?

Ella enrojeció dolorosamente y Antolín sintió el deseo de patearle las tripas. Don Tomás llegó en este momento crítico, carraspeando, la cara amoratada. Estaba de buen humor y gritó:

—Vamos a echar un trago. Usted y yo —agregó dirigiéndose a Antolín— nos veremos el lunes y hablaremos de negocios. Don Alfonso me ha contado todo. Pero ahora el que tiene hambre soy yo. —Cacareó—: Qué, chicas, ¿quién quiere cenar conmigo? ¿Eh? Al fin y al cabo la vida no es tan mala como la pintan.

8

Pedro sacó un puñado de billetes, los tiró sobre la mesa y comenzó a alisarlos uno a uno. Había comprobado que con las mujeres era una buena táctica tomar su dinero, hacerlo una pelota en la mano y metérselo en el bolsillo descuidadamente, como si fuera sin interés. La colecta de aquella noche había sido buena. Naturalmente, los sábados era la mejor noche, cuando los hombres tienen la paga fresca en el bolsillo y no tienen que preocuparse en madrugar al día siguiente. Incluso ahora, a las tres de la mañana, el negocio iba viento en popa. Cuando pasó por delante de la pastelería de Antón Martín, estaba lleno. El dueño debía de pagar comisión a todas las prostitutas del barrio, porque siempre convencían a sus clientes para que pagaran un bocadillo y algo de beber antes de acostarse con ellos, aunque tuvieran mucha prisa. Y muchas veces después.

Cerca de trescientas pesetas. No estaba mal, teniendo en cuenta que sólo tenía tres chicas trabajando para él. A lo mejor podía cazar a la cuarta. Por otra parte, si el asunto con Puchols salía bien, o si, aún mejor, Consuelo le dejaba entrar en el asunto de la cocaína, las mujeres le iban a estorbar. Todo dependía de si podía ordeñar al viejo o no. Estaba seguro de que podría.

Pedro se sonrió. Tenía gracia que la beata de su hermanita y su curita preferido se convirtieran en sus instrumentos sin quererlo. Ellos eran los que habían arreglado la comida de mañana —no, ¡de hoy!— que iba a ser su oportunidad. ¡Vaya un golpe de suerte que esta misma noche se había enterado al fin de quién era su padre! El viejo hipócrita, con toda su decencia y su honradez, yéndose de juerga a casa de la Tronío, y del bracete con Caro... Le gustaría conocer todos los detalles, pero ya se iba a enterar por la tarde, que iría a ver a Consuelo. Después de su charla con la Pelo de Estopa —una estúpida cría que había abrasado su pelo con agua oxigenada, aunque viejos chochos como don Tomás picaran— era muy tarde para ir allí. Incluso Consuelo le hubiera podido echar a la calle. ¡Tomaba tan en serio el negocio! De todas las maneras, «el tío de Londres» que la Pelo de Estopa le había descrito no podía ser más que su papaíto, y por esto apostaba todo el dinero que había en la mesa. Era una información buena para tenerla escondida en la manga y sacarla a relucir en el momento oportuno. Una cosa era segura: desde que su padre andaba con Caro y su pandilla, ni Amelia, ni su padre Santiago, ni el obispo de Madrid-Alcalá en persona iban a sacar un céntimo de él para la Iglesia para redimir sus pecados, y el idiota de su hermano Juan tampoco iba a sacar tajada con su estúpida historia del trabajo ilegal. Esto era una chiquillada, pero también era arriesgado para todos dejarlo por mucho tiempo. En fin, era un asunto que podía esperar. Aunque nadie sabe.

La cuestión era que su padre, tal como parecía ser en realidad, tenía que estar más dispuesto en meter sus cuartos en un negocio limpio, como el del arroz, que en gastárselo en caridad o en comunismo. Tal vez hasta le dejara a Pedro meterse en cosas más gordas, cuando volviera a Londres; porque ahora no tenía duda de que no se quedaba en España. Adiós, muy buenas; sobre todo si antes de marcharse le dejaba a él establecido. Tendría gracia si el hijo que los otros llamaban golfo y sinvergüenza se convertía en el socio de las granujadas de su padre. Y tenían que aguantarse.

Claro que eran granujadas, no podían ser otra cosa. Costaba trabajo acostumbrarse a la idea de que papá no era una persona decente, sino como los demás, a la caza de lo que se terciara. No era que Pedro lo quisiera más por ello; al contrario, lo quería menos. Lo hacía sentirse idiota por haberse dejado engañar.

Pedro estaba contemplando una escena en la que podía confundir a su hermano, contándole las cerderías de su padre, cuando su hermano se presentó en la habitación. Pedro silbó entre dientes:

—¿Has estado pegando pasquines en los meaderos? Yo creía que a estas horas los niños estaban en la cama.

Juan, mirando el dinero sobre la mesa, replicó:

—Mejor eso que cobrando la contribución.

Pedro metió el dinero en su cartera, muy calmoso, y golpeándola dijo:

—Mientras haya primos como tú que paguen por ello...

Se enzarzaron en una de sus peleas habituales, hablando en voz baja para no despertar a la madre y la hermana, repitiendo mecánicamente insultos ya familiares, odiándose furiosamente en el fondo. Pedro cortó la rociada. En una voz aún más baja, dijo:

—Cállate ya. Me alegro de que hayas venido. Tengo que hablarte seriamente sobre mañana; lo demás puede esperar. Mira, a mí me da lo mismo si has estado pegando letreritos o gastándote los cuartos con una tía para que yo me hinche el bolsillo. Cada loco con su tema. Pero mañana, papaíto viene a comer aquí y tú tienes que tener cuidado de no meter la pata. Tenemos que aparecer como una familia cristiana muy unida, que se quiere mucho, y mostrarle que la única persona indigna que hay aquí es él, que ha abandonado a su mujer y a los pobres chiquitines. Después cada uno puede tratar de sacar lo más que pueda. Y lo que saques, buen provecho te haga.

—Yo no tengo el ansia sin vergüenza que tú tienes.

—Bueno, sacarás menos. Allá tú. Lo único que yo quiero tener seguro es que no nos salgas con unos de tus trucos y le asustes. La hermanita ya sabe mirar por ella, yo voy por lo mío, y no me importa que tú vayas por lo tuyo. Por mí, puedes sacarle mil libras y mandárselas a Stalin como un regalo el día de su cumpleaños. Pero si empiezas a darle tono y a jugar el papel de redentor, te rompo la cara.

—Haré lo que me dé la gana. Ya sé que todos vosotros vais a lo mismo, a pelarle. A robarle.

Sin que ninguno de ellos se enterara, habían ido elevando el tono de voz y la cortina que cerraba el cuartucho donde dormía Amelia se había corrido sin ruido. La muchacha estaba allí, escuchando, mientras Pedro decía despacio y amenazador:

—Tú puedes creer lo que quieras, pero vas a hacer lo que te digo. Si nos estropeas la función, te echo a patadas de aquí. Ya estoy harto de alimentar y proteger a mi hermanito, el comunista.

—Serías capaz de denunciarme.

—Si él no es capaz, lo soy yo —dijo Amelia.

Entró en el cuarto andando sobre los pies desnudos, envuelta en una bata vieja, el pelo lleno de rizadores de papel. Se dirigió a Pedro y le tomó del brazo. Asombrado, se quedó mirándola con la boca abierta, y al cabo se echó a reír.

—¡Mírala y aprende, Juanito! Yo te echo a patadas, pero ella te saca los ojos. Mírala a la cara. Hasta la hace parecer más guapa, lo único que la afea son las pajaritas que se ha puesto en el pelo. ¿Para qué son, rica, para conquistar a papaíto mañana?

La cara de Amelia se contrajo como si fuera a llorar, según costumbre, pero se rehízo:

—Una no puede esperar otra cosa de ti. Los hombres... En fin, al menos eres sensato en las cosas que importan, pero Juan es un estúpido criminal y es tiempo que...

En este momento, la señora Luisa abrió la puerta de su alcoba y se enfrentó con sus hijos, los ojos llenos de furia, los labios temblones y la cara tensa y amarilla como de cera. Se quedaron todos en silencio. A través de los tabiques se oyeron ruidos de chirriar de camas, carraspeos y ronquidos. En el pequeño cuartucho, el calor suave de una madrugada de septiembre oprimía; a través de la ventana entraba sólo el aire denso y podrido del patio. La madre dijo secamente:

—A la cama cada uno. Ahora mismo. Estáis locos, chillando a las cuatro de la mañana, ¡en una casa donde se oye al vecino cuando mea en el orinal! Sabiendo que se dejarían matar por saber algo, y vosotros aquí, gritando lo que a nadie le importa. ¡A la cama, y ni una palabra más! ¿Oís? Y tú, Juanito, no te quedes ahí como un pasmarote, ¡mírame!, mañana te vas a portar decentemente. Tu hermano será lo que tú quieras, pero le tienes que agradecer el pan que te comes. Tu padre ha venido aquí de visita —repitió con una vehemencia amarga, «de visita»—, y no vamos a lavar los trapos sucios delante de él.

—Pero, madre, Pedro dice...

—No me contestes, Juan. A la cama, todos. Ahora mismo.

Precisamente porque cada uno de los tres estaba más o menos asustado de seguir su discusión, por una vez la señora Luisa consiguió imponerse. Los hermanos se metieron en la alcoba donde dormían en la misma cama y se desnudaron rápidamente en un silencio hostil. Amelia empujó a su madre en su pequeña alcoba, con gestos de cariño:

—No te enfríes, mamá. Tienes mucha razón con Juanito. Pero tengo que preguntarte una cosa: me parece que no tenemos bastantes cubiertos. ¿Quieres que pida algunos en el convento?

Por unos cuantos minutos las dos mujeres discutieron cuestiones domésticas, después Amelia dio las buenas noches y se retiró a su cuarto dando un suspiro. De la habitación de los hombres salía el ruido de sus respiraciones, hondo y regular. La señora Luisa apagó la luz. Se estiró en la cama, tumbada boca arriba, y se quedó mirando el punto luminoso, flotante, que la luz había dejado impreso en su retina. Era un fulgor fosforescente que danzaba en la obscuridad, desaparecía por un instante y se encendía de nuevo. La señora Luisa creía firmemente que estas lucecitas vacilantes que brotaban en la obscuridad eran espíritus que trataban de materializarse. Su secreta esperanza era que una noche una de estas lucecitas se convirtiera y tomara la figura de Teresita. Se la imaginaba chiquitina y perfecta, llena de un resplandor interno, como hecha de gasa impalpable, su cabello rubio encendido como un halo de plata. Si Teresita hubiera vivido, ella hubiera tenido su hija de verdad, su hija, la suya. Los otros no eran hijos suyos. Si una pudiera decir siempre lo que piensa...

Mirando la lucecita danzarina, suplicándola como si fuera una audiencia para sus pensamientos, la señora Luisa comenzó a formar frases que hubiera querido decir a sus hijos.

Por años y años se había aguantado su rabia contra ellos y contra el mundo. ¿Es que ella no era nada? Había aguantado a Antolín durante años, había echado hijos al mundo como una vaca, sin saber por qué; había sufrido en silencio un aburrimiento interminable; se había sacrificado por la casa como una esclava; eso, había sido la esclava de su marido y de sus hijos y no había disfrutado de la vida. Cuando se quedó sola y abandonada, no había echado a los chicos a la calle para que se las arreglaran como pudieran, como otras habían hecho. Los había sacado adelante, aguantando por ellos hambre y miseria. Y ahora estaban allí, alrededor de la mesa, gruñéndose unos a otros como perros que se pelean por un hueso, olvidando a la propia madre, como si fuera una perra vieja muriéndose en un rincón. Pero ella también tenía sus derechos; ella era el ama de casa. Tendrían que hacer lo que ella mandara, y el que no estuviera conforme podía tomar la puerta y marcharse.

Les hubiera dicho todo esto y mucho más, pero había aprendido lo que vale tener paciencia. Ya iba a llegar su hora, y entonces...

Se sentía más fuerte que nunca. Estos hijos egoístas que eran para ella como extraños, le habían tenido que obedecer y callarse. Teresita le había ayudado. Si no se hubiera metido por medio, los dos hermanos podían haberse dejado llevar de la mala sangre que llevaban dentro y cometer cualquier bestialidad. Le dio un escalofrío. Era mejor no tener malos pensamientos, porque nunca faltan los espíritus malignos que los conviertan en realidad. Tenía que rechazar una y otra vez la pregunta que le venía sin cesar al pensamiento: si uno de ellos tenía que pagar, ¿cuál de los dos preferiría ella que se salvara? Pedro no era malo, hasta quería guardar las apariencias decentemente mañana. Amelia también. Pero si Teresita viviera en carne y hueso...

Parecía que se le había parado el corazón: la mancha de luz había desaparecido. Estaba sola en la obscuridad, apretándose los ojos con las palmas de la mano para no ver esta negrura insondable. Cuando abrió de nuevo los ojos, dos discos iridiscentes flotaron ante ellos. La señora Luisa respiró profundamente.

Tal vez mañana le llegaría su hora.

Antolín había vuelto. Esto era lo principal. Estaba cansado de rodar por ahí. Los hombres a los cincuenta años comienzan a sentirse viejos; les hace falta una casa donde se sientan seguros. Antolín había vuelto porque le había entrado morriña, y ella había sido una tonta en no verlo la primera vez que habían hablado en la pensión; debía haberle tratado como al muchacho que se escapa de casa y vuelve arrepentido. Seguramente le llamaba su propia sangre y quería pagar lo que había hecho. Si no había mostrado su remordimiento, es porque los hombres son así, tímidos y estúpidos. Y ella tampoco le había dado pie para que se expansionara, porque había dejado que la dominara el rencor. Pero la verdad era que había vuelto por ella. No tenía familia, ni hermanos, ni padres y era ella todo lo que le quedaba; bueno, y los chicos, pero con ellos no podía contar, igual que ella no contaba, y no tardaría mucho en enterarse.

Querría volver a levantar la casa con ella, como debía ser.

Pero... ¿vivir juntos, dormir en la misma cama, y tener a los chicos con ellos? No. Esto no estaría bien. El mero pensamiento de tener un hombre en su cama le daba escalofríos. No es que le pasara lo que a una vieja solterona que se asustara al pensamiento de un hombre, porque los hombres tienen siempre deseos ocultos y sucios. Era otra cosa: durante todos los años de matrimonio se había conservado virgen en espíritu, y al fin su contacto con el mundo espiritual la había ennoblecido. Se daba cuenta de que ella era de barro más fino que todos esos y esas que sólo siguen sus groseros placeres materiales. Antolín se daría cuenta y se conformaría al fin. Tendría que aguantarse, si es que quería que le perdonara. ¿Los hijos? En el nuevo piso que Antolín tendría que tomar no habría sitio para ellos. No esperaba que Antolín se gastara una fortuna en un piso grande, todo lo que quería era un piso decente donde se pudiera vivir y donde ella pudiera recibir a sus amigas. Los dos hermanos eran bastante mayores ya para mantenerse ellos solos. No le sería muy difícil convencer a Antolín de que tenía razón en esto. Amelia se casaría ahora, o si no, podría meterse en el convento con una dote decente. Se quedarían solos Antolín y ella, y él tendría que pagar su deuda.

Se imaginaba su futuro hogar, habitación por habitación. La casa de una señora. Antolín estaría fuera casi todo el día, metido en sus negocios. Pondría un cuartito para don Américo y ella. Hablarían con Teresita y dejarían que su espíritu se quedara cerca con ellos. Tenía que preguntarle a don Américo si tenía ella condiciones de médium; estaba segura de que sí. En cualquier caso la tal Conchita no tendría entrada en su casa. La señora Luisa odiaba sus maneras de hablar, tan desvergonzadas. Naturalmente, hasta entonces don Américo no tenía otro médium, pero en cuanto estuviera instalada, sería distinto. Le tapizaría la habitación con terciopelo negro y le pondría una gruesa alfombra, también negra. ¿Negro, o rojo obscuro?

Suavizada por el pensamiento del terciopelo, obscuro y

acariciador al tacto, y tratando de amueblar con la imaginación su santuario, la señora Luisa se hundió en el sueño.

La luz y el ruido despertaron temprano a Antolín. Aún no estaba acostumbrado a la luz penetrante de Madrid que pasaba a través de las cortinas. Cada mañana despertaba con la misma sensación de que un rayo del sol le apuñalaba los ojos. Hoy le era imposible volver a conciliar el sueño. De la calle subían las risas y los gritos de gente joven que iban a su excursión dominguera. Por el balcón entraba una brisa fresca que le hizo apelotonarse en la blandura voluptuosa de la cama. Esto no era un domingo londinense. Todo era distinto. En Londres las calles estaban desiertas y muertas a esta hora, aunque había compensaciones. Trató de imaginar lo que Mary estaría haciendo en aquel momento.

Sintiéndose agradablemente travieso, como si estuviera haciendo novillos, Antolín se permitió a sí mismo lanzarse a evocar las mañanas de domingo cuando Mary y él estaban en libertad de quedarse en la cama. Mary se acurrucaba entre las sábanas, muy pegadita a él, pero hacia las diez, echaba mano de toda su energía y como un héroe se levantaba. Se ponía unas zapatillas y una vieja bata y se enfrentaba con la eterna humedad de Londres que parecía filtrarse en los huesos a través de su piel. Era él el que preparaba el desayuno. Las gentes de Madrid se hubieran reído y le hubieran gastado bromas si le hubieran visto. Por algún tiempo se había sentido avergonzado de hacer, como un mariquita, lo que siempre había considerado la obligación de la mujer, pero ahora le agradaba. Estos tontos no sabían lo que se perdían. No era muy agradable meterse en la cocina, hacer té, tostar el pan, cocer los huevos, pero después, cuando todo estaba hecho ¡subir y encontrarse un nidito caliente y dentro de él el cuerpo también caliente de la mujer! No sabían lo delicioso que era verse compensado por unos pocos minutos de molestia con el placer infantil de ella de verse mimada, con todas las bromas y todos los mimos que se prodigaban uno a otro mientras se bebían su té y hacían crujir las tostadas entre los dientes, hasta que las sábanas se llenaban de miguitas que se hincaban traviesas en la piel. Era un buen principio de día. Pero estos maridos chapados a la antigua se quedaban en la cama solos con la cabeza pesada de la noche anterior y terminaban gritando de mal humor: «¿Me traes el café o qué?», para recibir la respuesta: «Hijo, ¿no te puedes esperar que me recoja el pelo?».

Tenía que escribir a Mary. No le había escrito más que unas líneas el día siguiente a su llegada. No es que se enfadara por ello, la conocía muy bien. Pero debía contarle lo que había imaginado, para que se divirtiera.

¿Qué iba a contarle de sus problemas que eran también los de ella? No había hablado mucho de ello, primero porque ella nunca había provocado la cuestión, segundo porque siempre tenía él la sensación de que era un lío demasiado grande. Lo único que Mary había hecho había sido empujarle y decidirle a que fuera a Madrid, pero sin argumentar sobre ello.

Mary era una madrecita buena y sabía que era mucho mejor que él se confrontara con la realidad sobre la cual se había hecho tantas ilusiones, que pasarse la vida discutiendo sobre ello.

Aún no se había atrevido a preguntarse a sí mismo si iba a marcharse de Madrid o no. Se sentía derrotado, pero aún en la peor derrota uno se aferra a la más mínima esperanza de que todo saldrá bien al fin. Y no podía, simplemente no podía, sentirse culpable en el sentido del padre Santiago, aunque durante la discusión con él había pensado que lo era.

Antolín se revolvió inquieto en la cama.

El padre Santiago estaba equivocado. Era pecado actuar contra la propia conciencia, pero no era pecado cometer errores humanos. Uno tiene que pagar por sus errores, pero no hay razón para condenarle por ellos. Las doctrinas de la Iglesia no le servían para nada. Pero estas doctrinas le habían hecho aceptar, por un momento, las definiciones del padre Santiago, y habían hecho que otra gente le considerara como un pecador culpable. No creía más en estas ordenanzas, pero tampoco podía olvidarlas. ¿O había algo más que trataba él mismo de ocultarse? Mucho antes de hablar con el padre Santiago, se había sentido culpable; hacía ya años en Londres. No era un hombre religioso. En algún momento de su vida o de su desarrollo mental, su visión de sí mismo se había distorsionado.

¿Y ahora? Tal vez estaba cometiendo otro error diciéndose que él no tenía la culpa.

¿Qué errores eran los suyos? Uno, indudablemente, había sido casarse con Luisa sin un cariño y una compenetración de verdad. Sí, pero este error era el error corriente de gente joven y él había aceptado las consecuencias. Se había dedicado a su casa y a sus hijos. ¿Había sido un error tener hijos? Si lo había sido, era un error bien humano. Sólo que son los hijos los que pagan por ello. Dicen que los hijos son una compensación en un matrimonio sin amor, pero esto no era verdad. No había derecho a considerar a los hijos como una compensación por algo que no se había tenido; pensar así era egoísmo. Él había querido a sus hijos, los había mimado, había concentrado en ellos su ternura sobrante, pero, ¿no podía ser también que hubiera tratado de comprar su derecho a exigir que ellos le amaran? Desde luego todo aquello no le había ayudado a conocerlos mejor, a penetrar en ellos, con el resultado de que ahora le eran extranjeros que le miraban como a un extranjero. Cada error llevaba consigo su castigo. Se lanzó a pensar si su propia madre le habría entendido, y si las cosas hubieran sido diferentes si hubiera vivido.

Su participación en la Guerra Civil no había sido un error. Había seguido su credo, sin engañarse a sí mismo ni a otros. En realidad era la única cosa clara y limpia que había hecho. Había tenido razón. Y la Guerra Civil le había arrancado de su vida. Le había arrancado de raíz, de golpe y porrazo. Éste era el origen de todas sus tribulaciones.

No, tampoco esto era verdad. ¿Qué raíces le había arrancado la guerra? Cuando la guerra estalló, su casa no tenía raíces profundas; se sentía con unos pocos tentáculos débiles y miserables, escasamente suficientes para evitar que se derrumbara todo. Antes de aquello se había sentido ya desarraigado. Así, ¿qué raíces eran las que había arrancado la guerra? Tenía que dejar de dar vueltas en su cabeza a lo que había ocurrido, sin más excusas y sin más frases hechas. Tenía que resolver la cuestión hoy, hoy sin falta. La guerra no le había quitado nada de lo que no tenía, cuando le había desarraigado de España. Pero, entonces, ¿por qué esta urgencia en volver? ¿Por qué estas noches sin dormir en Londres, devanándose los sesos para encontrar una excusa para volver? Había encontrado una nueva vida en Londres, con una mujer a quien quería y que le quería —ésta era la verdad, él quería a Mary y Mary le quería a él— aunque no estuvieran enamorados como la gente lo entiende. Tenía todo lo que siempre había deseado, una vida libre en un país libre, un cariño que compartir. Podía volver a Inglaterra, cumplir sus obligaciones materiales con Luisa y los chicos y vivir su propia vida con tanta felicidad como pudiera. Pero, entonces, ¿por qué aún se sentía infeliz al pensar en ello?

Era imposible escribir a Mary sobre esto. Le contaría cómo había encontrado las cosas en España y le anunciaría su vuelta a Londres. ¿Y si le dijera que fuera ella la que viniera a España?

Al principio lo pensó como una broma. Tendría gracia ver a Mary en una casa de vecindad. No, no tendría mucha gracia; chocaría con todas las vecinas, sufriría a cada momento. En todo caso sería difícil sacarla de Inglaterra, pero España la destruiría. Se encontraría terriblemente sola aquí, aun con él. Era absurdo pensar en ello. Pero, ¿por qué iba a ser peor que su vida solitaria en la pensión de Londres?

Al llegar a este punto, Antolín se dio cuenta de pronto de que las cosas se aclaraban. Había encontrado la raíz rota. Siempre había tenido miedo de la soledad. No es humano ser un solitario, y en Londres era un solitario con Mary, tanto como ella lo sería con él en España. Por esto era por lo que había tenido que volver a España.

Hacía muchos años que había rechazado todas las inclinaciones nacionalistas. Se había considerado un ser humano, ciudadano del mundo, nacido por azar en un punto geográfico, igual que podía haber nacido en otro. Esta actitud suya le había ayudado a aclimatarse en Londres y a no sufrir la nostalgia agresiva de otros refugiados. Aunque le disgustaban algunos aspectos de la vida inglesa, y otros aún le chocaban, había encontrado fácil el encariñarse con el país y con sus gentes tal como eran. Había hecho comparaciones del valor que se daba a la vida humana en los dos países, y se había avergonzado del poco respeto que merecía en su país. Algunas veces pensaba que le hubiera gustado haber nacido inglés. Ahora descubría de golpe que se había estado engañando a sí mismo. Era español y no podía escapar de esta realidad. Había estado echando de menos todo lo que le había formado, lo bueno y lo malo. Claro que sería feliz si pudiera vivir en España con Mary; en España, donde cada ruido, cada olor, cada visión representaban algo para él.

¡Oh!, tampoco esto era verdad. Aquí también era un extranjero solitario. Antolín golpeó desesperadamente la almohada con los puños. Nada parecía ser verdad. No se sentía feliz en España. No en esta España de Franco, tampoco en la España que le había formado tal como era y que había formado a otras gentes tal como eran. La muchacha con los dedos chamuscados... No, no era sólo esto.

Se quedó quieto, boca arriba, agotado por esta tempestad en su cabeza. Y a su mente vacía vino un recuerdo de dos años antes. Mary y él habían ido en autobús al sur de Inglaterra, porque querían conocer la playa de Brighton. Fue hacia fines de mayo. En el camino pasaron un largo trozo de carretera que corría en la falda de un cerro y dominaba, como desde un balcón, una inmensa llanura suavemente ondulada, verde, muy verde, absolutamente inglesa. Los campos moteados con casitas y granjas, arroyuelos azul y plata enroscándose entre la hierba jugosa, las laderas salpicadas de florecillas amarillas y blancas. Vacas canela y blanco, negro y blanco, dispersas por el paisaje, rumiando perezosas, y pajarillos diminutos revoloteando en todas partes: en los campos, en las cercas donde la primavera estaba en flor, y en el cielo bajo y azul pintarrajeado de nubes de algodón. Sin darse cuenta, Antolín había dicho en español, en voz alta: «Tirar una piedra aquí sería una blasfemia». Cuando Mary le miró asombrada, explicó: por un momento había imaginado, sobrepuesta en el paisaje inglés, la llanura pelada de Castilla, la tierra parda cocida de sol, seca y dura, la línea esquelética de los postes del telégrafo, el pajarraco negro y solitario y el perro flacucho que incitaba al viajero a agarrar un terrón y tirárselo. No por brutalidad sino por la necesidad de afirmarse como un ser vivo bajo el cielo sin fondo, frente a la tierra implacable.

Antolín se tiró de la cama y abrió los dos grifos del agua. Su gorgoteo y sus salpicaduras le disiparon el tumulto de ideas que llenaba su cabeza y le dejaron aliviado, pasivo, con un vago deseo físico. Le hubiera gustado ver a Mary sobre el lecho vacío. Había contado los días desde que se separaron. De pronto recordó el contacto de la carne firme, bajo seda, del muslo de la muchacha, la última noche. Había sido un tonto en no acostarse con ella. Se sentía avergonzado y no sabía si era por este pensamiento irremediable o por no haberlo hecho.

Se vistió cuidadosamente, porque le entretenía. Antes de terminar, la doncellita llamó a la puerta y entró con su descaro ingenuo:

—Abajo hay una señora que quiere verle, y ¡guapa que es! Le espera en el comedor.

Su visitante le era completamente extraña. Una mujer hermosa, como la pizpireta muchacha había acentuado. Se levantó y le dijo:

—Usted es el señor Antolín, ¿verdad? Naturalmente, usted

no sabe quién soy yo. Soy una amiga de Eusebio. Me llamo Conchita, bueno, todo el mundo me llama Conchita, porque esto de María de la Concepción es más largo que un tren de mercancías, ¿no le parece? —Se echó a reír con una risa fresca de un niño travieso y Antolín tuvo que reír con ella.

—¿Y qué puedo hacer por usted o por Eusebio? Pero, no, ya me lo dirá. ¿Ha desayunado usted?

—Sí, aunque para decir la verdad, como si no. Un tazón de agua de castañas y un bollo. Me puedo comer seis desayunos iguales todos los días.

—Bueno, entonces va a desayunar conmigo, aunque me parece que el café aquí no va a ser mucho mejor. Pero espere, todavía me queda un poco de café en mi cuarto y si se lo pido a doña Felisa, vamos a tener café de verdad.

—¿De verdad? ¿De Londres? ¿Verdadero café?

—Verdadero café, se lo juro.

—¡Ay, qué tío más salao! —Conchita se mordió la lengua y enrojeció.— ¡Qué diablos!, me tiene usted que tomar como soy. No lo puedo remediar, cuando se me viene a la lengua lo suelto, porque si no reviento. La última vez que me invitaron a café de verdad le di al amo de la casa tal beso que su mujer me pellizcó y me hizo un cardenal como un duro. Pero esto hace mucho tiempo.

Antolín tocó el timbre y doña Felisa apareció tan en el acto que era perfectamente claro que estaba aguardando su oportunidad para ver quién era la visitante de Antolín. Entró ostentosamente, con su manojo de llaves en una mano y sus gafas colgando sobre el pecho. Las gafas eran un arma terrible que sabía usar diestramente cuando quería hacerse antipática a alguien.

—Buenos días, don Antolín. ¿Ha llamado? La muchacha le va a traer en seguidita el desayuno. Supongo que es lo que usted quería. Hoy ha madrugado mucho... ¡Ah!, pero ya veo que tiene usted visita. —Se inclinó ligeramente en la dirección de Conchita.— ¿Va a tomar café con usted la señora?

Conchita estalló en risa:

—¡Atiza, «la señora»!

Doña Felisa le miró la cara franca y vivaz, y sonrió:

—Hijita, como quiera. Conste que no he querido ofenderla.

—No, si no me ha ofendido, sólo que me ha hecho reír eso de «la señora».

Antolín, contento de ver que a doña Felisa le había caído en gracia Conchita, hacia la que se sentía responsable, sin saber por qué, explicó a su patrona dónde estaba en su cuarto la preciada lata de café, y le pidió que se la diera a la cocinera para que hiciera un buen café para todos:

—Creo que aún hay para dos tacitas cada uno, incluyéndola a usted, doña Felisa.

—¿Dárselo a la cocinera? ¡Este hombre está loco! Lo voy a hacer yo misma, si no quiere que se lo beba ella y nos dé café del nuestro, que ya sabe a lo que sabe. Espero que no se me haya olvidado cómo hacer café, aunque con estos ladrones de estraperlo pidiendo sesenta pesetas por un kilo, ni yo misma lo puedo tomar; los huéspedes, mala suerte para ellos, pero por lo que pagan no pueden pedir gollerías. Bueno, en un minutito está hecho, don Antolín. Aunque me parece que tiene usted buena compañía...

Cuando doña Felisa salió, Conchita empezó a explicar por qué había venido:

—Ha sido el señor Eusebio que creía...

—Mire, Conchita, deje la historia hasta que hayamos tomado el famoso café. Después prometo no interrumpirla. Además, tengo que confesar que me zumba la cabeza. Ayer no he parado un minuto y me he ido a la cama muy tarde.

—¿Conque de juerguecita? Nadie creería que usted también es de ésos. Todavía está malito el señor.

—Sí, Conchita, muy malito; me hace falta que me cure alguien como usted. —Antolín se interrumpió, sorprendido él mismo de lo que acababa de decir, y miró a Conchita que a su vez le estaba mirando con ojos curiosos y descarados. Era verdad. Se sentía a gusto con ella. Le recordaba a Mary, no en el tipo, pero sí en su aplomo alegre y su piel bajo la que se veía un torrente de vitalidad.

Conchita puso ambos codos sobre la mesa, arqueó cómicamente las cejas y dijo:

—Creía que era usted mucho más viejo, por lo que el señor Eusebio me ha contado; y diferente, muy diferente.

—¡Ay!, mi hijita, tengo cincuenta, que ya es bastante.

—No, me está tomando el pelo.

—No, es el clima inglés. No hay sol y yo tengo la piel como las nalguitas de un niño.

—Usted lo que es, es un tío guasa. Lo que tiene en vez de cincuenta es mucha presunción y mucha cáscara. Conozco un montón de tíos de cincuenta, y los que no son tripudos, chochean ya.

Aquello no era más que un juego que los tenderos saben manejar muy bien, pero Antolín no podía evitar su contento. Hasta pudiera ser que ella lo dijera de verdad, sin saber que estaba atizando una de sus mayores vanidades.

—Me crea o no, Conchita, es la pura verdad. ¿No le ha contado Eusebio que mi chico mayor tiene ya veinticinco?

Sabía ella demasiado del hijo mayor de Antolín, y para no meterse en terreno resbaladizo, exageró la adulación:

—Sí, me lo ha contado, pero eso no quiere decir nada; me apuesto que usted empezó tempranito.

—Ahora me llama un calavera. Aún, si me hubiera encontrado con una criatura como usted... ¿Cuántos años tiene, se puede saber?

—No, señor, no se puede saber. Para servirle, escoja entre veintitrés y cincuenta.

No, Antolín nunca había tenido la gracia del chulín madrileño. Le hubiera gustado seguir el tiroteo de frases que le alegraban y le despejaban la cabeza, pero la lengua se le trababa. Cambió de tema:

—Si la edad es un secreto, guárdelo, pero al menos dígame de qué conoce a mi viejo amigo Eusebio.

La cara de Conchita se le iluminó con una sonrisa:

—Soy su masajista.

Antolín soltó una carcajada. Sólo al diablo se le podía ocurrir la idea de Eusebio sometiéndose a masajes. Conchita afirmó con seriedad burlona:

—Sí, señor, su masajista, aunque no lo crea. Le puedo decir cuántos lunares tiene en el espinazo. Y lo que es mejor aún, su masajista gratis, por capricho. Está ya viejo y seco, pero aún es divertido hacerle cosquillas. —Se puso seria.— Es verdad, aunque parezca cómico. Somos vecinos y el pobre hombre está frito con reumatismo en los riñones. Lo que los médicos llaman lumbago. Y le gusta que yo le dé friegas.

—Entonces, ¿es usted su enfermera?

—Mucho más. Soy una doctora. Sin título, pero doctora de cuerpo entero. Se cree que es otra broma, ¿no? Pero es verdad. Míreme la boca y se convence.

Abrió la boca de par en par y se inclinó a través de la mesa, casi tocando la cara asombrada de Antolín. Después cerró la boca de golpe, se enderezó y dijo:

—¿Qué, lo ha visto?

—Maravilloso, Conchita, maravilloso. Usted es la ruina de dentistas y boticarios.

—Usted está ciego, vamos. ¡Mire!

Volvió a abrir la boca y apuntó con un dedo a su paladar.

—¡De verdad! Yo no veo nada más que unos dientes magníficos y una lengüecita muy limpia.

—¡Y luego dicen que la gente que va al extranjero aprende! Si tuviera ojos en la cara, habría visto que tengo en el paladar la cruz de Caravaca.

Antolín se preguntó desconcertado qué nueva broma se le había ocurrido a la muchacha:

—¿Y qué quiere decir eso? Lo siento, pero no tengo la menor idea de la crucecita esa.

Conchita se irritó un poco:

—Hasta los niños de teta lo saben. Si una nace con la cruz

de Caravaca, tiene el don. ¿Tampoco sabe lo que es? ¿Dónde ha ido a la escuela, señor Antolín? Porque en Madrid no ha sido. Tal vez en Londres, donde saben todo lo que no sirve para nada. Mire, si una tiene el don, puede curar a la gente. Un par de besitos si están malos, y un par de lametones si es una herida. Y esto es mejor que el hueso de un santo contra la mordedura de perro rabioso.

Antolín recordaba ahora una superstición semejante entre gente de los pueblos y empezaba a creer, contra su voluntad, que Conchita estaba hablando en serio:

—Entonces, ¿es así como se gana la vida?

La respuesta de ella le confundió de nuevo:

—No sólo esto; también hablo con los espíritus.

Su incredulidad patente la hirió. Quería que se riera con ella, pero no de ella. Mucho más seriamente y con muchos más detalles, le contó su trabajo como curandera y como médium. Le daba detalles esquemáticos de sus enfermos, de sus enfermedades, de sus creencias, pero en ellos existía un fondo de ironía. No quería que la tomara ni por una charlatana sin vergüenza, ni tampoco por una creyente estúpida que explotaba a otros creyentes no menos estúpidos que ella. Quería que le creyera a pesar de la ambigüedad de su profesión (le parecía que debía pensar sobre ella como su marido muerto), porque tarde o temprano tendría que contarle todo lo que ella sabía, y temía, sobre su familia. En aquel mismo momento le costaba trabajo no contarle lo que pensaba de la señora Luisa, que era, extrañamente, su propia mujer.

Antolín no se enteraba de estas subcorrientes en lo que estaba diciendo. Estaba disfrutando enormemente con su voz cálida, viéndola gesticular como un animal joven rebosante de vida, riéndose con sus bromas. Cuando doña Felisa entró, seguida solemnemente por una camarera que llevaba en una bandeja toda la parafernalia, incluso una cafetera de plata cuyo lustre inmaculado denunciaba que acababa de recibirlo para la fiesta, se sintió casi enfadado.

La propia doña Felisa sirvió el café; dijo que no quería perder ni una bocanada «del delicioso aroma». Después se marchó a disfrutar su tacita a solas con una copita de anís, según su propia confesión. Pero cuando Conchita y Antolín se quedaron solos, su alegría sobre el café era mucho menos exuberante, y la brillantez de la charla de ella se evaporó con los últimos sorbos.

—Ahora tengo que contarle a qué he venido —dijo.

Sin darle importancia, Antolín replicó:

—Bueno, ¿qué pasa?

Por el tono, ella se dio cuenta de que no estaba de buen humor para noticias serias, y le daba pena molestarle:

—Nada bueno. Ayer por la mañana, cuando el señor Eusebio vino a casa a cenar, le estaban esperando dos de la secreta y comenzaron a preguntarle cosas sobre usted. Quién era, de qué le conocía, qué había venido a hacer aquí, por qué había ido a verle a la pensión, por qué no estaba usted en su casa, en fin, una porción de cosas. Como es un viejo zorro pensó: «Si ahora me voy a ver a Antolín, estos condenados me van a seguir y me la cargo». Porque, sabe usted, señor Antolín, por cosas más pequeñas que ésta, estos cerdos han roto los huesos a más de uno. Sin hablar de meterlos en la cárcel como primera providencia. Bueno, a lo que iba, era el día para sus friegas, así que vino a casa y me dijo: «Me vas a hacer un favor, Conchita. Mañana vas a ir a ver a mi amigo Antolín tempranito, antes de que se marche de casa, y le vas a contar lo que ha pasado, para que él sepa lo que tiene que hacer. Dile que yo les he contado a estos cabrones que ha venido para asuntos de familia y nada más; pero que no sea tonto, y si ha traído algo que le pueda comprometer, que se deshaga de ello para que no le pillen con las manos en la masa». Y esto es todo.

—¿Qué se creen, que he venido a matar a Franco?

—Yo no sé lo que se creen, pero el señor Eusebio me ha dicho que usted era uno de los nuestros durante la guerra, y que a lo mejor había traído algo de Londres o de París, cartas o listas de no sé qué. Ahora ya está advertido.

Antolín sintió un remordimiento agudo. No, no había traído ningún encargo político. Se sintió pequeñito. Eusebio le había creído algo importante; Conchita le iba a mirar con desprecio. Pero la verdad era que su viaje era completamente inocente, tal vez completamente egoísta. Ni aun la policía de Franco podía verlo con otros ojos —al menos esperaba que así fuera—. Le vino a la cabeza la frase *«germ carrier»*, así en inglés, pero rechazó la idea de que fuera a infectar a sus amigos, de que fuera a ponerles en peligro. No. Se movió siguiendo una oleada lenta de excitación sensual. Cada vez que Conchita se había movido en uno de sus movimientos espontáneos, sus piernas se habían tocado. Estiró las suyas aún más, bajo la mesita estrecha, y preguntó perezosamente:

—¿Usted cree que eso es serio? Supongo que es una rutina policíaca.

—Puede ser mucho más serio de lo que parece. Una vez que se fijan en uno, ya no le dejan en paz. Le podría contar historias, pero no quiero. Supongo que nada va a pasar, si les dice que está aquí para arreglar todo el lío de su familia. A lo mejor se lo creen, con suerte.

—Pero tengo un pasaporte inglés.

—¿Y qué? Con pasaporte inglés o chino, si no les gusta usted, se lo cargan. Es muy fácil decir que se ha escurrido en una cáscara de melón y que se ha roto la coronilla contra el borde de la acera. —Después agregó en voz bajita—: Y al señor Eusebio se lo cargan, seguro.

Pero Antolín estaba determinado a no asustarse. No le impresionaron sus palabras. Lo que estaba mirando era el baileteo excitante de una crucecita de plata que ella llevaba colgando de una cadenita. La cruz oscilaba libre, exactamente sobre el surco suave de sus pechos, donde ella se había entreabierto el pañuelo. Seguramente la plata, si se tocaba, estaba caliente, caliente de su piel firme y cálida.

Estalló:

—¿Sabe usted que es una hermosa mujer, Conchita?

Conchita ladeó la cabeza y puso ojos pícaros:

—¡Anda, Dios! Yo creía que el señor había venido desde Inglaterra para hacer las paces con su mujercita y ahora resulta que lo que quiere es un apaño.

Antolín enrojeció y retiró su pierna a toda prisa.

Conchita se echó a reír:

—No se haga el niño tonto —dijo con tono maternal, lleno de guasa—. ¿Es que se ha creído que no me he dado cuenta de que tenía una pierna pegada a la mía como si la hubiera untado con cola? Gracias a Dios que no lleva usted ligas y no me ha hecho unas carreras en mis medias de seda.

—Entonces...

—Entonces, ¿qué? ¡Tío tonto! Estese quietecito y cállese, si es que quiere que seamos buenos amigos.

Toda la energía que encierran dentro de sí los hombres tímidos estalló de pronto en Antolín. Aprisionó la pierna de Conchita entre las dos suyas y se apoderó de su mano derecha que descansaba sobre la mesa.

—Así que se estaba dando cuenta y no ha dicho nada. Le gusta, ¡vamos!

—¡Qué preguntas! Ni que fuera tonto el hombre.

Se inclinó hacia adelante y le miró a la cara con ojos brillantes de risa. Tenía los labios ligeramente húmedos. Antolín los besó. Una de las cucharillas brincó de un platillo y tintineó sobre el cristal que cubría la mesa que los separaba. Volvieron a sentarse muy erectos y se quedaron mirando:

—Ya la hemos armado —dijo Conchita.

—No se ha armado nada. Los dos estamos ya destetados y si las cosas vienen así, hay que tomarlas como vienen. No he venido aquí en busca de un apaño, y es verdad. Pero me gusta, me gusta más, mucho más que otras mujeres que he conocido. Y si yo le gusto, pues no hace falta más.

—¡Vaya un sermón padre! Siempre me habían dicho que

los tímidos son los peores, pero hasta ahora no me ha gustado ninguno. Hasta ahora. No, no, quietecito, que «bolita de sebo» no va a tardar mucho en venir con sus lentes puestos. A no ser que se haya dormido sobre el café.

—Pero esto no puede quedar así, y usted lo sabe.

En voz baja replicó:

—No, esto se hincha. Bueno, en serio. Yo me voy, que son ya cerca de las diez. Claro que nos tenemos que ver. Esta tarde a las seis, ¿le conviene?

Discutieron tranquilamente el mejor sitio donde podían encontrarse y no hicieron más planes. Cuando doña Felisa vino, sus ojos agudos no notaron más que un poquito de color en las mejillas de su huésped.

Una ancha franja de sol caía sobre la mesa y hacía difícil para Amelia el colocar el espejo en buena posición. En su cuartucho no había ni luz ni sitio para vestirse y a esta hora la sala comedor era suya por completo. Su madre zascandileaba en la cocina y los dos hombres estaban aún roncando. Contrajo los labios con disgusto. Era un ruido asqueroso que iba siempre junto con el olor a hombre que tanto odiaba.

Hoy se le ahuecaba el pelo fácilmente. No lo hacía por vanidad, sino por deber; tenía el deber de hacerse atractiva hoy. Siempre se cuidaba más los domingos. La parábola de las Vírgenes Prudentes y de las Fatuas la había impresionado cuando era aún niña. Una vez le había preguntado al padre Santiago sobre ello —era más fácil preguntarle a él que a la madre superiora—, y el padre le había felicitado por su interpretación de la historia.

¿Por qué le había hecho su madre aquella idiota pregunta? Si quería mucho a su padre, ¡vamos! Le había contestado: «¡Mamá, qué preguntas tienes!» Claro que quería a su padre. Era su obligación. No al hombre que olía a tabaco y a macho, sino al padre que Dios le había dado. Si no le mostraba los sentimientos que él esperaba de ella (y ya se había dado cuenta del hambre que tenía de su cariño, y del miedo de no tenerlo), no podía esperar influenciarle en lo más mínimo.

Tenía las manos frías y pegajosas. Se las frotó con polvos de talco y después se dio colorete en las mejillas. No le iba a durar y no le importaba, prefería aparecer pálida. Los labios eran los que tal vez estaban demasiado pálidos, pero no podía aguantar el sabor y el olor de la barrita de carmín. Seguramente era mucho más distinguido dejarse la piel limpia. Dionisio —se le frunció el entrecejo al pensamiento del novio que la abandonó— solía gruñir por su falta de coquetería, su antipatía por pintarse. La acusaba de no tener instintos femeninos; pero lo que en realidad quería decir es que le faltaban los bajos instintos de la hembra. Era verdad que la coquetería —coquetería inocente— hacía a los hombres más cariñosos y más atentos. Había tenido la prueba con su padre. También una vez lo había probado con el padre Santiago, para vergüenza suya, pero entonces tenía sólo dieciséis años. Las compañeras que flirteaban descaradamente con su consejero espiritual lo habían provocado. Nunca iba a olvidar la rigurosidad del Padre en el confesionario y la caridad y sabiduría con la cual le había mostrado un objetivo mucho más digno que su ambición.

Tenía que darse prisa. El padre Santiago confiaba en su coraje moral hoy, pero necesitaba que la fortaleciera antes con sus palabras. Le hubiera gustado ir a la primera misa, pero la escena repugnante con sus hermanos la noche anterior la había sacudido de tal manera que por la mañana se había dormido.

¿Dónde había puesto la mantilla? Se la colocó cuidadosamente sobre la peineta, bajita, casi invisible —los rizos le caían bien— y prendió los extremos de la prenda sobre su pecho liso. Rosario, Rosario, libro de misa, guantes, su bolsillo nuevo. ¿Estaba bien derecha la costura de sus medias de nylon?

Pasó un dedo a lo largo de ellas y acarició furtivamente la piel de sus nuevos zapatos. Cuando se enderezó, sintió un zumbido en los oídos y una sensación de mareo. Le ocurría siempre que se agachaba.

—Me voy a misa, mamá.

—No te entretengas después de la misa. Tienes que ayudarme a preparar la comida. —La señora Luisa entró en la habitación secándose las manos en el delantal.— ¡Oh! Te has vuelto elegante... No te olvides de pedir en el convento los cubiertos. Si les dices que don Santiago quiere que demos buena impresión a tu padre, no te los van a negar. Tu madre le tiene sin cuidado.

—¡Mamá, no empieces otra vez!

—No, no te preocupes, es tarde para que nadie se preocupe de lo que una padece. —La señora Luisa dio media vuelta y cerró la puerta secamente.

A los ojos de Amelia acudieron las lagrimitas tontas que nunca podía evitar. Bajó las escaleras tan deprisa como podía con sus tacones altos. Su madre la odiaba; la había odiado siempre porque ocupaba el sitio que Teresita debía haber tenido. Pero ella no había pedido venir al mundo, había sido la voluntad de Dios obrando a través de sus padres. Había tratado de portarse como una buena hija hasta cuando su madre la martirizaba con sus pullas. Si la buenas Hermanas no se hubieran preocupado de ella, sería peor que una huérfana. El padre Santiago la había llamado una vez «una huérfana espiritual». La había escogido entre las otras y había abierto su alma a un consuelo más alto. ¡Oh, ahora estaba cerca de cometer el pecado de orgullo! Si era menos pecadora que sus hermanos (rechazó la idea de que también lo era menos que sus padres), su responsabilidad era mayor aún. Hoy tenía que ponerla a prueba. En su garganta flaca sentía un latido de sangre.

Cuando se hubo confesado y recibido la absolución por sus pecados veniales, continuó de rodillas.

—Padre, me siento débil, tengo miedo de hoy.

Tiernamente, la voz amada replicó:

—No tengas miedo, hija, los ángeles te acompañan. ¿De qué tienes miedo?

Titubeó:

—No sé qué es lo que mi padre piensa verdaderamente. Usted me dijo que estaba dolido porque éramos extraños para él, pero él es peor que un extraño. Padre, ¿cree usted de verdad que yo puedo influenciarlo?

—Estoy seguro. Ya sabes lo que te he dicho de mi conversación con él. No es malo, es sólo débil. Lleva dentro una chispita de verdadera fe, pero él mismo se pelea contra ella. Si llega a creer que tú también le rechazas, igual que tus hermanos, y, siento decirlo, tu madre, se afianzará en sus errores. Pero si con cariños y mimos le muestras que el equivocado es él, tratará de arrepentirse, que es lo que queremos, ¿no es verdad, hija?

—Sí, Padre, pero si dice que quiere vivir con nosotros, se estropeará todo, porque no habrá más que disgustos y más disgustos, y al final se lavará las manos de nosotros, incluso de mí.

—No me parece a mí que tu padre va a elegir esa forma de enmendar sus yerros. —La voz tras la celosía del confesionario tomó un tono sarcástico—: Tienes mucha razón cuando dices que esto llevaría a más disgustos. Me temo que tus hermanos y, siento decirlo, tu madre, han ido muy lejos en el camino de la perdición para salvar a un hombre que a su vez ha perdido el timón y va a la deriva. También —murmuró la voz—, esto podría llevarle a actos de rebeldía. He oído que está muy encariñado con las ideas inglesas y habla demasiado de ellas, dando un mal ejemplo... Pero como decía antes, no creo que vaya a quedarse en Madrid por mucho tiempo. Dudo que haya algo aquí que le retenga y además no podría ajustarse a nuestra manera de vivir. De todas formas se marchará. Pero es nuestro deber, mejor dicho el tuyo, no dejarle marchar hasta que haya cumplido sus obligaciones. Y tú sabes que es el cumplimiento de tu vocación lo que está en la balanza.

—Sí, padre. Estoy deseando comenzar el noviciado. No tengo casa. Pero mi padre me dará la dote, estoy casi segura. Sólo, ¿por qué...? —Tartamudeó y se quedó en silencio.

—Sí, hija. ¿Qué ibas a decir? Dilo, no te dé vergüenza.

—No crea que soy tonta, padre, es sólo que no entiendo por qué ha querido usted que venga a comer con nosotros hoy, si cree que tengo razón con mis miedos. Esta visita puede llevar a..., bueno, usted me entiende. Mi madre quiere que tome un piso... y, naturalmente, que nos saque a todos de este cuchitril, pero...

—Me asombras, hija. Tu padre no pondrá casa con tu madre, tus hermanos y tú, porque no lo lleva dentro. Ya te lo he dicho. Pero no se puede permitir que un hombre siga adoptando una actitud frívola ante los más sagrados lazos. Sólo cuando se enfrente con tu familia, que es la suya, se dará cuenta de que no le van a salvar sus vacilaciones y sus quejas, sino que tiene que resignarse a su suerte y dedicar sus días a trabajar por los suyos. Ya va a enterarse de que cualquier ayuda material a tus hermanos sólo serviría para acelerar su ruina. Aunque los dos están cerca de ella de todas maneras; tal vez tu hermano Pedro no, tiene algo bueno dentro aún. Deja a tu padre, si quiere, poner un piso a tu madre; tal vez abandone así sus prácticas infernales, aunque me temo que... No tiene importancia lo que iba a decir. Aun si la reunión de hoy lleva a una escena que revuelva tus sentimientos, tu padre se sentirá agobiado por el peso de su responsabilidad; posiblemente más que si nada pasa. Va a sentir la necesidad de obrar y entonces se va a dar cuenta de que tú eres la única que simpatiza con él, que le quiere, el único ser humano que es suyo. Y tratará de hacer lo mejor por ti, estoy seguro. Hasta he oído que, pero esto no son más que rumores, sus probabilidades de buenos negocios son muy grandes.

—Una cosa, Padre. ¿Puedo preguntarle una cosa más?

—Sí, hija.

—No sé cómo decirlo, pero creo que mi padre quiere que yo me case. Usted se acordará de que ya una vez me escribió una carta indecente, diciéndome que debía tener un novio y salir y divertirme. Por esto es por lo que me ha comprado estas cosas. Naturalmente, yo me he alegrado mucho de que pensara en mí, y he estado muy cariñosa con él, de verdad, Padre, aunque me parecía raro hacerlo con un hombre que no conozco, aunque sea mi propio padre.

—Termina, hija. ¿Qué es lo que querías preguntar?

—¿No cree usted que se va a enfadar cuando se entere de mis planes?

—¿Le has dicho algo de ellos? ¿Una indirecta o algo?

—No, Padre. Usted me dijo que no lo hiciera. ¿Pero qué va a pasar si pone dinero a mi nombre (y yo creo que puedo convencerle), y después se entera de que lo uso para mi dote en el convento?

—El dinero no puede reclamarlo, si es eso lo que te preocupa. Bueno, Amelia, sé valiente. Hoy no tienes que fallar a la Madre Superiora, ni a mí. Recuerda la corona de espinas del Señor y la corona de flores que a ti te aguarda. Acuérdate también de los años de tu niñez, abandonada y sola. Nada de esto, ni tu juventud, habrá sido en vano, si te conviertes en el instrumento de la salvación de tu padre. Nuestras oraciones te acompañan, nuestra Señora vela por su hija.

Mientras la voz recitaba sonora sobre la cabeza inclinada de la muchacha, un monaguillo cruzó la nave agitando una campanilla que llamaba a misa.

9

El arroz estaba casi hecho. La señora Luisa se quedó en la cocina vigilando los últimos momentos de la cocción, con miedo de que se agarrara. Estaba orgullosa de sus guisos y le hubiera dado un disgusto el que por cambiar unas palabras con Antolín la comida se hubiera estropeado. Cada grano debía estar suelto y casi seco, pero jugoso. Además, ¿por qué no dejarle solo con los chicos? Aun con la puerta cerrada, podía oír cada palabra que se hablaba en la otra habitación. La señora Luisa se sonrió amarga; no parecía que tuvieran mucho que contarse.

En la sala, los cuatro se habían sentado alrededor de la mesa ya puesta. Amelia al lado de su padre, su mano sobre la de él, los dos hermanos enfrente. La tensión interior había hecho brotar en las caras el parecido entre Antolín y Pedro, y entre Amelia y Juan, pero ninguno de ellos lo veía. Amelia dijo:

—¿Qué te parece la casa, papá?

—¿Qué voy a decir? Es sobre poco más o menos lo que me figuraba. Al fin y al cabo, hijita, me conozco muy bien el barrio. Aparte de eso, tu madre y tú tenéis la casa limpia como una taza de plata.

Era mejor y peor de lo que él se había imaginado. Le habían enseñado las alcobas: el cuchitril de Amelia con su cortina por puerta, su cama estrecha, la mesilla de noche, el crucifijo y la pililla de agua bendita. El cuarto de Luisa, también estrecho, también sin ventana, la cama y el armario pequeños, la cómoda incrustada como a la fuerza. El cuarto de los chicos, presuntuoso con su ventana y su cama de matrimonio. Había notado que Pedro tenía dos o tres trajes colgando de ganchos de alambre, y montones de camisas de colores vivos, corbatas y calcetines, todo en un estante, mientras que Juan tenía sólo un baúl cerrado con un candado. Había visto en la cocina el baño de asiento, con la pintura desconchada, el hornillo de coque raquítico y destartalado. Todas las habitaciones estaban enjalbegadas y limpísimas, pero le molestaba no haber visto en ninguna de ellas signos de una vida íntima. Esta habitación en la que estaban, comedor y sala, era la única que tenía algo de carácter, una atmósfera de pobreza decente. Las varias puertas que se abrían en ella dejaban apenas sitio para un aparador, las sillas y la mesa de pino teñido, pero las mujeres habían intentado decorarla. Dos grabados de una revista flanqueaban la puerta que daba a la escalera. Cuando Antolín los había visto, le habían repelido. Sospechaba que los había escogido Luisa. Siempre había tenido predilección por los cromos dulzones en los aparecían niñas rubias jugando con un gatito o teniendo manojos de flores en las manitas regordetas. Las fotografías ampliadas de los padres de ella habían vuelto, encajadas en los marcos de terciopelo que él mismo había prohibido tantos años hacía. Sobre el aparador se empinaba un jarrón chino lleno de colorines, del que sobresalía un plumón de hierbas secas. Visillos rizados cubrían la parte baja de las vidrieras de las ventanas y las cortinas a ambos lados mostraban un dibujo chillón de rosas, rojo y púrpura. A Antolín le emocionaba y al mismo tiempo le irritaba el esfuerzo clarísimo de Luisa de mantener las apariencias. Nunca había coincidido con sus gustos; tampoco ahora.

Nadie le había contestado. Tras una pausa, Antolín dijo lentamente:

—Lo peor es que no tenéis mucho aire, y el poco que

tenéis... Puedo oler a cebolla y ajo fritos... En fin, peores sitios he visto en los barrios bajos de Londres, y allí no tienen nuestro sol, y todo se pone mohoso con la humedad de los días.

Le hubiera gustado contarles cómo era el sótano donde había vivido y dormido durante aquellos meses difíciles en sus principios en Soho, y esperaba que ellos le preguntaran dónde y cómo había vivido en Londres, para poder explicárselo. Pero ninguno dijo nada. Pedro fue el único que replicó secamente:

—Sí, sol tenemos. Es muy sano para las chinches. Cada tres meses tenemos que enjalbegar la casa.

—Querrás decir que tengo que blanquearla yo, que si me empuerco haciéndolo no importa mucho —dijo Juan.

Pedro y Amelia comenzaron a hablar al mismo tiempo:.

—Sabes, papá, los otros vecinos... —dijo Amelia.

—Sabes, papá, no tiene remedio... —dijo Pedro. Le pareció que Amelia había comenzado con más tacto que él y se calló, dejándola seguir.

—... Quiero decir que los vecinos son tan sucios y descuidados, sobre todo los de los interiores, que no hay manera de librarse de las chinches. Tienen los nidos en las paredes. Me dan un asco que me hace vomitar.

Antolín le acarició la mano:

—Yo también sé lo que es eso. Cuando era un chiquillo, vivía en una casa igual que ésta y me acuerdo aún de la pelea que mi madre tenía con los bichos.

No era ésta la contestación que Amelia había querido provocar. Miró a Pedro, pidiéndole ayuda, y éste cazó la indicación:

—Sí, para las mujeres es duro. Yo no estoy mucho en casa, casi todo el día en mis asuntos, y Juan no viene hasta muy tarde, pero Amelia tiene que aguantarse en este agujero, y también madre. Ya me he roto la cabeza muchas veces buscando...

Juan abrió la boca, pero es este momento la señora Luisa habló a través de la puerta:

—El arroz está listo. Lo voy a dejar que se repose por dos minutos, y comemos.

Dieron todos un suspiro de desahogo, Amelia y Pedro porque habían tenido miedo de una de las salidas de Juan, Juan porque se había asustado de lo que iba a decir, Antolín porque se le hacía cuesta arriba la conversación y esperaba que la comida despejara la atmósfera. Pedro se levantó y sacó de su cuarto una botella casi llena de amontillado.

—Ven, madre, y bebe antes un vasito de vino con nosotros.

Llenó cinco vasos con el vino color de topacio; y cuando apareció la señora Luisa, todos se levantaron y tomaron sus vasos. Se quedaron quietos por un momento, en un silencio difícil que cada uno esperaba que otro rompiera. Y Antolín esperaba que se produjera el milagro del cariño.

Al fin Pedro brindó:

—¡Salud y pesetas!

—Dios nos dé salud a todos —contestó Amelia con una sonrisa.

Bruscamente Juan dijo:

—¡*Salud!* —Su tono hacía claro que su brindis no era el tradicional haciendo votos por la salud de los presentes, sino el saludo de los luchadores republicanos durante la Guerra Civil. A Antolín se le hizo un nudo en la garganta. Se volvió a su hija:

—Sí, querida, Dios nos dé salud a todos. —Pero cuando levantó su vaso, miró a Juan y repitió despacito—: ¡*Salud!* —Pedro miró de uno a otro con las cejas fruncidas:

—¿Tú no dices nada, mamá? —preguntó.

—Habría que decir muchas cosas —murmuró la señora Luisa. Pero levantó su vaso y tomó un sorbo de vino.

Antolín vio cerca de sus ojos los dedos flacos y espatulados y sintió asco, un asco que le cortó las palabras que iba a pronunciar.

Pedro hizo un esfuerzo más para crear un ambiente de convivencia y alegría, aunque tenía que contenerse para no darle una bofetada a Juan:

—No es un mal vinillo, ¿eh, padre? Bébete otro vasito. Espero que en Inglaterra no te hayan convertido en un borrachín de cerveza. Donde esté el vino... Y, a propósito de Inglaterra, ¿tienes alguno de esos cigarrillos ingleses para nosotros?

—No empecéis a fumar ahora —dijo la señora Luisa—. Voy a traer el arroz. Siéntate, Antolín; y tú, Amelita, ven y ayúdame. ¿Dónde está el vino tinto?

Su tono corriente cambió la atmósfera. Hasta Antolín, en una reacción de sus sentimientos, se sintió agradecido. Y cuando la gran cazuela de barro apareció sobre la mesa, llena hasta el borde de arroz amarillo de azafrán, en el cual los pimientos rojos y los cangrejos de río aparecían incrustados como los radios de una rueda, se sintió conmovido de verdad. Luisa no cabía duda de que se había tomado el trabajo de hacerlo bien; y estuvo a punto de decirle que la vista del arroz le recordaba las buenas cosas de otros tiempos. Pero se conformó con decirlo de una manera indirecta:

—Es curioso, pero la comida y el olor de la comida son las cosas que le hacen a uno pensar más en casa.

Ninguno de los otros se dio cuenta de que ésta era su primera observación personal y que con ello les abría una puerta. Perdieron la ocasión y Antolín se sintió herido. Preguntó:

—Entonces, ¿aún sigue la costumbre de tener arroz el domingo?

—Sólo en días especiales, papá —contestó Amelia.

—Ahora sólo la gente rica puede permitirse ese lujo cada domingo, y los que andan en el estraperlo también, naturalmente —comentó Juan.

Pedro le dirigió una mirada asesina y dijo ligeramente:

—Sí, papá, la comida de hoy es un extraordinario y la tenemos gracias a mis relaciones. El arroz que nos dan en la ración —¡cuando nos lo dan!— no vale la pena comprarlo. Para lo único que vale es para venderlo y que le den a uno unas perras por ello.

—A ver, déjame que entienda eso, porque de verdad quiero darme cuenta de cómo os las arregláis, y hay cosas que no veo claras. No veo por ejemplo, cómo puede vivir la gente aquí con las raciones, ni tampoco cómo pueden pagar el estraperlo. Un momento, Juan, ya sé lo que vas a decir, y he visto ya mucha gente que parece que tiene la tripa llena. Lo que quiero entender es cómo funciona esto aquí. Daros cuenta de que yo estoy acostumbrado a las raciones que en Inglaterra nos dan cada semana... Así el pan, por ejemplo, podéis comprar, ¿no?, el que os corresponde cada día.

—Sí, se puede comprar, ciento cincuenta gramos para cada uno, y sabe a porquería —dijo Juan.

—No será porque tú lo tienes que comer muy a menudo; tu hermano se encarga de que tengas pan blanco decente en casa —replicó agria la señora Luisa.

—¡Oh, sí!, es un chico muy bueno...

Antolín hizo oídos sordos y continuó:

—Igual que el pan, muchas semanas tenéis una pequeña ración de arroz, o judías, o lentejas, o algo así, ¿no?

—Sí, pero nunca sabemos cuándo, ni cuánto. La mayoría de las veces cien gramos.

—También hay cosas que os dan cada cuatro semanas o algo así, azúcar y jabón. ¿Tengo razón?

La señora Luisa contestó:

—Ahora nos dan cien gramos por cartilla, pero ¡trata de conseguir que te dure un mes! Esto es una cosa que podías habernos traído: jabón.

Menos de cuatro onzas... —murmuró Antolín—. No me choca que la gente hable más del estraperlo que de las raciones. Pero aún hay otras cosas que no os dan más que allá de pascuas a ramos, y todo de golpe. Mi patrona me lo ha contado. Y esto es lo que menos entiendo. Una familia obrera no puede comprar toda la ración, si es una familia numerosa y de pronto les dan veinte kilos de patatas o de carbón a cada uno. No pueden tener dinero bastante, mucho menos con los jornales que ganan y si han estado defendiéndose con el estraperlo para ir comiendo. Al mismo tiempo, si cogen las raciones, tienen que ir por patatas al mercado negro, sin dinero, o pasar hambre. ¿No es así?

—Pasan hambre —dijo Juan.

—No tienen por qué pasarlo, si no son tontos —replicó Pedro.

—No todos son tan listos como tú.

La animosidad patente entre los dos hermanos obligó a Antolín a guardarse sus propios comentarios. Rápidamente dijo:

—Pedro, tú siempre has tenido buena cabeza para los números (era una de las cosas, cuando eras niño, que pensaba que te iban a ayudar a hacer carrera), así que ahora me tienes que explicar este lío.

—No es ningún lío. Supongamos que los periódicos anuncian que van a repartir veinte kilos de patatas en este distrito. Supongamos una familia como la nuestra, cuatro (aunque la mayoría de las familias son mayores, ¡crían como conejos!), con una madre que tiene sentido común. Naturalmente, no puede pagar ochenta kilos de patatas de una vez. Toma dos de las cartillas de racionamiento y se va al mercado. No necesita muchas explicaciones. La mujer del estraperlo coge las dos cartillas y le dice: «No se apure, señora Pilar, otro día será, si no tiene dinero hoy. ¿Qué quiere usted? ¿Diez kilos de patatas sobre esta cartilla? Aquí están. Y un kilo de aceite. ¿Cuántas barras de pan, ha dicho?» Después corta todos los cupones de las cartillas y la señora Pilar vuelve a casa con la cesta llena, sin haber pagado un céntimo por ello. La estraperlista sabe que puede vender a buen precio las patatas.

—Sí, pero esto no le dura mucho a tu señora Pilar, y después ¿qué?

—No se ha acabado la historia aún. El día que reparten la ración, se va con las otras dos cartillas al tendero y se lleva con ella a una amiga que tenga un poco más de dinero que ella. El tendero le da a la señora Pilar sus cuarenta kilos de patatas y a él no le importa de qué bolsillo sale el dinero. La buena amiga la ayuda a llevar las patatas a casa en dos o tres viajes, y si luego resulta que está vendiendo patatas una semana después, de estraperlo, a ella no le importa; la amiga le ha dado algún dinero, al menos lo bastante para poder comprar patatas de estraperlo ella misma, el día que las necesite.

Las dos mujeres aprobaron la explicación y Juan agregó despectivo:

—Así es como funciona la cosa entre los pobres, para que engorden los tiburones.

Antolín comprobó, apenado, que el vicioso sistema formaba una parte tan integrante de sus vidas que carecía de importancia para ellos. ¿Cómo podía esperar que Pedro entendiera su opinión en contra? Porque ya no le cabía la más mínima duda de que Pedro tenía sus «negocios» en el mercado negro. Eusebio no había exagerado, como Antolín creyó en un principio; y las indirectas del padre Santiago no eran exageraciones torcidas. Lo que aún no veía era las emociones internas que Pedro ocultaba bajo su máscara de cinismo —y, seguramente, no podía serlo tanto—. En Londres le hubieran llamado *spiv*, pero eso no significaba nada, ni menos lo explicaba. Antolín encontraba un consuelo pequeño en el pensamiento de que el problema de una juventud podrida no se limitaba a España, ni a su familia, sino que era un problema internacional. Para no hablar, se dedicó meticulosamente a extraer la carne sonrosada de una pata de cangrejo.

La señora Luisa se lanzó con una voz chillona a un largo discurso sobre la moralidad de las mujeres que se dedicaban al estraperlo. ¡Estas zorras, yéndose a la cama con los policías a la luz del día! ¡Estas chiquillas de dieciséis años paseando con toda desvergüenza sus «tripas de preñadas» por la calle! Para una mujer decente como ella era una tortura tener que tratar con semejante canalla. No era de extrañar que los muchachos hubieran perdido la vergüenza. Cuando comenzó a explicar los riesgos que corría Amelia en aquella vecindad, Antolín la interrumpió:

—Esto me recuerda una cosa que quería preguntarle a Amelia: si no había tratado de trabajar en algo, aunque hubiera sido sólo medio día en alguna cosa ligera. No hubiera ganado mucho, pero hubiera sido una ayuda y la hubiera hecho bien el salir de casa y el tener algo que hacer.

Amelia se echó atrás en la silla, molesta por el repentino ataque.

—¡Pero, papá!, ¿cómo puedes decir eso? —Era la primera vez que él oía aquel tono chillón en ella.— ¡Yo no puedo trabajar en una tienda o en un taller como una cualquiera! Y para trabajo decente, tú sabes que yo no tengo los estudios que debería haber tenido. Todo lo que conozco se lo debo a las buenas Hermanas. Además, simplemente, no soy bastante fuerte para hacer un trabajo diario. Tú te olvidas de que no estoy buena.

—¿Qué dice el doctor?

—Yo no creo en doctores —contestó la señora Luisa—. Además la niña tiene razón en una cosa, yo misma no dejaría a mi hija trabajar entre esas golfas indecentes que una ve en la calle a la salida de los talleres.

—Mi novia es una modista —estalló Juan—, y bien decente. Trabaja para comer y ayuda a su madre; y te voy a decir que es más decente que esas señoritas que quiere imitar Amelia, ¡putillas que se van a bailar con un hábito puesto y hablan mucho de caridades, pero que me cuenten a mí las cochinadas que hacen cuando nadie las ve!

—Juan, no tienes vergüenza. ¿Cómo te atreves?

No le hizo caso:

—Y padre tiene razón. Amelia debería estar trabajando en un oficio decente y así no tendría tantas aprensiones con su salud, ni nos daría la lata para que la tratemos como una princesa.

—Tú eres un bruto, Juan. Todo el mundo sabe que estoy

anémica y que tengo el pecho débil. Lo que tú quisieras es arrastrarme a tu nivel, eso, y al de la monada de tu novia...

Pedro cortó en seco:

—No te sulfures, hermanita. Cada uno su gusto, y la chiquita de Juan no está muy mal, sobre todo si la pusieran en buenas ropitas. A nosotros no nos importa de quién se ha enamorado, y en todo caso es bastante inteligente para no metérnosla en casa. —Juan gritó algo, pero Pedro siguió—: Mira, papá, lo único cierto es que Amelia estaría bien trabajando, pero esta vida no es para ella y además no está fuerte. Lo que le hace falta es una vida distinta, y el que trabajara en un taller ahogado y ganara unas pocas pesetas no iba a resolver nada. Lo que tienes que ver es que todos estamos mal situados. Ya me he roto yo los sesos pensando en ello. Lo que nos hace falta es empezar de nuevo, como Dios manda, y en esto tú nos puedes ayudar mucho, ¿no?

Los cuatro miraron a Antolín. Las dos mujeres pensando lo listo que Pedro era, Juan pensando que era un demonio.

Antolín se enfrentó con los ojos de todos ellos, un par tras otro. Pedro, Amelia, Luisa, Juan: mirada fría, mirada avarienta, mirada hostil, mirada de desafío. «Bien —pensó—, ya salió la cuestión a relucir.» Bajó sus propios ojos, para que no vieran en ellos el dolor y la ira, y comenzó a recoger con el tenedor unos pocos granos de arroz dispersos en su plato. Si no hubiera vivido en Inglaterra tantos años, hubiera saltado de la silla, hubiera soltado dos puñetazos en la mesa y una blasfemia. Tal vez era lo mejor. Pero, no.

—Ya vamos a hablar de todo, Pedro. Pero, primero, vamos a acabar la comida en paz.

Sin decir una palabra, la señora Luisa se levantó y se marchó a la cocina. Antolín iba a ser mucho más difícil de lo que había esperado. Pedro, con toda su listeza, no le había tocado a fondo. Antolín era un egoísta y era ella quien tendría que tomar la voz cantante; y esto la llenó de entusiasmo. Desenvolvió el queso y las pastas que Pedro había traído; mientras, trataba de recordar las palabras que se había formulado la noche antes. Teresita había dicho que su padre quería ser bueno, pero que estaba rodeado de malos espíritus. Teresita la iba a guiar. La señora Luisa llevó el postre a la mesa, dónde los otros la esperaban silenciosos, y dijo:

—Voy a hacer el café. Esperadme hasta que vuelva.

A través de la puerta entreabierta escuchaba las preguntas vacías de Antolín:

—Lo que no he visto que tengáis es un solo libro, ya supongo que habéis tenido que vender los míos, pero, ¿es que no leéis nada?

—¡Ah, sí, papá! Yo leo mucho —contestó mimosa Amelia.

—Sí, lee libros de santos que le dan gusto, ¿sabes?; cómo torturaban a las virgencitas, cosas así... —¡Juan, naturalmente!

—Y tú lees folletos de la Revolución Roja que se te indigestan —Amelia volvía a vocear chillona.

Pedro con la voz suave:

—Los libros son un lujo que no nos podemos pagar. Y además, ¿para qué hacen falta? Son pesados de leer. Al menos, el cine... Se ve algo de la vida. Estás un poco atrasado, papá. Por mi parte, las historias de amor no me interesan, y lo que se podría llamar libros serios me ponen de mala uva. No puedes tragarte lo que te cuentan en ellos, o eres tonto. La vida no es así. Todos los libros son mentira y los peores, los que se empeñan en decirte que la vida significa algo.

—¡Oh, Pedro! —interrumpió Amelia—, no hables así. Tenemos que creer en algo, sería horrible si no creyéramos. Hay una vida mejor...

—Mira, eso se lo cuentas a los críos que te arrinconaron el otro día y te pellizcaron el culo. Mala suerte para ellos que no tienes mucho donde pellizcar, pero al menos saben a lo que van y lo que pueden sacar de esta vida, y qué es lo que se puede agarrar. ¡Anda, predícales que sean dulces y suaves!, ¡ilumínales con tus luces, hermanita! Ya vas a oír cosas ricas. No, papá. Nos tienes que tomar por lo que somos. Tu generación no nos ha dejado muchas cosas en que creer, ¿no es verdad? Tú crees en libros, en educación y en pamplinas; nosotros, no. No nos sirve para nada, ni te ha servido de mucho a ti. Para no hacer de tu vida el lío que has hecho.

La señora Luisa pensó que nunca había oído hablar así a Pedro. «Ahora es él el que está metiendo la pata. Debería estar yo allí, pero este café no acaba nunca de cocer.»

Amelia trataba de cambiar el rumbo de la conversación:

—No escuches a Pedro, papá, ni él mismo cree lo que dice. Me hubiera gustado que hubieras traído algunos libros; me gusta mucho leer si son libros bonitos. Lo que no me gusta son cosas de horror que le ponen a una los pelos de punta, o suciedades. Lo que pasa es que en las tardes me duele tanto la espalda que me acuesto muy temprano y no puedo leer. No hay luz en el cuarto, y una vela huele muy mal y envicia el aire. Pero una vez que salgamos de este agujero, quiero leer y estudiar muchas cosas. ¿Tú crees, papá, que soy muy tonta?

—No creo que seas tonta, Amelita —dijo Antolín pesadamente—, ninguno de vosotros es tonto. No es eso.

Esta vez el silencio se prolongó hasta que Antolín ofreció cigarrillos a los tres y comenzó a burlarse de Amelia por su negativa horrorizada a aceptar uno. Cuando la señora Luisa trajo el café, la tensión se había aflojado. Pedro se sonreía amablemente, Amelia había puesto de nuevo su mano en el hombro de Antolín; Juan era el único que continuaba hosco.

—Me alegro de que hayas pensado en traer café y azúcar, Antolín. Es una ayuda muy grande. Pedro, ¿no tienes un poquito de coñac para tu padre?

Sirvió el café con una amabilidad que le valió una mirada apreciativa de Pedro. «La vieja está dando coba», se dijo a sí mismo con un poco de inquietud.

—Ahora, Antolín, quisiera preguntarte algo: ¿qué planes tienes para el futuro? Estoy segura de que ya habrás visto que las cosas no pueden continuar como hasta ahora, una vez que has vuelto. Y no creo que vayas a tratar de escaparte de tus obligaciones...

—Mamá...

—Déjame hablar, Amelia, La primera obligación de un hombre es su mujer y sus hijos.

—Pero, mamá, tú sabes muy bien que a papá le habrían fusilado si no se hubiera ido.

—Otros se han quedado y no les ha pasado nada. Aparte de eso, ¿quién le mandó meterse en cosas que no le importaban? Pero, en fin, eso es una vieja historia que no tiene ya solución. La cuestión ahora es: estás aquí, y tienes la obligación de arreglar las cosas.

—Para eso estoy aquí, Luisa, para ver qué es lo que puedo hacer.

—Y ¿qué es lo que tienes que ver? Porque la cosa es muy simple: ni tu hija ni yo podemos seguir viviendo entre estas gentes de barrio bajo. Los chicos son bastante mayores ya para buscárselas como puedan, pero somos Amelia y yo quienes pagamos el pato.

—Sí, papaíto, mamá tiene razón. —Amelia se recostó más pesadamente sobre Antolín.— Las gentes de aquí nos odian, porque saben que somos de otra clase mejor que ellos, aunque no tengamos un céntimo. Cuando vuelvo a casa del rosario, les oigo decir toda clase de porquerías detrás de mí y tengo miedo de los golfos de la vecindad. Ya has oído antes lo que Pedro contaba de ellos. Estuve mala varios días del susto. Además, no podemos decir a ninguna persona que venga a vernos, así que hemos perdido las amistades de todo el mundo. Lo primero que nos hace falta es un piso decente, como decía mamá. Y cuando lo tengamos, yo ya tengo un plan. Si tú pones algo a mi nombre (no mucho, sólo un poquito de dinero), ¡oh, papá, no pongas esa cara!, no pido mucho. ¿Sabes? Con que me dieras diez mil pesetas, tendría bastante. Tú sabes lo que pasa con nosotras, las muchachas: los hombres no las miran si no tienen un céntimo y son decentes.

Pero con una dote pequeñita como la que te digo, el futuro no me da miedo. Si a nadie le gusta mi cara, estaría segura e independiente. Puedo estudiar algo, si tú quieres, y encontrar algún trabajo interesante, como tú dices, aunque no me case. Y esto no cuesta mucho, papá.

—Tú hablas como si fueras la única en el mundo —dijo rudamente la señora Luisa—. Antes de que tú pidas tu dote, tu madre tiene algunas cosas que pedir.

—¡Oh, mamá!, pero en eso yo no me meto. Desde luego la primera cosa es encontrar un piso y amueblarlo para que puedas vivir como una señora.

—¿Qué? «¡Como una señora!» ¿Es que acaso no lo soy?

—No te enfades, mamá. Esto es lo que quería decir, sólo que no lo has entendido. Claro que quiero que tengas lo tuyo, y quiero que papá ayude a Pedro, y a Juan también, así que no tienes por qué decir que sólo pienso en mí misma.

Antolín hizo un ligero movimiento con la mano y todos se quedaron mirándole:

—Antes de que sigáis, quiero deciros algo. Todo lo que tengo ahorrado son mil libras. No os creáis que he venido del Perú y traigo todas las riquezas del Potosí y una escuadra de galeones cargados de oro detrás de mí.

Con la excepción de Amelia, que ya había hecho sus cálculos cuando había oído esta información por primera vez, los demás se lanzaron a revolver cifras en sus cabezas. Así, fue Amelia quien rompió el silencio con una sonrisa de comprensión:

—Dinos cuánto es en pesetas, papá.

—No tanto. Varía según el cambio. Entre cincuenta y cien mil pesetas.

—¿De manera que tú tienes todo ese dinero y te atreves a estarte repantigado en la silla y preguntarnos qué puedes hacer? No sé qué llamarte, Antolín. ¿Tienes veinte mil duros y dejas a tu mujer en esta miseria? ¡Es una cochina vergüenza!

—¡Pero, entonces somos ricos, papá! —gritó Amelia con el aire de complicidad que desconcertaba a Antolín.

Pedro dijo lentamente:

—No corras, no corras, guapa. Tú y tu madre os hacéis muchas ilusiones. Mil libras no es tanto. No os voy a decir que sea nada, pero padre tiene razón. No es bastante para vivir con ello; es lo bastante para emplearlo en un buen negocio que nos dé de vivir a todos.

—Sí, ésa es mi idea, Pedro. Lo que quiero es ver qué es lo mejor que puedo hacer con mis ahorros, aquí o en Londres, o en ambos sitios, para crear un medio de vida. Naturalmente me gustaría sacaros a las dos, a ti y a Amelia, de aquí, pero primero tengo que encontrar algo que nos asegure la existencia y me dé trabajo.

Pedro se adelantó a su madre y Amelia, que se lanzaban a contestar:

—En eso te puedo ayudar, papá. Tengo algunas cosas entre manos que puedo desarrollar en algo grande si pones tú dinero en ellas. Cosas que dan dinero de verdad, como tú quieres.

Juan no había dicho una palabra por largo rato y los otros le habían olvidado, acostumbrados a sus silencios desdeñosos. Únicamente Antolín le había mirado de vez en cuando. De repente el muchacho exclamó con su voz bronca y profunda, que a veces se convertía en falsete:

—Mira, padre, no seas tonto. Guárdate tu dinero o gástatelo, pero no les dejes tocar ni un céntimo. Si pones aquí un negocio, estás perdido, tú y tu dinero. El juego del capitalismo es una porquería en todo el mundo, pero tal vez puedas jugarlo en Inglaterra con seguridad, no lo sé. Pero aquí, con estos fascistas, no puedes jugar y ganar. Como no seas un cerdo como ellos, y no creo que lo seas. Y no digo más, bastante es que tenga que escuchar aquí sentado.

—¿Escuchar qué, hermanito? —dijo Pedro suavemente.

—Mejor lo sabes que yo. Pero yo me lavo las manos en ello. No quiero nada con el dinero.

—Claro, como eres un hijo de... Stalin, el dinero te tiene sin cuidado.

Juan se echó atrás en la silla y se quedó mirando al vacío. Pedro respiró profundamente, dos veces, y miró a su padre:

—No le hagas caso. Es tan chiquillo que cree que el mundo se va a arreglar en cuanto haya un comisario en cada taller. Como iba a explicarte...

—Lo que tú quieres es que te dé los cuartos —bramó la señora Luisa.

—Cállate, mamá. Aquí nadie ha pedido dinero más que tú y mi hermana. Lo que voy a explicar es esto: tienes razón, papá, completamente. El dinero que tienes no nos lleva a ningún lado si no se emplea en algo. Yo no sé cómo andan los negocios en Inglaterra, pero sé lo que pasa aquí, y francamente, no creo que vayas a sacar nada si te lanzas tú solo. En un par de días te dejan limpio. Si uno no lo ha vivido como lo he vivido yo, le dejan sin camisa. Aun teniendo buenas agarraderas no es fácil. Yo me voy defendiendo..., bueno, porque sé por dónde me ando, y si no saco más de ello, es porque no tengo capital. Ahora es diferente; yo tengo el conocimiento y los amigos, y tú tienes el dinero para emplearlo. Si me dejas que te lo maneje, no vas a quejarte.

—¿En qué clase de negocios piensas?

—De eso ya vamos a hablar más tarde. Yo sé lo que me hago.

A la señora Luisa le habían fallado varios intentos de interrumpir. En aquel momento dijo chillando:

—¡Tú sabes lo que haces! ¡Para ti! La chica y yo podemos reventar, ¿no es eso?

—No seas estúpida, mamá. Si padre pone el dinero, yo miro por el negocio, y tú y él, la chica, y hasta este idiota, podéis arreglároslas entre vosotros como queráis. La mitad de lo que gane es para él y la mitad para mí. Si os quiere llevar en carroza con cuatro caballos blancos y poneros un piso en la calle Alcalá, a mí me tiene sin cuidado. ¡Que os aproveche!

—Yo no tengo nada en contra, de verdad, Pedrito —declaró Amelia—. Ya sé que eres muy listo; pero tengo que recordarte que mi dote es sagrada.

—¡Y cómo! —gruñó Juan—. Pregúntaselo a las monjas.

—¡Eres un animal!

Pedro apretó los dientes y dijo:

—Tú no puedes abrir la boca sin meter la pata de mala manera. ¡Cállate! A ti, ¿qué te importa si la chica quiere el dinero para comprarse un tío o para comprar el derecho de ser monja? Eso es cuenta suya, y no tienes por qué meterte en ello.

—Tú no te metas en nada. Claro, si te dejan bastante para ti.

Por algún tiempo Antolín estaba discutiendo consigo mismo, mientras escuchaba lo que decía el coro de voces, broncas y chillonas. Al principio le dio lástima de sí mismo. Era claro que para su familia no era más que un hueso que se disputaban, un hueso por el que se peleaban como perros hambrientos. Estaba muerto, y allí estaban ellos peleándose sobre su testamento en el que les dejaba menos de lo que esperaban. Mientras él estaba allí, presente, dispuesto a defenderse contra sus acusaciones; pero no, él no existía, no existía más que su dinero, él era menos real para ellos que el acusado en el banquillo para los jueces. Si intentara contarles sus agonías y sus luchas, las ratas y las cucarachas en la cocina del sótano, los terrores de los bombardeos en la soledad, le contestarían que no era para tanto, que bien había sabido guardarse veinte mil duros. Todos sus remordimientos, todas sus dudas sobre su culpabilidad y responsabilidad habían sido ridiculeces.

De pronto cambió la línea de sus pensamientos. Se estaba portando como un chiquillo a quien le niegan un capricho. La verdad era que la situación era cómica —tremendamente cómica, con un cruel humorismo en ello— porque cada uno de ellos, él mismo incluido, estaba en desacuerdo con los demás. Cada uno estaba desempeñando un papel en la comedia de su propia invención, y lo que resultaba de ello era tragicómico.

Antolín nunca había podido reírse de sí mismo, sus ansias eran demasiado grandes para permitírselo, pero en aquel momento el sentirse cómico le impedía tenerse lástima por más tiempo. Era un choque mental para él.

Instantáneamente vio a aquellos cuatro de una manera distinta. Era verdad que no sentía cariño profundo por ninguno de ellos. Así, ¿por qué habían de sentirlo ellos hacia él? ¿Porque era su padre? Esto no era bastante. Él había adorado a su madre; pero su padre, flojo y melancólico, nunca le había dado ni frío ni calor. Por ejemplo, ¿había algún punto de contacto entre él y Pedro? Lo dudaba, aunque creía que detrás de la explosión de Pedro contra la vieja generación que le había dejado sin nada en qué creer, podía existir un sentimiento más profundo. También podía haber un ansia suprimida de cariño detrás de la rudeza descarada de Juan. Tenía que tener cuidado de no empeorar las cosas con su presencia y con la quimera de su dinero.

Pedro contestaba ahora al último desafío de Juan, hablando para su padre, aunque fingiendo dirigirse a su hermano:

—¡Si me dejan bastante a mí! ¡Idiota! Lo que digo yo es que el dinero tiene que administrarse para que nos dé de vivir a todos, y vivir bien. Y éste es el problema. No te quedes con la idea de que yo creo que padre debería darle a Amelia su dote aquí mismo, ahora, y mudarse a un piso céntrico con las mujeres. Tal vez más tarde, pero ahora, no. No me mires así, madre. ¿Qué te crees que se puede comprar con cien mil pesetas? Tú sabes que la propina sólo por un piso decente sería cinco mil pesetas, por lo menos. Después los muebles y la renta. Después ropa nueva para todos. Bueno, tal vez no para nuestro honrado proletario. Y por último, el mantenerse hasta empezar a ganar dinero. Ahora podéis ir echando la cuenta. Tú no sabes lo que cuestan las cosas aquí, papá; pero puedes hacer cálculos si te digo que una cama de matrimonio, con sus sábanas y mantas, cuesta unas cuatro mil pesetas; y esto, sin que sea muy buena. Si encima de esto le das a la chica su dote, no te queda un céntimo para meterte en negocios, y nos encontraremos igual que ahora.

—Lo que tú estás tratando —dijo ácidamente la señora Luisa— es de coger todos los cuartos, hacer con ellos lo que te dé la gana, y ser el amo y señor de la casa.

—No creo que os haya ido tan mal hasta ahora.

Amelia estaba temblando. El padre Santiago no la había preparado para esto. Ahora veía claro el juego de Pedro. La noche de antes había dicho que cada uno debía tratar de sacar el dinero que pudiera, pero esto había sido sólo porque esperaba que su padre tuviera más que estas mil libras. Y desafortunadamente, ella también creía ahora que no tenía más. En esto Pedro tenía razón: si el dinero se repartía entre los cuatro, no era mucho a lo que tocaban. Pero para una persona... Por eso Pedro quería todo para él. Y su madre, también, se pelearía por ello. Pero ella, Amelia, no se iba a echar atrás. Estaba mejor con su padre que con todos los otros, y ella era la única que iba a hacer buen uso del dinero. Si su padre supiera lo que era de verdad... Sí, esto es lo que tenía que hacer. Si decía la verdad, sería a ella a quien su padre dejaría manejar el dinero.

Juan se anticipó:

—Pedro presume de lo que ha hecho por nosotros, pero yo ya estoy harto de ello. ¿Qué has hecho por nosotros? Restregarnos por la cara que es a ti a quien lo debemos, cada vez que has traído a casa un mendrugo de pan. Estamos viviendo de tus limosnas. ¡Como si no fuera ya bastante tener que comer el pan que pagas con dinero de tu asqueroso «negocio»!

Pedro se puso pálido, pero se contuvo. El hijo de zorra iba a estropear todo si no le paraba los pies ahora; más tarde ya arreglarían cuentas.

—No regañemos —dijo con una voz contraída—. Todos hemos tratado de salir adelante lo mejor que podíamos. Y no vas a negar que yo he hecho más que lo mío, no importa de dónde haya venido. Lo que yo he dicho antes es una cosa de sentido común. Si padre tiene dinero y quiere ayudarnos, esto no quiere decir que nos ha tocado el gordo de Navidad. Lo repito, lo único sensato que se puede hacer es lo que yo propongo: usar el dinero para algún negocio que produzca dinero bastante para todos. ¿No estás de acuerdo, papá?

—En principio, sí, pero, ¿cuál es tu plan exactamente?

—Cuéntanos los tuyos primero. ¿Piensas quedarte o volverte a Londres?

La precisión de la pregunta no molestó a Antolín, pero sí su tono imperativo. Sin embargo contestó suavemente:

—Aún no lo he decidido. Si no puedo ver la posibilidad de ganarme la vida decentemente aquí, me vuelvo allá.

Esperaba, casi con esperanza, que las mujeres estallaran en recriminaciones. Y en verdad, la señora Luisa y Amelia iban a hacerlo, pero en su ansia de exponer a la vez sus propios planes titubearon demasiado sobre las palabras que iban a decir. Juan, arrastrado sólo por el deseo de arrancar la máscara a su hermano, fue más rápido:

—Si es eso lo que te preocupa, papá, puedes estar tranquilo y hacer negocios con Pedro; en eso de ganarse la vida decentemente es un maestro.

Amelia intervino precipitadamente:

—¡Papá, no te puedes marchar y dejarme sola! Estoy segura de que vas a encontrar algo que te convenga (con tu dinero y la gente que conoces), yo también tengo buenos amigos, y tan pronto como nos mudemos a una casa decente, ya verás... Don Santiago te ayudará a ponerte en relación con gente influyente, él puede mucho...

—Sí, con los fascistas —gritó Juan, mientras la señora Luisa abría la boca desesperadamente sin emitir un sonido.

—Papá, estoy segura de que todo se va a arreglar si lo intentas, pero, claro, no tienes que hacer caso de mis hermanos, que no saben lo que está bien y está mal, y no pueden entender lo que quieres decir con una manera de vivir decente.

—Pero tú sí —gruñó Juan.

—Yo, sí. Yo sé que papá odia la clase de negocios en los que Pedro pondría su dinero. Pero hay otras posibilidades. Pregúntale a Pedro cómo gana ahora su dinero, papá. Lo que tú quieres es decencia, y ésta es una cosa que Pedro no sabe lo que quiere decir.

Pedro se puso en pie, su cara magra amoratada, una esquina de la boca torcida como la boca de un perro dispuesto a morder:

—¡Decencia! Ya me da asco la palabra. ¿Qué queréis? ¿Decencia? Bien. Entonces decid la verdad. Y la verdad es ésta, padre: toma el primer tren y márchate a la frontera. Has venido equivocado. Aquí no hay trabajo para ti, como no sea que quieras morirte de hambre, ni negocios decentes, como no sea que quieras que te revienten.

Se detuvo, encendió un cigarrillo, fue a la ventana y la cerró. Nadie dijo una palabra.

—Mira, papá. Tú has estado dándole vueltas a cómo hemos vivido. Te lo voy a decir. No del dinero que nos has mandado, de eso puedes estar seguro. Hemos vivido, los cuatro, y bastante bien, porque yo he traído dinero a casa. ¿Que de dónde lo he sacado? De las putas y del estraperlo. Así es como me he ganado la vida y así es como he mantenido a estos tres, vivitos y coleando. Y lo saben. No empieces a gritarme, mamá, tú lo sabes como los otros, como tú, Amelia, como tú, Juan, pedazo de idiota. Y en caso de que no lo sepas, papá, soy miembro de Falange. Sí. No porque me importe un pito el fascismo, al menos ahora, no, sino porque tengo que guardarme las costillas; y también porque ello me ayuda a evitar que esta criatura vaya a la cárcel. ¿Lo ves, papá? Tienen razón en lo que dicen de mí: no sé lo que está bien o lo que está mal, ni lo que es decente o indecente. No sé nada de eso, ni me importa tres puñetas. ¿A quién le importa? Pero si yo no trajera a casa el dinero que gano chuleando y haciendo estraperlo, aquí no tendrían un céntimo más que el jornal de Juan —bastante para comprar la ración de pan— y el dinero que tú nos has mandado cuando te ha dado la gana, ¡ni aun bastante para pagar la casa! Han tenido que comer y la casa se ha pagado todos los meses, todo porque no les ha importado mucho tomar mi dinero indecente y gastarlo. Me pagan insultándome, y con eso se les queda tranquila la conciencia. Así puedes ver que ese concepto de decencia es un poco elástico.

Se detuvo para ver el efecto de sus palabras. Antolín le estaba mirando cara a cara, pero los otros estaban asustados de él. Esto le hizo más furioso. Los hubiera abofeteado:

—Madrecita dulce, con sus buenos pensamientos, y mi hermanita con sus virtudes, no pueden vivir en esta calle porque hay mucho vicio, pero no les importa vivir de él. Lo mismo podían tener una casa de putas y a mí como encargado. Las rameras de Antón Martín al menos hacen algo por el dinero que las pagan.

Voceó por encima de los chillidos de su madre y los sollozos de su hermana:

—Sois cobardes y ruines, las dos, mucho más ruines que las zorras de la calle, sois...

—Pedro —dijo Antolín sin levantar la voz.

El desaliento en su cara les hirió a todos. Pedro se arrancó el cigarro de la boca; le quedó allí pegado un trozo de papel de fumar adherido al labio inferior, que se movía con sus palabras:

—Está bien, padre. Quería que supieras la verdad, y la verdad no es decente. Pregúntale a este cara de torta de tu hijo, el gran revolucionario, y te dirá que es el hambre y la miseria y la podre de esta vida lo que arrastra a las mujeres a la calle, todo eso se sabe, pero a mí me llama un chulo de mujerzuelas porque mantengo a todos libres del hambre y de la miseria. Aunque no le importa mucho tragarse la comida que le ponen delante, por haber sido yo bastante tonto y no haberme marchado dejándoles solos. No, Juan, ahora me toca hablar a mí. Y padre me tiene que oír, quiera o no. Tiene que saberlo todo, y las posibilidades que yo he tenido de una vida decente. Papá, tú has pensado a veces en tu propia decencia, ¿no?

—Tal vez.

—No te he dicho lo que a mí me pareces tú y tu historia. Sé lo que me dirías si te preguntara: me dirías que habías seguido tu conciencia en la Guerra Civil, que no te has ensuciado las manos, y que te has ido de España porque no querías que te fusilaran. Todo esto es muy decente. Pero, ¿has pensado alguna vez que por mantener tus manos limpias has hecho que las mías se ensucien? Cuando yo era un chiquillo quería que ganara Franco, porque tú y tu gente habíais hecho un lío de mi vida y yo creía que se abría un nuevo futuro. Fue cuando entré en Falange. Al menos no nos decían que cualquier trabajador estúpido tenía mejor derecho a vivir que gente con inteligencia y educación. Pensaba que íbamos a regir el país con inteligencia; sí, admito que era un estúpido creyendo. Hasta creía que nos iba a beneficiar a todos. Me admitieron en Falange, pero nunca me han dejado olvidar que soy el hijo de un rojo. Decían que lo único que quería era chupar. Así lo he hecho. Todos lo hacen. ¿Y qué? No, no quería ser un aprendiz ganando cinco pesetas y tragando mierda en un taller. Madre vendió las pocas cosas que quedaron cuando te marchaste, fue a Auxilio Social y la dejaron que fregara los suelos. ¡Tenía la suerte de que yo estaba en la Falange! Tú estabas en Londres, y nada sabíamos de ti, igual podías estar muerto.

—No podía escribiros entonces, hubiera sido peligroso para vosotros. Y no podía ayudaros con dinero tampoco, yo también las estaba pasando malas —dijo Antolín humildemente, contra su voluntad.

—Puede ser. De todas las maneras, así estábamos. Amelia interna con las monjas, hasta que fue demasiado vieja y la pusieron en la calle; vino a casa y comenzó a toser en ese cuartucho que llamamos alcoba. No la echo en cara que se haya liado con las monjas, al menos le daban de comer de vez en cuando. Nadie se preocupaba por ella. Madre comenzó con sus espíritus y le traen sin cuidado los vivos; y éste se echó a la calle buscando mendrugos hasta que consiguió trabajo en una fábrica. No me hablaba entonces, porque creía que su padre era un héroe y yo un traidor a la causa. Entonces hice algunas cosillas (un poco de estraperlo, algunos negociejos), pero no saqué mucho de ello porque aún creía lo que las gentes me decían. Por entonces comencé a andar con las chicas (bueno, con las de las esquinas, para que me entiendas, porque las señoritas ni me hubieran mirado a la cara y porque me aburro con alguien como la novia de Juan que sólo le quiere a uno para ir cogidos de las manos) y éstas me enseñaron una porción de cosas útiles. Por ejemplo, lo que hacen muchos hombres «decentes» cuando se van a la cama con ellas. Algunas casadas me enseñaron más aún. Entonces estos tres empezaron a llamarme golfo y vago y degenerado, aunque no hacían ascos al pan blanco que traía, ni a que pagara la renta de la casa. La cuestión es que entonces hice el primo; debería haber dado media vuelta y no volver más, pero me dolía abandonar a madre y a Amelia. Al fin y al cabo era yo «el hombre» de la familia. Cuando me tocó el servicio, tuve la gran suerte; mi capitán me sacó de asistente suyo. El hombre hizo por mí más que nadie en este mundo. Me enseñó cómo presentarme, cómo vestirme y hasta cómo hablar. Si viviera ahora, no me haría falta tu dinero.

—Puesto que estás contando tantas verdades, cuéntale a papá cuáles eran los negocios de tu capitán —interrumpió Juan.

Pero Amelia, apaciguada por la versión que Pedro había hecho de su propia historia, dijo:

—Ya le he contado yo a papá lo de la cocaína y ya le he dicho que la culpa es de los viciosos que la compran. El capitán era un hombre muy bueno. No sé lo que hubiera sido de mí si cuando yo estaba mala no nos hubiera mandado azúcar y jamón y no sé cuántas cosas.

Antolín miró de uno a otro:

—¿De verdad te parece tan natural el llamar un hombre muy bueno a alguien que vende cocaína?

—¡Oh, no está bien! —replicó la señora Luisa—, y a mí no me gustaba mucho la cosa cuando Pedro se metió en ello, pero, ¿qué se podía hacer? La vida es así ahora. Naturalmente, yo no tomaría eso ni en broma, pero el que Pedro trabajara o no en ello no iba a hacer ninguna diferencia para los que lo toman; y el capitán era un hombre muy bueno y nos ayudó muchísimo.

—¿Amelia?

—Sí, papá, ya sé que estaba mal, pero esto sólo demuestra lo mala que es la gente. ¿Ves? El capitán no lo usaba y Pedro tampoco. No olvides el lado bueno de ello: yo estaba mala de verdad, papá. El doctor dijo que tenía principios de tuberculosis y podía hasta haberme muerto, si no hubiera tenido cuidados. No lo olvides.

—No voy a olvidarlo, Amelia. ¿Qué dices tú, Juan?

Inesperadamente, el muchacho gritó con su voz bronca:

—Que no es mejor ni peor que la mayoría de las granujadas capitalistas, mientras dejan que los trabajadores se mueran de hambre. Esta sociedad está podrida, y cocaína no es peor que una bomba atómica.

Antolín se miró las manos:

—Eres el primero en Madrid a quien he oído mentar la bomba atómica —dijo ligeramente. Después—: Sí, entiendo todo lo que me decís, pero no tenéis razón. No puede aceptarse el ayudar a la gente a envenenarse a sabiendas, como algo que no tiene remedio. Pedro, ¿tu capitán te obligaba a repartir la cocaína?

—Te gustaría que dijera que sí, pero no sería verdad. Me dejó que lo hiciera, porque me quería y porque yo se lo pedí. No hay cuestión, papá. Lo hice y sabía lo que me hacía, y tu familia ha vivido a gusto por ello. Ha vivido más «decentemente». En lo único en lo que fui un estúpido fue en no ahorrar dinero mientras trabajaba en ello, y en no explotar más al capitán. Si lo hubiera hecho, me creería ahora mucho más decente y más listo. Pero, agua pasada... El capitán se murió y yo me encontré con el apetito despierto para una vida mejor y con esta gente alrededor mío con el apetito despierto también por las buenas cosas. Así que cuando se acabó la cocaína, hice lo que pude. ¿Te hubiera gustado a ti que me hubiera metido a trabajar en una oficina por unos cientos de pesetas al mes?

—Sí.

—Entonces ahora tendrías que visitar a tu hija en un sanatorio de caridad, o llevarla unas flores al Cementerio del Este.

La verdad, no he sido tan egoísta. He hecho lo que he podido, y tú podías estar contento porque me he echado en las costillas las responsabilidades de un cabeza de familia. Soy un chulo de putas con éxito, y lo sería mucho más si tuviera buena ropa, no creas que no me he dado cuenta de la cara que has puesto cuando has visto mis camisas, pero esto es parte del negocio. Si las rameras fueran de lujo, las camisas serían otras. Aparte de esto, estoy metido en el estraperlo como un revendedor. Sólo que ya estoy harto de esclavizarme por otros y ahora tengo una cosa entre manos, estupenda, que se puede empezar con un poquito de dinero. Estraperlo, claro. Además, puede llevarnos a otras cosas y darnos un montón de dinero a ti y a mí. Dentro de un año te vas a reír cuando pienses en las mil libras con que empezaste, aunque las cosas no son tan buenas como antes; hay demasiada competencia y poco dinero. Pero con mis relaciones...

—No, Pedro. No te rompas la cabeza. En esos negocios yo no me meto.

—Papá, no seas tonto. Te lo repito; déjame manejar el dinero y empezar un negocio serio, la única clase de negocio serio que podemos hacer tú y yo. Vamos a medias en las ganancias, y los riesgos son para mí. Tú puedes sacar a madre y a la hermana de esta vida que odian, y puedes darte buena vida por tu parte. Es la primera vez que se me presenta la suerte de cara desde que se murió el capitán. Hasta ahora no has hecho nunca nada por mí.

Había una seriedad desesperada en la voz de Pedro, y Antolín la apreció. Se le contrajo la garganta. Los cinco estaban tan quietos que el cuarto se llenó con el zumbido furioso de un moscardón atrapado entre los visillos y el cristal de la ventana, y el tictac de un reloj de pared en casa del vecino.

—Lo siento, Pedro, pero no puedo hacer eso. No podemos trabajar juntos, porque no tenemos las mismas ideas. Y ya he oído bastante hoy aquí, para saber que todo eso terminaría en la ruina de todos.

Pedro se sentó. Manoteó en el aire, sacudiendo las palabras confusas de la madre y la hermana, y se inclinó sobre la mesa:

—Si yo fuera tú, papá, lo pensaría mejor. Me parece que tenemos algunas ideas en común, y algunos amigos. Por ejemplo, el coronel Caro, don Tomás. ¡Ah!, y doña Consuelo, ya que insistes en una vida decente.

Antolín se levantó. La sutileza del chantaje le había herido en lo vivo. Se había terminado la historia. Cogió su sombrero del gancho detrás de la puerta.

Amelia corrió hacia él:

—¡Pero, papá!, ¿te vas? ¿Qué te pasa? Contesta, no mires así.

—Sí, Amelia, me voy.

—Es una solución —comenzó la señora Luisa, pero Antolín la miró, y la mujer se calló súbitamente. Tímido, Juan alargó su mano y Antolín se la estrechó:

—Salud, padre —dijo el muchacho—, ya iré a verte.

Pedro no dijo ni una palabra.

Cuando la puerta se cerró tras Antolín, Pedro se levantó y se recostó contra el marco de la ventana dando cara al cuarto bochornoso y a las tres personas asombradas y ansiosas:

—¿Qué, estáis contentos con lo que habéis hecho? ¡Je!, yo soy el hijo pródigo, pero me he quedado sin la ternerita mejor cebada, ¿no es eso lo que creéis? Al menos habéis hecho todo lo posible para que así sea. Sobre todo el niño. ¡Qué orgulloso está de que su papaíto le haya dado la mano y le haya gustado su saludo! Muy interesante, y no hay que olvidarlo. Interesantísimo, hasta es posible que les interese a otros. Y las señoras también... ¡Míralas, qué felices son ahora que su querido esposo y su no menos querido papá se ha convencido de que son las únicas que merecen su generosa ayuda! ¿Y por qué no? A cada mujer le gusta tener un querido viejo; tienen buenas tragaderas y no les importa que un cura o los espíritus se aprovechen.

—Pedro, eres un canalla...

—Cállate, mamaíta. La próxima vez que veas a tu marido del alma, pregúntale qué tal le va con su amigo el coronel Caro y sus putitas. No, no, no te excites, no te voy a contar más. Pregúntaselo y que te lo diga él. Estas cosas son privadas y confidenciales. —Bruscamente cambió el tono de voz—: ¡Hatajo de idiotas!, queríais hundirme, y no os dais cuenta de que sois vosotros los que os habéis echado la tierra encima. Me tiene sin cuidado y me importa tres pitos. Así no tengo que romperme más los cuernos con vosotros.

—¿Qué quieres decir, Pedro? ¿Qué significa todo esto? No te entiendo...

—Claro que no me entiendes, madre. A lo mejor me equivoco y escapáis mejor de lo que parece, tú y la chica. ¡Buena suerte! Pero tenéis que daros prisa, porque de ahora en adelante se os ha acabado el primo que os mantenga, y necesitáis un sustituto con más prisa que la extremaunción.

El moscardón estaba zumbando cerca de la cara de Pedro. Se volvió y lo aplastó de un manotón contra el cristal.

—¿Qué me miráis con ojos de besugo muerto? ¿No os habéis enterado aún? Desde hoy no tenéis un céntimo más de mí. Me voy, y no esperéis que vuelva. ¿Está claro ahora?

Echó a andar, abrió la puerta y se volvió rápido en su umbral:

—Juan, no te creas que me voy a olvidar de lo que has hecho hoy. ¡Ésas las pagas!

Se quedaron oyendo su silbar tenue escaleras abajo.

10

Pedro bajó las escaleras pisando fuerte y silbando a pleno pulmón, porque quería que le oyeran y creyeran que nada de lo que hicieran, nada de lo que habían hecho, le importaba. Pero le importaba. Le importaba tanto que le temblaban las manos.

Les iba a dar una lección. Sobre todo a Juan. Cuando pensaba en Juan, le cegaba los ojos una nube roja y le llenaba los oídos un ruido de agua desbordada y un tintineo metálico. Iba a poner a Juan donde tuviera tiempo de sobra para pensar en la vida.

A la vuelta de la esquina estaba la Delegación Política de Falange. Don Antonio, el jefe de la centuria a la que pertenecía Pedro, estaría trabajando en su oficina, aunque era domingo, y estaría solo. Con don Antonio lo único que había que hacer era demostrar humildad, celo falangista y adulación. Pedro hizo un esfuerzo para poner cara de circunstancias y entró.

El hombre, ya maduro y con tipo de oficinista, levantó la vista de sus papeles, se quitó las gafas y comenzó a limpiar los cristales con un pañuelo de seda.

—¡Arriba España! ¿Tiene usted un momentito libre, don Antonio?

—¡Arriba España! Caramba, Pedro Moreno, ¿eh? —Don Antonio se ajustó las gafas en su flaca nariz y miró al recién llegado con ojos saltones de miope—: ¡Hum! Vamos a ver. Domingo y a estas horas... Esto quiere decir que viene usted a pedirme un favor.

—Quería hablarle sobre mi hermano, don Antonio.

—¡Otra vez! Esto no puede seguir así. Sí, me doy cuenta de que es un muchacho testarudo y estúpido, y que es su hermano, pero hasta mi paciencia tiene un límite. La Causa es lo primero de todo, y ese crío está dando un mal ejemplo con sus provocaciones. Si no hubiera sido por usted, hace mucho tiempo que le habría sentado la mano firme... Y ahora, ¿qué pasa? No me diga que ha tenido una bronca con nuestros muchachos como la última vez, porque entonces yo no intervengo más para salvarle de la paliza que se merece. No sería justo para los camaradas.

Don Antonio se estiró el cuello y la pechera de la camisa azul oscuro y miró con reproche el traje de paisano de Pedro; le gustaba que sus muchachos llevaran el uniforme aun cuando no estuvieran de servicio; esto enseñaba al populacho cuál era su sitio. Este Moreno no era de los más activos. Listo, sí, pero trabajar para el partido, poco.

—Esta vez es mucho más serio, don Antonio; por eso he venido con tanta prisa. Ahora me doy cuenta de que tenía usted razón, al chico debía habérsele enseñado hace tiempo lo que es disciplina. Confieso que le he protegido, porque pensaba que es sólo un crío y que no es complemente su culpa. Pero como usted dice muy bien, hay cosas que están por encima de la familia.

—Me alegro que se dé cuenta de su error, Moreno. Le honra y compensa por ciertas flojezas. No, no diga nada, ya sé que en el fondo de su corazón es leal a la Causa, pero debería haber atendido a tiempo mis consejos. Muchas veces he dicho que a los árboles hay que enderezarlos cuando aún son jóvenes, y su hermano es un árbol que está creciendo torcido. Influencias tempranas, tal vez su padre... y también la agitación perniciosa que hay en las fábricas y que aún no hemos podido desarraigar...

—Exactamente, don Antonio. Nunca he podido convencer a mi hermano. Hasta creo que me odia porque estoy en el Glorioso Movimiento, y orgulloso de ello. Por un tiempo creía que dejaría de hacer más chiquilladas, como esas peleas con nuestros camaradas, viendo que con su bondad le había salvado usted de un severo castigo y a mí de una vergüenza. Si ahora fuera una cosa semejante, con una buena paliza se arreglaría todo. Pero, como usted decía, los rojos no cesan en su agitación en los talleres. Es un chorro de veneno que lo infecta todo, y por eso es por lo que he venido, don Antonio. Me temo que se han apoderado del muchacho, cuerpo y alma. Concretamente, tengo razones para creer que ahora está trabajando con una célula comunista.

—Eso ya es más serio, y ya sabe lo que significa: exige nuestra intervención inmediata.

—Sí señor, eso es lo que me temo. Desde luego, usted es el mejor juez, pero tal vez debería explicarle antes lo que me ha hecho sospechar. Sabe usted, los últimos días me he dado cuenta de que estaba muy nervioso y se asustaba de lo más mínimo, como si ocultara algo. Anoche vino a casa muy tarde y le vi que sacaba una nota de su bolsillo y la leía cuando creía que no le estaba mirando. No tenía ocasión de hacer un registro hasta que no se marchara hoy, hace un rato. Pero no podía abrir el baúl donde tiene todas sus cosas porque en estos últimos días le ha puesto un candado, otra cosa que me ha hecho sospechar. Pero me encontré un trozo de papel en el suelo, con la mala suerte de que mi madre lo recogió y lo tiró a la lumbre sin que yo pudiera apoderarme de él, junto con otra basura del cuarto. Pero pude leer unas palabras por encima de su hombro, y decía, no creo que me equivoque, algo como «lunes por la tarde» y «conferencia preparatoria». No es una prueba completa, claro, pero...

Don Antonio saltó agitadísimo de su asiento y se arrancó las gafas de la cara:

—¿Qué más prueba quiere usted? Con los antecedentes

del chico, eso no puede significar más que una cosa. Esto es importantísimo y ha hecho usted muy bien en venir a verme en seguida. Esto es uno de los eslabones que necesitamos en la cadena de la organización ilegal que queremos destruir, ¡no cabe duda! Hasta nos puede llevar a descubrir a los jefes comunistas culpables de la organización de esos criminales atentados que sufren continuamente nuestros camaradas en las afueras. Hay que obrar inmediatamente. ¿Dónde está ahora su hermano? Voy a mandar una escuadra volante.

En el labio superior, bajo las ventanillas de la nariz, le rebrillaban gotitas de sudor.

—Si esto nos da una pista, no me arrepiento de mi pasada blandura —murmuró.

—Juan se ha marchado de paseo con su novia y no volverá hasta la noche. No sé dónde han ido, claro. Si puedo dar una opinión, aunque, claro, usted no necesita ninguna opinión mía...

—¡Hable, hable, muchacho! Ha probado su lealtad a la Causa viniendo a verme y no crea que no estimo esto. Las circunstancias son serias y tenemos que obrar con precauciones. —Se secó el sudor de la cara.

—¿No sería mejor el vigilarle mañana por la tarde? Estoy completamente seguro de que le dan órdenes en la fábrica (en el barrio no tienen ningún contacto, como usted sabe bien) y mañana no creo que venga a casa hasta después del mitin, o lo que sea. No creo que él tenga ningún papel importante, y aunque le detuviéramos, no sacaríamos nada de él porque no creo que con lo idiota que es, nadie se confíe para darle parte en los verdaderos secretos. Para lo que le usarán será para sacar las castañas del fuego, pero en lo que sí tiene usted razón es en que puede ser un eslabón que nos guíe a otros más altos; y esto es precisamente lo que usted quiere.

—¡Hum...! Hoy tendría que recurrir a la policía y lo echarían todo a perder como siempre, y lo que yo quiero es que esto no salga de nosotros hasta que averigüemos todo... Sí, no es una mala idea, yo mismo estaba pensando algo parecido, porque no es más que un mocoso. ¡Ah!, pero usted me responde con ese baúl cerrado, hasta mañana por la tarde.

—Desde luego, don Antonio.

—Bien. —Don Antonio se quedó mirando los ojos sin expresión de Pedro—: Me supongo que usted no querrá figurar en nada de esto.

—No, señor.

—Bueno. Entonces no mencionaré a nadie su iniciativa de hoy, pero ya me encargaré yo de que sus camaradas no tengan más dudas sobre su patriotismo y su cooperación. En estos días de desmoralización, no puede culparse a nadie de lo que hagan otros miembros de su familia. Si no se interpone en la acción de la justicia, claro.

—Sí, señor.

—Mañana se presenta usted aquí a las seis. De uniforme. Se quedará de guardia aquí. Y voy a pasar por alto que últimamente ha abandonado mucho sus deberes para con nosotros. Nada más. ¡Arriba España!

Pedro saludó, giró militarmente sobre sus tacones y abandonó la habitación. Cuando llegó a la calle, tenía las rodillas flojas, un sentimiento que le molestaba y le avergonzaba. Se alegraba de que nadie le hubiera visto entrar en Falange y que ahora las calles estuvieran abrasando de sol y desiertas. Echó a andar rápidamente, las manos en los bolsillos. Comenzaba a aclarársele el cerebro.

Había manejado la cosa con habilidad, sí, señor. Ni mucho, ni poco. No habría un registro por sorpresa aquella noche, sino simplemente una detención y un registro mañana. Los vecinos no podían pensar en que tuviera que ver con la visita de su padre. Si Juan se figuraba quién le había denunciado... Bien, le tenía sin cuidado. Si Juan quería ser un mártir, lo iba a ser, pero sin mucha gloria. Le estaba bien empleado por presumir; seguro que en el baúl, tan cuidadosamente cerrado, no había más que unos cuantos folletos y unos cuantos sellos del Socorro Rojo que a nadie le importaban mucho. Pedro había mirado ya algunas veces, él mismo, porque un candado, ¿para qué sirve un candado?

Sin embargo tal vez sería mejor no dejarles que encontraran nada en el registro de mañana. Así no podían llevarle ante los tribunales; no, él no quería que la cosa llegara a tanto, demasiado escándalo. A Juan le dejarían «en conserva» unos cuantos meses, lo que le sentaría bien, y la cosa no pasaría a mayores. Naturalmente, se ganaría unos cuantos trastazos de la escuadra, y después en la comisaría, pero no iba a morirse por eso. Al menos, si no encontraban nada en sus bolsillos. Sí, iba a ser necesario vaciar el baúl.

Pero, ¿cómo podía volver a la casa después de haber voceado que no iba a volver más? Era un poco ridículo. No, muy sencillo; tenía que volver por sus cosas. Mañana por la mañana, cuando Juan se hubiera ido a trabajar, su madre en la compra y Amelia en la cama o en la iglesia, sería muy fácil. Después don Antonio podría hacer su gran investigación, todo lo que sacaría en limpio sería un rapapolvo de la policía. El viejo chocho estaba tan orgulloso de su historial como un miembro fundador de Falange, como un «camisa vieja», con altos ideales y métodos superiores en la cruzada contra los rojos, que no se le ocurriría llamar a la policía hasta el último momento. Y a la policía no le haría maldita la gracia, los peces chicos no le importaban. La verdad era —pensó Pedro— que había manejado bien al viejo idiota.

De pronto pensó si una vez que la policía detuviera a Juan no tratarían de hacer investigaciones sobre su padre. Le entró un sudor de miedo. Esto no se le había ocurrido y podía ser catastrófico. No, no era catastrófico. Su padre no estaba mezclado en nada, aunque fueran claras sus simpatías; además tenía amistad con gente como el coronel Caro, lo que quería decir que la policía no tenía ningún interés en meterse con él. Pasara lo que pasara sobre el particular, en un sentido u otro, tendría que enterarse por don Antonio de ello y tendría que darle coba. No le había gustado mucho lo que había dicho sobre su apatía hacia el partido. Si la policía se ponía desagradable, tendría que recurrir a los padrinos. Conocía más de un policía que se interesaba en un poco de negocio práctico más que en andar tras los rojos. Tal vez esto le sirviera para hacer las paces con su padre.

Si lo supieran, le llamarían delator. Este pensamiento atizó de nuevo su furia. La culpa era de este estúpido crío; toda la culpa, la culpa de todo. ¿Qué le importaba si le daban una paliza que le reventaban? En lugar de arriesgar su posición en Falange, debía haber ido a don Antonio semanas antes de la llegada de su padre y haber tenido el campo libre.

Si le señalaban como un delator, no iba a tener seguro el pellejo en cuanto se hiciera de noche. Por un momento le asustó la idea de que ahora estaba en las manos de don Antonio, pero se le pasó el miedo. El viejo falangista se callaría por la cuenta que le tenía. Además, había prometido que se callaría y Pedro le consideraba uno de esos fanáticos testarudos que cumplen su palabra. No, el verdadero peligro estaba en que él mismo se dejara ir de la lengua. Ni aun a Consuelo podía confiar su secreto.

En aquel mismo instante, Pedro se sorprendió del camino que llevaba. Iba derecho a casa de Consuelo, sin haberlo pensado. Había pensado que iría por la noche; ahora, ni se había dado cuenta de las calles por las que había pasado, pero tenía un deseo irreprimible de verla. Era la única que podía aconsejarle. Naturalmente, le chillaría por haberse dejado llevar por el genio, pero después le ayudaría a planear para el futuro. Tenía una cabeza firme para negocios. Si fuera un poquito más joven, sería ideal como querida; y si fuera un poquito más vieja, podría ser una madre de verdad para él. Estaría desilusionada y furiosa por no haber conseguido las dos mil pesetas para un traje nuevo...

Todo salía mal, pensó. Ahora tendría que tomar un piso. Sin dinero en el almacén, tendría que negociar el arroz a través de uno de los agentes gordos y conformarse con las migajas. Estaba otra vez en el mismo sitio donde estaba antes, ¡todo por culpa de Juan, de su madre y de Amelia! De todas las maneras, había perdido la ilusión en el negocio con el arroz; demasiado complicado, y muy peligroso con un socio como el viejo granuja de Puchols.

No, Consuelo tenía que dejarle trabajar con la cocaína, con traje nuevo o sin él. Gracias a Dios ya llegaba a la casa. En la frescura del portal se detuvo y se humedeció los labios resecos. Lo único que le faltaba para que el día fuera completo era que Consuelo no estuviera en casa. La portera dormitaba en su cuchitril; no tuvo el valor de despertarla y preguntar, pero corrió escaleras arriba, anhelante.

Le abrió la puerta la Tronío en persona. Se veía claramente que no esperaba visitas. Tenía el pelo lleno de rizadores, el cuerpo libre de corsé, bajo una bata de algodón estampado, pero a Pedro le pareció hasta hermosa, y fue lo primero que le dijo. Gorgojó de risa, le golpeó en los hombros y después meneó sus caderas con un movimiento que denunciaba una larga práctica.

—Vamos a mi alcoba —dijo—. Las muchachas no han vuelto aún, y te bebes un vaso de algo conmigo mientras me peino. ¿Qué quieres tomar, cerveza?

—No, dame coñac. Buena falta me hace.

Mientras se quedó solo, inspeccionó el cuarto que nunca había visto. Olía a *cold cream*, a barniz de las uñas y a polvos de talco, pero Pedro pensó que olía sólo a mujer, y el olor le gustaba. Le gustaban también la gruesa alfombra, los espejos, el desarreglo de frascos y potes en el tocador, y la cama enorme. Le impresionaban las patas finísimas del juego de muebles, sillas, mesitas y un sofá. Tenía gusto esta tía, se dijo a sí mismo. Cuando volvió con una bandeja, le dijo:

—Espero que no me vayas a echar de aquí, me gusta el cuarto. ¿Me admites como huésped?

No hizo caso de la broma aunque la halagó, y comenzó a

retirar los rizadores de su pelo lustroso, frente al espejo en el cual podía ver la triple imagen de Pedro arrellanado en el sofá.

—Tú quieres que te hable de tu padre, de anoche, ¿no?

—Sí, pero antes de eso...

Y Pedro hizo un resumen de la comida sin omitir mucho de ello y sólo enmendando sus propias palabras. Terminó:

—Así que les he dicho que he dejado de hacer el primo y que no esperen volver a verme más. Y me he venido aquí derecho.

Consuelo siguió alisando y poniendo en su sitio cada rizo. Después de un silencio que hizo sentirse a Pedro como un colegial, dijo:

—¿Y no ha pasado más?

—No.

—Vamos a ver. No es mucho dinero el que tiene, ¿no?

—No, a no ser que mi padre me deje que le cambie las libras, es decir, las libras que tiene en Londres en el banco. Se las podría vender hasta a ciento cincuenta pesetas la libra a alguien que sé que quiere tener dinero fuera. Pero no me va a dejar. Y el dinero que tiene consigo no le va a durar mucho si la Amelita se lo mete en el puño.

—Supongo que te das cuenta de todas las tonterías que has hecho. No podías haberlo hecho peor de intento. Lo importante ahora es no seguir haciendo locuras. —Consuelo miró a través de uno de los espejos laterales de la coqueta el perfil malhumorado de él, con un sentido de posesión que la excitó.

—Consuelo, tienes que...

—Tú eres el que tiene que hacer lo que yo te diga, Pedro. Por eso es por lo que has venido, ¿no?

No contestó, pero miró de soslayo el cuerpo carnoso de ella, con un alivio inmenso: iba a ocuparse de él.

—Esta tarde temprano vuelves a tu casa, como si no hubiera pasado nada. No es la primera bronca que has tenido con tu madre; y no te apures, no va a herirte en tu orgullito, va a estar muy contenta. Y si no lo está, no importa. El punto es que tu padre no tiene que saber que te has marchado de casa y los has abandonado, y esto no lo pueden decir si vuelves. Y mañana por la mañana te vas a ver a tu padre a la pensión, antes de que tu madre y tu hermana aparezcan por allí, ¿entiendes?

—¿A qué voy a ir yo allí? ¿A ponerme de rodillas y decirle que me perdone?

—¿Por qué no, si sirve para algo? Lo malo es que no sirve, porque tú no eres capaz de hacerlo bien. —Se volvió completamente y se quedó frente a él—: Mira, chico. Hay muchas cosas que aún no has aprendido. Primero, tu padre no es un hipócrita, sino un hombre honrado corriente, un poco simple, diría yo. Yo le he visto con Alfonso Caro y te lo puedo asegurar. Hay algún negocio detrás de ello, pero a tu padre quien le interesa es don Tomás, y esto quiere decir negocios decentes. Lo que Caro quiera hacer con tu padre, esto es otra cuestión, y podemos discutirlo después. Pero la verdad es que te has equivocado con tu padre. Ni siquiera se acostó con la muchacha con la que le dejaron solo, y eso que no es una mala chica. A mí me parecía un conejo asustado... Le has debido trastornar con tu desvergüenza, y el saber lo que estás haciendo le ha tenido que revolver las tripas; pero al mismo tiempo debe sentirse más o menos responsable de ello y sabe cómo es la vida aquí, así que no puede echarte muchas culpas encima. Pero si tu madre o tu hermana aparecen mañana por allí y le cuentan que las has abandonado, esto no lo aguanta ni lo perdona. Sería demasiado. Con esta gente blanducha de genio siempre ocurre lo mismo, cuando se enrabietan y cocean, son peores que un mulo. Así que tienes que verle antes que los otros y hablar con él de hombre a hombre.

—Pero, ¿qué es lo que le voy a contar?

—¡Pero, chiquillo!, eso es muy simple. Hay cien maneras de contar la misma historia. Desde luego no puedes decirle que lo que le has contado hoy es todo mentira. Pero le puedes decir que perdiste la cabeza y no sabías lo que te decías, porque no eres tan malo como tú mismo te has pintado. Si sabes jugar esta carta, es muy fácil cambiar tu estúpida explosión en una historia sentimental. Cuéntale que estás atado a todas estas porquerías por pura necesidad, pero que tus intenciones son buenas, que no sabes cómo salir de ello; y, desde luego, que no piensas más en proponerle negocios sucios, pero que debería ayudarte a salir de este lío.

—¿Y tú crees que se lo va a tragar?

—Bueno... A lo mejor. Aun en el caso de que no te crea, le va a remorder la conciencia y vas a poder sacarle algunos cuartos.

—Pero y si no se lo traga, ¿qué hago, Consuelo? Estoy harto de esta vida, siempre a la caza de mendrugos como un perro hambriento. Tú sabes el asunto que había comenzado con Puchols, pero no puedo hacerlo sin dinero. Y no creas que he olvidado lo que me dijiste el otro día, que debería afinarme y dejar de andar con zurriagas de la calle. Es peor cuando uno tiene algo bueno en las manos y se le escapa entre los dedos en el último momento.

Le temblaba la voz como si fuera a estallar en llanto, y la Tronío fue hasta el sofá y se sentó a su lado:

—¡Chiquillo, chiquillo tonto! Si me haces caso, puedes salirte con la tuya.

La cabeza de él se deslizó del almohadón de raso y se refugió en la mano de ella.

—Pedrito, tienes que hacerte el humilde, pero sin que él note que es teatro. Tienes que ser razonable en lo que le digas, para que se dé cuenta que es culpa suya, pero no le eches la culpa, échale la culpa al destino. Y si todo sale mal y no se echa adelante, siempre puedes hacerle que suelte el dinero metiéndole un susto en el cuerpo.

—¿Con qué, Consuelito? ¿Con la policía?

—No seas niño. Naturalmente, no puedes amenazarle con denunciarle como un rojo. No lo aguantaría y te echaría a patadas del cuarto. No, lo que tienes que hacer si todo falla es convertirte en cínico. Le dices que te has equivocado creyendo que era una persona decente y que quería ayudaros. Le dices que no es mejor que tú (no, que es peor aún porque no tiene ninguna excusa) porque ha venido a España a hacer negocios sucios con gente como Caro. Le preguntas si él cree que tú no sabes quién es Caro y que él y su pandilla tratan de meter dinero de contrabando en Londres, porque esto va a reventar el día menos pensado. Y terminas diciéndole que la embajada inglesa tendría mucho interés en saber a qué ha venido aquí y qué clase de amigos y negocios tiene. Entonces te paras aquí, y le dices que tiene la obligación de mantener a su familia.

Pedro levantó los ojos a Consuelo, su mejilla aún en la mano de ella:

—¡Eres maravillosa! Deberías haber sido un general.

—Sí, querido, pero es una canallada que tu padre no se merece.

—¡Arrea! Ahora no te entiendo, Consuelo. Primero me dices cómo sacarle los cuartos, y después empiezas a defenderle y sacar la cara por él.

—Es que yo también soy una tonta. ¡Si lo sabré yo! Sólo que cuando hago una cochinería como ahora, sin poder evitarlo, sigo creyendo que es una cochinería. A ti no te pasa eso, Pedrito. Y ésta es una de las razones por las que te estoy ayudando a salir del atasco. Aunque sea en contra de tu padre. Pero tienes que tratar de sacarle los cuartos por las buenas; portarse como un piojoso no es agradable.

Pedro saltó del asiento y abrazó a Consuelo.

—Ya voy a ser bueno, mamaíta. Voy a verle y me voy a portar... —¡El baúl!, pensó confusamente—. Mañana por la mañana voy a ver a mi padre y le voy a pescar. Pero si hago las cosas como tú dices, ¿me vas a dejar un cuarto para vivir aquí, contigo? Ya lo sabes muy bien, si tú no te ocupas de mí, hago un lío de todo.

«Ahora me quiere enganchar a mí», pensó la Tronío. Después dijo:

—Ya veremos. Tal vez. Pero ahora te vas, ya me has dado la lata bastante y me tengo que vestir decentemente, con mi traje de seda negro de gran señora.

—Siéntese, don Antolín. Aquí, esta silla es mejor. Parece que se va usted a desmayar —gruñó cariñosamente doña Felisa—. Ahora quédese quietecito. ¿Quiere un vaso de vino o algo? ¿No? No, no es molestia. No me gusta la cara que tiene. Dígame si quiere que le haga algo.

Antolín estaba demasiado agotado para subir a su cuarto. Dejó que doña Felisa revoloteara alrededor de él como un moscardón que tratara de hacerse simpático, y sólo cuando ella se sentó frente a él en un sillón, abrió la boca:

—¿Qué edad tenía su amigo, aquél de la Argentina? Quiero decir, ¿cuántos años tenía cuando volvió y se tuvo que volver allá?

—¡Puah!, mucho más viejo que usted, don Antolín.

—Cuando usted decía que había perdido sus raíces aquí, usted quería decirme que yo también las había perdido. Es verdad. Pero en su caso era él sólo el que había cambiado, los que se habían quedado aquí eran igual, y esto era su problema.

—¿Quiere usted decir que su problema es que usted ha cambiado y la gente, su gente, aquí, también ha cambiado, y que ahora están muy lejos unos de otros?

—No sé exactamente lo que quiero explicar. Por una vez no estaba pensando mucho en mí mismo; estaba pensando en los demás. Mucha gente que he encontrado en Madrid, con la excepción de usted y dos o tres personas más, está tan desarraigada como yo, aunque no haya emigrado. La verdad es que ni siquiera tienen raíces. ¿Qué es lo que ha pasado aquí? He andado por las calles durante más de una hora, dando vueltas a mi cabeza. Naturalmente, ya sé que todo el mundo está envenenado con la corrupción y la violencia de los últimos diez años. Pero lo que me asusta es lo que pasa con los jóvenes.

—Supongo que está pensando en sus hijos —afirmó doña Felisa, más que preguntó.

—Supongo que sí. Sin embargo, no es exactamente una cuestión personal; no es únicamente mi fracaso como padre...

Una de las camareras entró en la sala:

—Don Antolín, tiene usted visita. Un joven que dice que es hijo suyo y una muchacha que viene con él. ¿Les llevo a su habitación?

Doña Felisa se levantó de su sillón con una agilidad sorprendente y llegó hasta la puerta de la habitación, antes de que Antolín se hubiera movido de su asiento.

—Usted se queda ahí —ordenó—. Nadie usa este cuarto y arriba iban a estar como sardinas en lata. Ya les voy a traer yo aquí.

Antolín se dejó caer, suprimiendo un quejido. No, no podía aguantar otra conversación como la del mediodía. A pesar de ello, cuando Juan entró torpe y azorado, seguido de una muchacha menudita, casi una niña, le recibió grave, pero cariñoso.

—Papá, ésta es Lucía, mi novia —dijo Juan—. Quiere conocerte.

A Antolín le gustó el candor suave de sus ojos, la línea firme y fina de su boca. Su vista le daba una impresión mejor que su truculento hijo.

—Me alegro mucho de conocerla, pero ha venido, me temo, en un mal momento. Estoy terriblemente cansado y tengo que salir otra vez dentro de un ratito. —Su cita con Conchita le parecía irreal, algo que no tenía nada que ver con él, sino con otro a quien había conocido bien una vez.

—Ya te dije que no era oportuno, Lucía —dijo Juan.

La muchacha se estiró en el borde de la silla como un pájaro en una caña, cruzó las manos sobre el regazo y miró fijamente a Antolín:

—Juanito debería hablar con usted, señor Antolín, pero como no quiere, voy a tener que hacerlo yo. Ya va usted a entender por qué cuando se lo diga.

Con una simpatía cálida y súbita, Antolín vio lo tímida que era, y cómo estaba dispuesta a vencer su timidez por ayudar a Juan. Se le ocurrió de golpe que hubiera sido mucho más fácil para él hacer contacto con esta muchacha desconocida que con sus propios hijos.

—Está bien, hable, pero acuérdese de que tengo que ver a un amigo a las seis. ¿Qué es lo que Juan no quiere decirme?

—Es sobre Pedro, señor Antolín. Tenemos miedo los dos que va a denunciarle.

—¿A la policía, quiere decir? Es un poco grave afirmar esas cosas. ¿Qué crees tú, Juan?

—No sé, más que nada son habladurías. La verdad es que no lo sé.

—¡Pero, Juanito! —protestó Lucía—, tú sabes que es serio. Tú mismo lo has dicho. Y tu madre está convencida de que quiere hacer algo malo.

—Creo, chicos, que lo mejor es que me contéis las cosas desde el principio, que yo me entere y vea lo que puedo hacer.

—Juanito y yo nos habíamos citado esta tarde, señor Antolín, y cuando ha venido, estaba blanco y trastornado, pero no me quería contar por qué. Se lo he tenido que sacar de dentro. Mire, no se enfade, pero me ha contado todo lo que ha pasado cuando usted estaba allí; él sabe que no voy a ir contándoselo a nadie.

—Estoy seguro de que no, Lucía.

Volvió a ponerse colorada:

—Señor Antolín, desde que usted vino a Madrid, le he estado dando la lata a Juanito porque quería conocerle; también porque quería preguntarle cosas sobre Inglaterra y cómo se vive allí. Pero no es por esto por lo que he venido ahora.

—Me alegro de que quiera oír cosas que son distintas de la vida como es aquí; otra vez que nos veamos ya le voy a contar. Me alegraría tener tiempo hoy. —Con asombro, Antolín acababa de descubrir que quería hablar con esta chiquilla, no para contestar a sus preguntas, sino para hacerlas él.

—Pues, como iba diciendo, señor Antolín, después que usted se marchó, se armó la gorda. Pedro estaba terriblemente enfadado y dijo que toda la culpa era de Juan. Dijo que no les iba a dar un céntimo más a ninguno de ellos, y se marchó para siempre. Pero lo último que hizo fue amenazar a Juanito.

—¿Qué es lo que dijo Pedro?

—Bueno, no dijo mucho. Lo único que dijo fue que no iba a olvidar nunca lo que había hecho hoy; y lo dijo seriamente.

Antolín enarcó las cejas:

—Pero, Juan, eso no puede llamarse una amenaza seria; de eso a pensar que va a denunciarte a la policía, hay mucho que andar. Una cosa así es justamente lo que se le ocurriría decir después de la desastrosa escena que hemos tenido.

Lucía intervino con una testarudez tímida:

—Usted no lo sabe, señor Antolín, pero Pedro ha odiado siempre a Juanito. Aun antes de la guerra, cuando eran niños. Y lo de hoy no es lo que ha dicho, es cómo lo ha dicho. Juanito no quiere decirlo ahora, pero a mí me ha contado que Pedro puso una cara como si le fuera a matar allí mismo. Nunca le había ocurrido eso. Y debe ser verdad, porque la señora Luisa también lo cree, a pesar de que nunca se ha puesto al lado de Juanito.

—Vamos a ver, Juan. No puedes dejar que Lucía explique las cosas por ti. Cuenta lo que ha pasado en verdad, lo que tú piensas, y por qué.

—Es simplemente que no me gusta repetir las habladurías. Estaba preocupado porque es verdad que Pedro no me puede ver ni en pintura, porque es un fascista (bueno, no lo es, ni cree en el fascismo), pero me odia porque soy un comunista y él sabe que le desprecio. No te he dicho antes que soy un miembro del Partido, porque sé que estás contra ello, pero ahora te lo digo para que entiendas por qué Pedro se va a vengar. Más ahora que cree que le he estropeado su combinación contigo.

—Sí, me doy cuenta. Es verdad que no me habías dicho

concretamente que estabas en el Partido Comunista, pero lo habías dejado perfectamente claro. No quiero que tengas ninguna duda sobre lo que pienso de ello. Me parece que es malo para ti, aunque esté contento de que quieras hacer algo contra Franco. Pero te he oído decir tantas frases y tantas consignas y portarte tan arrogantemente, que es claro para mí que tu comunismo no te está ayudando mucho a ser más humano ni más decente. La verdad es que hoy has hecho todo lo que has podido para provocar a Pedro, y al fin has logrado sacar de él lo peor que tiene dentro.

Juan trató de defenderse, pomposo:

—No sé lo que quieres decir con «humano» y «decente». Yo no soy un burgués, yo soy un revolucionario.

—Ésa es otra frase arrogante y estúpida, Juan.

Lucía dijo suavemente:

—Señor Antolín, Juanito ha estado siempre solo desde que usted se marchó. Si no hiciera algo por lo que él cree, no tendría nada. Es verdad que le ha hecho un poco áspero, pero es todo lo que tiene.

Antolín parpadeó. La muchacha tenía razón. Casi humilde dijo:

—Sí. Lo comprendo. Pero de todas formas Juan no debería ser tan intolerante y tan ofensivo simplemente por creer que su ideal es el único que vale. Pero tal vez esto es pedir demasiado. Otro día ya vamos a discutir sus creencias. Lo que yo ahora quiero conocer es la parte que tu madre tiene en la historia. Lucía dice que ella también tiene miedo de Pedro en este caso.

—Bien, después que Pedro se marchó, le dio uno de sus ataques de nervios. Usted sabe que ella cree en los espíritus, ¿no? —Antolín asintió—. Yo creo que todo eso es superstición y un engañabobos, otro opio para el pueblo. —Juan estaba orgulloso de su fórmula, pero la terminó deprisa viendo las cejas de Antolín—: Está completamente chalada con sus sesiones en la buhardilla de don Américo, y realmente cree que el espíritu de Teresita viene y le habla. Así que esta vez mientras hipaba y suspiraba con su ataque, dijo que Teresita la había advertido y que Pedro me iba a matar, o yo a él, no he entendido muy bien cuál a cuál, y que Pedro había puesto ojos de asesino. Yo no le hubiera hecho caso, pero ella siguió y siguió, echándome a mí la culpa porque yo le había metido en la cabeza la idea de denunciarme.

—Eso no lo entiendo muy bien.

—Anoche tuvimos una bronca sobre ti y ella nos estaba escuchando. Pedro dijo que ya estaba harto de protegerme; y entonces yo le pregunté si sería capaz de denunciarme, y Amelia se puso de su parte, porque yo no quise prometerles que les iba a ayudar a sacarte los cuartos. Y ahora, madre está horrorizada, porque dice que los espíritus le han avisado o yo no sé qué historia... En total, no sé qué hacer. Precisamente ahora están hablando en el Partido de mí, y esto me preocupa seriamente, porque si Pedro va y me denuncia, los camaradas van a decir que les he traicionado; y es capaz de ello, de verdad.

A través de esta explicación confusa el tono de Juan había sido el de un muchacho asustado que trata de bromear pero que de buena gana se echaría a llorar. Al llegar a las últimas palabras le faltó la voz y se le cambió en un trémolo agudo. Se calló mordiéndose un labio. Los ojos de Lucía estaban brillantes de lágrimas.

—Sí —dijo Antolín pesadamente—, esto es bastante para asustar a cualquiera, pero en fin, no puedo creer que... En todo caso voy a tratar de hacer algo. Lo primero que hay que hacer es impedir que se hable de tus opiniones políticas. Es demasiado peligroso. Y tú tienes que dejar el trabajo ilegal. No vamos a discutir ahora si es bueno o malo, hay que dejarlo. Pero hay algunas cosas más que quiero saber. Lucía, aún tiene algo que decir, ¿no?

—Sí, señor Antolín.

—Un momento, quiero entender las cosas claras. ¿Usted es una comunista también?

Rápidamente Juan se interpuso:

—Es sólo una simpatizante, padre. No tiene idea de política ni de problemas sociales, pero yo estoy tratando de educarla.

—De educarla, ¿a ella? Ya quisiera yo que fuera al revés. Hable, Lucía.

—Yo no creo que pueda ser nunca comunista, señor Antolín.

—¿Cómo te atreves a decir eso?

—No te enfades, Juanito. Tú siempre estás repitiendo que soy una ignorante, y tienes razón. Es precisamente por esto por lo que quería preguntarle al señor Antolín sobre Inglaterra y cómo son las cosas allí, porque yo no quiero que la gente sea infeliz, pero de la manera que tú me explicas lo que los comunistas quieren, no me parece a mí que quieran que la gente sea feliz.

—No la interrumpas, Juan, déjale que tenga su propia opinión. Creo que estoy de acuerdo con usted, Lucía, vamos a tener que enseñarle a Juanito unas cuantas cosas que no conoce aún —dijo Antolín alegremente—. Pero ahora dime, muchacha, y deja que te tutee: ¿qué es lo que quieres que haga yo con Juan? Porque me parece que es a esto a lo que has venido.

Su carilla delgada se encendió y todo su cuerpo se inclinó ávido hacia Antolín:

—¿No se le puede llevar a Inglaterra con usted, señor Antolín? No tendría que mantenerle, sabe bien su trabajo. —Sonrió con un orgullo maternal—. Aquí no va a llegar a nada, y a todas horas todo son broncas y líos. Eso es lo que le hace tan ogro. Y tampoco me gusta el trabajo que tiene. No es bueno para el pecho, mírele la cara. Pero si se lo llevara a Inglaterra y encontrara trabajo allí, yo podría esperar e ir también allí en cuanto él me llamara.

—Tú estás pensando en la casita con el jardín chiquitito que has visto en esa película idiota, ¿no, chachita? —Juan pretendía ser sarcástico, pero únicamente logró que sonara rudamente tierno—. Yo no puedo huir, padre, estoy bajo la disciplina del Partido. Tú no vas a entender esto, pero lo que yo quisiera..., ¡oh, bueno! No vale la pena hablar de ello.

Antolín, de intento, no le hizo caso, porque su protesta era tan débil, y se volvió a Lucía:

—¿Estás tan segura de que yo mismo voy a volver a Inglaterra?

—Pues claro, señor Antolín. Es lo mejor para todos —replicó la muchacha sin ningún titubeo.

—¿Te das tú cuenta de lo que significaría para ti y para Juan, y posiblemente para mí, el ir a un país extranjero y abandonar la vida a que está uno acostumbrado?

—Yo no sé si me doy cuenta de todo, señor Antolín, pero las cosas aquí no tienen solución. Esto sí lo entiendo. Tal vez si supiéramos más, pero tampoco hemos tenido la ocasión de aprender... ¡Todo está tan mal hecho y es tan odioso! Ahora somos muy jóvenes los dos, Juanito y yo, para casarnos, pero me gustaría ir a un sitio donde pudiéramos casarnos y vivir felices.

—Tú le quieres mucho, ¿no, Lucía?

—Sí —dijo simplemente—, y él también me quiere mucho, sólo que no le gusta decirlo.

Juan les miraba desde un rincón con los ojos bajos, sin decir palabra. Antolín miró a su hijo, miró a Lucía y se sintió inmensamente feliz:

—Podría ser una solución, Lucía; posiblemente saldría bien. Voy a pensarlo despacio y lo vamos a discutir los tres juntos. Mañana por la tarde. Entonces ya habré yo terminado unos negocios que pueden tener su importancia y seguramente habré hablado con la madre de Juan y con su hermano. Pero no vengáis aquí a la pensión. La policía parece que está interesándose por mí, y es muy fácil que sea por los que me visitan. Me han dicho que es una cuestión de rutina pero Juanito no puede arriesgar el que le interroguen con las cosas así. No quiero que corra un riesgo inútil. Mañana nos vamos a encontrar en el café Lisboa a las nueve y media. No creo que vayan detrás de mí en la calle, ni creo que empiecen ahora a hacerlo. Al fin y al cabo, soy un ser inofensivo, siento decirlo.

Juan se movía inquieto. Esto era precisamente lo que Ramón temía, y ahora a él no le quedaría más remedio que contárselo. Le repugnaba la idea, pero no podía evitarlo. Preguntó:

—Saben que estás aquí para negocios, ¿no?

—Así lo creo. El hombre que me está relacionando con la gente de negocios está en demasiado buenas relaciones con las autoridades de Franco para mi gusto, y si la policía le ha preguntado, se lo habrá contado seguramente.

—¿Quieres decir el coronel Caro, padre? —Vagamente Juan pensó que esto también le interesaría a Ramón.

—¿Cómo estás tú enterado de eso? ¡Ah, bueno! Sí, por Pedro. Y él lo ha oído a través de sus... relaciones profesionales —murmuró Antolín.

—Sí, padre, es una banda de degenerados...

—Mira, Juan, no empieces tú a denunciar a otros. Como antes te he dicho, voy a tratar de hablar con Pedro y aclarar su actitud contigo, pero después tú y yo vamos a charlar sobre ti y Pedro; y no te va a gustar mucho. Pero si trato de llevarte a Inglaterra... Lucía, hija, tal vez estaría bien que hablara yo con tu padre.

—Mi padre está muerto, señor Antolín. Le mataron hace doce años en un bombardeo.

—Lo siento. Ahora estaría orgulloso de ti.

—¡Oh...! Hay muchísimos como yo que han perdido a sus padres. Pero a veces es peor, cuando están en la cárcel o fuera, y uno está esperando que vuelvan. Es algo... —Rompió de repente—: ¡Oh! No está bien, si alguien de pronto empieza a pensar qué diferentes serían las cosas si su padre no le hubiera abandonado.

—Sí, tienes razón, y no voy a olvidarlo. Ahora tenéis que marcharos, son casi las seis menos cuarto. Ten cuidado, Juanito, y no te metas en jaleos. Dices que Pedro se ha ido y no va a volver; esto te va a hacer las cosas más fáciles, aunque a mí me las haga más difíciles. No importa. Lucía, mañana te vienes al café con él, ¿eh?, y vamos a hacer un plan.

—Es una verdadera desgracia —dijo don Santiago a Amelia—. Me temo que tu padre no se va a sentir muy satisfecho con la manera en que se ha portado la familia. Sin embargo, Amelia, no sé por qué te sientes tan desesperada. No has perdido tus probabilidades, incluso tal vez has ganado terreno. Por lo que me cuentas, diría que tu padre no puede evitar el disgustarse con tus hermanos. El que claramente quiera ayudar a tu madre e instalarla más tarde en una vecindad más decente me parece muy bien. Esto no quiere decir, así lo espero, que le va a dejar a ella el dinero y la autoridad de gastarlo.

—Pero, padre Santiago, eso es precisamente lo que yo no sé. Sabe usted, yo también perdí la paciencia un poquito, ¡nada más que un poquito!, de verdad, cuando vi a lo que iba Pedro, y ahora me temo que mi padre esté también enfadado conmigo. Y no fue que mi madre fuera más lista, sino que no la dejamos meter baza. Y tengo la idea de que mi padre se va a volver pronto a Inglaterra, y entonces no va a querer que mi madre se quede sola; va a querer que yo esté con ella. Y entonces no puede realmente darme a mí mi dinero, ¿no le parece, Padre?

—Sí, ahora veo tu problema. Tal vez aquí hay un peligro. Tú no le has contado aún tus intenciones, ¿verdad? Y como él cree que lo que quieres es tener una dote para así tener más probabilidades de casarte, naturalmente va a dejar a tu madre que actúe como tutor hasta que seas mayor de edad. No nos podemos fiar de lo que tu madre haga. Está cegada por un credo falso y sería capaz de disponer de tu dinero para dárselo a esos grupos de espiritistas que parece que ganan más terreno cada día entre gentes que han perdido la fe de sus padres.

—Esto es lo que yo pienso, padre Santiago. Mi madre está completamente loca con esas cosas, y quiere mudarse, sobre todo para tener un sitio donde tener sesiones con los espíritus para ella sola. Ella misma lo ha dicho. Cuando nos quedamos solas hace un rato, comenzó a hablar de Pedro y de Juan, ya se lo he contado, y a decir que sólo el espíritu de Teresita puede ayudar para que no cometan un fratricidio. Yo creo que ni se acordaba de que yo estaba allí mientras hablaba sola. Me miraba, pero estoy segura de que no me veía, porque la vista la tenía fija en el aire y decía cosas como «si ahora tuviera yo mi cuartito para don Américo, Teresita me diría lo que tenía que hacer». Al principio no entendía lo que quería decir, pero poco a poco lo fue soltando todo. Tan pronto como mi padre la encuentre un piso para ella, quiere poner allí una especie de centro para sus espiritistas, y creo que quiere quedarse con don Américo como su consejero particular.

Don Santiago preguntó gravemente:

—¿Estás segura, Amelia, que no exageras? Esto no es el confesionario, y algunas veces ya me he dado cuenta de que tiendes a dejar libre tu imaginación y exagerar algo. La Madre Superiora lo sabe también, ya lo hemos discutido más de una vez. Durante tu noviciado será una de nuestras principales tareas el hacer que aprendas a decir la verdad simplemente.

Amelia bajó los ojos:

—Ya sé que algunas veces exagero un poquito las cosas, Padre, y cuando hablo con usted siempre trato de contenerme. Por favor, no crea mal de mí ahora, lo que estoy contando es verdad y si no me cree...

—Ves, ahora te estás dejando llevar por tus nervios otra vez. Ya conozco las circunstancias y me doy cuenta de todas las cosas que pesan sobre ti; posiblemente entiendo aún mejor que tú por qué exageras las cosas cuando no te sientes muy segura... pero estoy dispuesto a creer que esta vez no me estás contando más que lo que realmente ha pasado. Y esto es una cosa muy seria. Aquel núcleo de espiritistas de tu calle es una llaga supurante, pero hasta ahora nos hemos reprimido sin tomar medidas enérgicas porque al fin y al cabo, la influencia de su organizador no va más allá de un grupo insignificante de mujeres supersticiosas, entre las que se encuentra desgraciadamente tu madre. Pero la situación cambiaría enormemente si tu madre llegara a contar con los medios de dar un nuevo impulso a su magia negra. Por esto vuelvo a preguntarte: ¿estás segura de que tu madre intenta mantener las actividades espiritistas de ese don Américo, tan pronto como tu padre lo haga materialmente posible?

—Sí, padre Santiago, estoy segura. Ella lo ha dicho. Ha dicho un montón de cosas que yo no he entendido muy bien, porque yo misma estaba excitada y pensando qué diría usted, pero estoy segura de que esto lo he entendido bien. Y además, después de haber estado hablando por mucho tiempo, de repente se levantó y dijo con una voz muy rara: «Esta noche Teresita va a hablar conmigo», y echó a correr escaleras arriba, y yo la oí llamar a la puerta de don Américo. ¿No cree usted mismo, Padre, que esta noche van a tener una de sus sesiones?

—Me temo mucho que sí, Amelia. Esto ha ido demasiado lejos y yo tengo la culpa por mi indulgencia...

Don Santiago se levantó y cruzó la habitación hasta llegar a la ventana. La habitación estaba en sombras. Amelia se sintió abandonada y se estremeció; pero no se atrevió a interrumpir la meditación del sacerdote. Tocó la medalla de oro de la Virgen del Carmen que llevaba colgada del cuello juntamente con una crucecita, y rezó mentalmente, sin saber por qué o por quién.

Cuando don Santiago se volvió, las líneas de su cara se habían endurecido, como si su carne rosada hubiera recibido la estampa de un nuevo molde.

—Hay que dejarse de andar por las ramas, Amelia. Es necesario explicar a tu padre por qué has mencionado una dote. Vas a decirle la verdad completa, tu vocación, tu deseo de entrar en nuestro convento, comenzar tu noviciado, y llevar tu dote como corresponde a una esposa futura de Dios. Es posible que sea mucho más fácil ahora que él ha visto con sus propios ojos las influencias nefastas a que estás sometida. Y si aún le queda alguna duda de que la tal doña Luisa no puede ser tu mejor guarda, entonces tendré que desengañarle yo mismo; naturalmente, no sin hacer hincapié en que sus obligaciones hacia su esposa son sagradas y aún más urgentes de cumplir ahora que tu hermano mayor ha cortado sus lazos con la familia.

—Pero, padre Santiago, es muy posible que no quiera ayudarme si sabe para lo que es. Usted mismo sabe que no le gustan las órdenes religiosas.

—Hay siempre medios de hacerle ver las cosas razonablemente, Amelia. Mientras esté aquí (estoy de acuerdo contigo en que no va a ser por mucho tiempo), pero mientras esté aquí, tiene que recordar que éste es un país cristiano. Tal vez sería mejor aún si yo fuera a verle mañana. Sí, esto va a ser lo mejor, mañana, después de la misa de nueve. No es que espere muchas dificultades. Como antes te he dicho, es un hombre débil, pero no malo, y los acontecimientos de hoy le habrán enseñado que el fruto del incrédulo es amargo. En fin, márchate, chiquilla, tengo un trabajo importante que hacer.

Amelia le miró suplicante.

—Si no quieres ir a casa, lo cual entiendo muy bien, como no es tu casa espiritual, puedes ir a las Reverendas Madres. Siempre eres bienvenida allí. Ve con Dios.

La muchacha le besó la mano y salió, la cabeza inclinada. Don Santiago esperó hasta que sus pasos en el pasillo enlosado dejaron completamente de oírse. Llamó entonces a su ama, le dio unas órdenes, cogió el manteo, el sombrero y el breviario, y salió a la calle. El sol estaba aún alto y el aire era caliente. En su cuarto orientado al Norte no se había dado cuenta de ello, pero ahora sentía un deseo irreprimible de sentarse bajo los árboles del Retiro y ver alargarse las sombras de la tarde.

Se sacudió unas motas de polvo de la manga negra de la sotana. Antes de bañarse en la suavidad del sol, tenía que cumplir un deber desagradable. El recurrir al brazo secular era una cosa que detestaba. Era enemigo de violencias, sabiendo que la violencia produce a su vez violentas reacciones. Pero en este caso no tenía escape posible. Era imposible arriesgar el florecimiento del espiritismo en una vecindad donde ya había descreídos bastantes que habían perdido la fe. Don Carlos, el comisario del distrito, era un hombre sensato, religioso, y un buen amigo de don Santiago. Bastaría que le dijera que el viejo anarquista y espiritista don Américo se estaba convirtiendo en una amenaza seria para la moralidad pública. Él haría lo necesario.

La idea de una sesión aquella misma noche, diseminando falsas profecías entre ignorantes seres dominados por miedos paganos, enfurecía a don Santiago. Era un desafío abierto a la Iglesia. El comisario tendría que obrar inmediatamente, aunque fuera domingo.

Don Santiago dio unos papirotazos más a las últimas motas de polvo de su manga y reanudó su marcha.

Con las manos llenas de ropas interiores, Conchita pensaba ante el cajón abierto de la cómoda. ¿Debía realmente ponerse el juego rosa pálido? El rosa no era su color, no la iba. El azul claro era demasiado infantil. No, hoy se iba a poner su juego mejor, el blanco con las puntillas color de café. Le habían dicho que le iba maravillosamente con su piel que era un crema dorado. Le gustaba pensar que su piel era dorada. Las mujeres inglesas son rosa y blanco. Conchita estaba contenta de que ella fuera morena.

Antes de sacar su único par de medias de nylon se frotó las yemas de los dedos con piedra pómez para tener la seguridad de que la piel estaba suave y no correr el riesgo de un corrido, precisamente hoy. Cuando se hubo puesto las medias y las hubo sujetado bien tirantes en el liguero, se miró en el espejo y se golpeó la carne firme del estomago. Tenía el vientre liso y suavemente moldeado. Se volvió a medias y miró al espejo sobre su hombro; aunque sus pechos no fueran ya los de una muchacha, aún estaban perfectamente redondos. Con la barbilla se acarició el lunar que tenía en el arranque de uno de ellos.

—Me estoy vistiendo como una novia —dijo en voz alta a la otra mujer que la contemplaba desde el espejo.

Antolín se había encaprichado de ella y ella de él. ¿Y por qué no? Él quería una mujer y ella quería un hombre y a nadie tenía que dar cuentas. Tampoco iba a ser la primera vez. Sólo que esto era diferente. Quería que también fuera diferente para él.

Cada vez que se ponía una prenda se miraba en el espejo, sonriendo, frunciendo las cejas, guiñando los ojos a su imagen y repitiendo en desafío: «¿Y por qué no?» No había habido nadie que le recibiera bien cuando llegó. Ella le hacía falta. Tenía gracia el hombre. Tan viejo —cincuenta años son muchos años—, pensó Conchita, y tan parecido a un muchacho a quien aún dan miedo las mujeres. En Londres no se habría divertido mucho, no era lo suyo. Allí no saben alegrarse, y alegría era lo que le hacía falta. Esta mañana había estado tan agradecido cuando le había hecho reír, que acordándose de ello, se le hacía un nudo en la garganta. ¿Le importaría mucho si le contaba sus aventuras en casa de doña Consuelo? Pero no quería que la tomara por una zorra cualquiera, que no era. Por otro lado quería que él entendiera cómo veía las cosas. Si ella no se lo contaba, Eusebio era capaz de hacerlo. Esto sería aún peor, aunque el viejo Eusebio la quería y no iba a contar nada malo de ella. Se decidió por el traje de seda color de burdeos. Era el mejor que tenía.

Eusebio se había preocupado cuando ella le contó su conversación con Antolín, porque creía que Antolín se había tomado seriamente la cuestión con la policía. Conchita no estaba muy segura de si al fin y al cabo no era más que una cuestión de rutina. Tal vez debía asegurarse de ello. El comisario del distrito era uno de sus pacientes secretos, y seguramente podía sonsacarle. En todo caso, estaba convencida de que Antolín no había venido a España con ninguna misión política. Seguramente le dejarían en paz al menos por unas semanas. No quería pensar que tuviera que marcharse deprisa y corriendo, antes de que hubieran estado juntos un montón de veces.

Se rio como un golfillo; esto de «estar juntos» era una frase sosa. Conchita trató de decirlo con una palabra más expresiva, la más brutal del idioma, pero se asustó. Bueno, se divertirían juntos. Esto estaba mejor dicho. Quería conseguir que se riera más. Era algo así como llevar un juguete a un chiquillo que está en el hospital. Sería bonito tener alguien que mimar, pero ella también quería que él la mimara. A lo mejor ella era la chiquilla solitaria que había encontrado una persona mayor con quien jugar y que la meciera en los brazos y la hiciera sentirse en paz y protegida.

¿Se había dado mucho carmín en los labios? Era de un color rojo precioso que hacía juego con el traje. Se frotó en la mejilla un poquitín de colorete y mojó el peine en agua antes de pasarlo por sus cabellos cortos y rizosos. La brillantina los haría brillar más, pero a lo mejor a él no le gustaba. A los hombres no les gusta darse cuenta de lo que las mujeres hacen para parecer más bonitas, aunque les guste verlas bonitas. Conchita no daba mucha importancia a las inglesas que había visto en las películas. No tenían gracia ni color. Se sentía segura de sí misma.

Era hora de marcharse. Conchita salió deprisa, después de decir dos palabras a la señora Úrsula que dormitaba en una mecedora en la cocina. ¿Qué diría su madre si le contara que se había enamorado de un tío de cincuenta años, y casado por añadidura? ¡Tenía gracia! Conchita iba riéndose de sí misma, cuando se enfrentó con alguien en el descansillo de la escalera.

—¡Oh, Conchita, chiquilla querida! ¡Cuánto me alegro de

haberte encontrado a tiempo! —dijo el hombre en quien ella ni había reparado. Era don Américo.

—Si quiere usted algo, tiene que venir conmigo, y darse prisa, ¡mucha prisa! —pero retardó el paso escaleras abajo. El viejo no estaba muy firme en sus pies.

—Siento mucho molestarte en un mal momento, pero esto es urgente, Conchita, muy urgente. ¿Puedes venir esta noche para una sesión importante?

—La sesión importante la tengo yo —rio—. No, no puedo ir.

Jadeando, el viejo se detuvo en medio de la escalera y la tomó por un brazo:

—Pero, Conchita, déjame que te explique por qué es tan importante. La señora Luisa...

—¡Pa chasco que no fuera ella!

Con un reproche suave, explicó:

—Es una mujer muy desgraciada. Parece que su marido vino a comer con la familia y tuvieron un gran disgusto. Pedro, que no creo que tenga mal corazón, porque siempre ayuda, se sintió hondamente insultado por su hermano y está tan enfadado que la señora Luisa tiene miedo de una desgracia. ¿Te acuerdas del mensaje del espíritu la semana pasada? Claro que te acuerdas, te lo conté yo cuando volviste del trance. Pues bien, la señora Luisa está convencida de que venía de Teresita, en contra de mi opinión, y ahora quiere que tengamos una sesión esta misma tarde para pedir consejo y guía. Y sin ti no podemos hacerlo, Conchita. La pobre está tan agobiada, parece que su marido la trató malamente, que sería una obra de caridad darle la paz que solamente puede darle una comunicación con el espíritu de Teresita.

A pesar suyo, Conchita dijo:

—Esta noche no puede ser. Puede usted decir lo que quiera de la señora Luisa y sus disgustos, que de todas formas son culpa suya. Hoy no, mañana, bueno. No, abuelito, lo siento, pero no tiene arreglo. ¡Esta vez no lo hago ni por usted!

Conchita echó a correr, mientras don Américo se quedaba sin saber qué hacer, acariciándose sus finos cabellos grises. Al pie de las escaleras Conchita se volvió y agitó la mano hacia él, la cara encendida. Con una sonrisa pálida, el viejo contestó:

—¡Dale la enhorabuena a tu novio!

Abrió la puerta del portal y un torrente de sol iluminó el pasillo abovedado. Conchita salió a la luz del sol, y su traje rojo se encendió como un rubí, como una llamarada. Cerró la puerta tras de sí.

La escalera le pareció mucho más obscura al viejo.

11

La calle estaba llena de oro en polvo, la luz de un atardecer lleno de cobres; el aire inmóvil. Conchita estaba en la esquina, sonriendo, embebida en las truhanerías de un puñado de gorriones, cuando Antolín vino hacia ella. La veía como si estuviera en un escenario, sola y completa: las líneas firmes de su cuerpo, el esguince de su cabeza, la mirada absorta de sus ojos brillantes. Le dio un placer inmenso encontrarla tan hermosa, dolor saber que él nunca podría compartir su alegría de vivir. Conchita se volvió, sorprendió su mirar, y habría borrado su sonrisa si no hubiera estado convencida del hambre que él tenía de su alegría. Mentalmente maldijo a toda su familia, sobre todo a la mujer con quien estaba casado. Antolín la tomó del brazo, no como un amante sino como un amigo cariñoso. A su contacto ella se arrimó a él como un gato ronrón. Un escalofrío suave le corrió por la piel, sin meterse dentro, sólo a flor de piel.

—Vamos a algún sitio donde podamos charlar —dijo.

—¡Pobrecito mío! ¿Tan malo ha sido hoy?

Le pareció natural que ella estuviera enterada de sus dificultades y no se le ocurrió preguntar qué quería decir.

—Sí, muy malo, pero al menos comienzo a ver claro lo que debo hacer. Lo siento, guapa; podíamos haber sido muy felices juntos, pero me temo que en lugar de ello vas a tener que oír mis lamentaciones.

—Y, ¿por qué en lugar de ello? Naturalmente que vamos a ser felices, en cuanto te quites de encima el mal humor.

—Eso quisiera yo que fuera, sólo mal humor que tan fácil sería quitármelo.

—¡Ah!, ya te voy a quitar lo que sea, no te apures. Precisamente es para lo que me pinto sola. Espérate que empiece a curarte. Un besito no basta cuando la enfermedad es grave, pero hay otros remedios. —Siguió charloteando provocativa, mientras le llevaba a una quieta calleja. Iban cuesta abajo, pero le parecía que le iba ayudando a subir a una montaña. «¡Pobrecillo! —iba pensando—, la verdad es que ya no es un muchacho.» Su mente le decía que tenía que darle tiempo a recuperarse de la amarga impresión de su querella doméstica, pero sus instintos se rebelaban contra este desperdicio de tiempo. La vida es tan corta, y ella se estremecía de impaciencias.

—Vamos a entrar aquí, es un buen rincón para enamorados, si es que eso te sirve de algo. —Sacudió la cabeza y entró en el café sin esperar su respuesta.

El gran salón fue en sus tiempos el sitio favorito de una generación que hoy eran abuelos ya chocheando o simplemente no existían más. Entonces se reunían allí, convenían negocios a través de interminables regateos, discutían de política, criticaban a sus vecinos, y las llamaradas del gas dispersas en el bosque de columnas les parecía el último avance de la ciencia. Hoy, los únicos clientes eran dos parejas de enamorados, cada una de ellas resguardada en un rincón obscuro, y tan ajenas al mundo exterior como náufragos en una isla del Pacífico. Los viejos camareros sabían muy bien que encender las luces, y disolver la neblina que allí reinaba y que era la mayor atracción del café, era cometer un grave delito. La media luz suavizaba las volutas de escayola, los espejos de marco dorado, los frescos de doncellas griegas exhibiéndose al abrigo de mármoles y laureles; al mismo tiempo ocultaba la capa de polvo que se extendía sobre todo, y mucho más espesa sobre el gran piano de cola, solitario, privado hasta de su banqueta redonda de terciopelo. Sólo el mármol de los veladores brillaba por su blancura inmaculada; uno de los viejos camareros iba de uno en otro acariciándolos suavemente con un paño húmedo, fantasma silencioso en sus zapatillas de orillo que eran caricia para sus pies planos. El salón olía a leche cocida y agria, como chambra de madre harta de hijos, y a polvo de terciopelo roído de polilla.

Antolín resistió la ligera presión con la cual Conchita le llevaba hacia uno de estos rincones obscuros, y escogió una mesa tras la amplia ventana. Conchita se vio obligada a sentarse frente a él, con la luz, ahora ámbar, de la tarde, hiriéndole los ojos. Se consoló pensando que en pocos minutos sería obscuro.

El camarero interrumpió su caricia a los mármoles, fue en silencio hasta una de las columnas y escondió el paño húmedo en el interior de una esfera de metal pulido. Después se acercó a ellos, sin prisa y sin detenerse. Cuando Antolín se vio libre de él, se volvió a Conchita y cogió firmemente sus manos entre las suyas:

—Chiquita mía, me voy.

—Ya sabía que te ibas a marchar pronto. Lo sabía esta mañana. No, antes. Pero esto no nos importa hoy, ¿verdad? Esta noche no te vas a ir.

—No, no esta noche, pero probablemente el jueves.

—Cuatro noches son mejor que ninguna.

—Me temo, Conchita, que va a ser ninguna.

—Mucho has cambiado desde esta mañana.

—Tal vez.

—Pero yo no. ¿Es que ya no te gusto?

Antes de terminar la frase estaba arrepentida. En lugar de la respuesta que había pedido, él la miró con una ternura desprovista de deseo que le hizo latir furiosamente el corazón. Las palmas de las manos se le cubrieron de sudor, y se escapó violentamente de las manos de él antes de que tocara su piel ahora fría y desagradable. Si él estaba helado, lo único que podía derretirle era su carne y su sangre calientes. Se inclinó ha-

cia adelante, despacito, hasta que su piel recibió —¿o emitió?—
una oleada de calor ondulante que le decía mejor que nada
cuán próxima estaba a él. Le miraba a las manos: ahora iba a
tocarla. No era posible que siguiera tan ajeno a ella. Tenía que
contenerse ella con toda su voluntad para no echarse sobre él,
diciéndose furiosamente que todo se iba a perder si no tenía
paciencia suficiente para esperar sus reacciones. Pero Antolín
no se movió; estaba perdido en sus pensamientos, insensible a
su proximidad.

Tengo que hacer que me vea con mis ropitas blancas —pensó Conchita—, y sintió unas tentaciones locas de reírse. Le
divertía el pensamiento de que hoy su ropa interior —la mejor
que tenía— se aliaba a su urgencia de acostarse con él, cuando
otras veces su virtud —y acentuó mentalmente la palabra— se
había salvado porque sabía que sus braguitas no estaban muy
limpias. Pero tenía que reírse sola de esta broma contra sí misma, porque Antolín nunca podría compartirla con ella. Mucho más serena ya, decidió hacerle hablar, lanzándose ella a
hablar abiertamente:

—No tomes muy a pecho la bronca con tu familia. La gente es lo que es, y no lo que nosotros queremos que sea; y tus
chicos no serían muy diferentes, aunque hubieras estado siempre con ellos.

Una vez más, el hecho de que ella conociera lo que había
pasado no le chocó.

—No estoy muy seguro de que tengas razón —contestó
él—. Sí, tengo que admitir que es una vieja debilidad mía el
esperar que la gente sea conforme a como yo me los imagino.
Creo que es una especie de egoísmo. Pero de todas maneras,
mis chicos no son esto o lo otro, sino una mezcla de diferentes
cualidades, buenas y malas, igual que somos todos. Si yo hubiera podido estar con ellos, y si hubiera podido ayudarles, lo
cual son dos cualidades importantes, seguramente hubieran
desarrollado más fuertemente otras cualidades mejores. Pero,
aunque hubiera estado aquí, no hubiera podido llevar una vida

normal, así que es tontería pensar en lo que podría haber pasado. La cosa no tiene remedio, al menos por lo pasado. Lo que es peor, es que tal vez tampoco lo tiene para el futuro, no mientras la vida en España sea lo que es.

Su voz resignada la enfureció. Conchita se encrespó:

—No tengo nada que ver con tus chicos, así que no lo sé. Otros no han tenido padre, y sin embargo no han hecho tonterías, ni se han torcido así. Lo que a ti te pasa es que no ves a dos dedos de tus narices. —¡No me ves a mí!, pensó.—Tú serás muy cariñoso y muy decente y todo lo que quieras, pero te apuesto que no conoces nada sobre la gente, la gente tal como de verdad es. —Quería gritarle: «Ahora mismo no te das cuenta de las ganas que tengo de estar en la cama contigo, idiota»—. Por ejemplo, ¿sabes que tu mujer nunca ha querido a ninguno de vosotros, con excepción de la niña que se le murió hace veinte años? Tú eres su marido, pero eso no lo sabías.

Lentamente, Antolín dejó de mirar al cielo limpio a través de los cristales y consideró todo lo que su explosión significaba. Veía mucho más que lo que Conchita, en su rabia, le hubiera creído capaz. Adivinó que estaba celosa de todos los que llenaban su mente, porque le quería exclusivamente para ella. Esto le hizo hablarle con dulzura, aunque al mismo tiempo se daba cuenta, con un sentido de desamparo, de que Conchita estaba mezclada en la sórdida tela de araña de intrigas que le rodeaba.

—Y, ¿cómo estás tú enterada de eso, Conchita? Yo creía que tú no conocías a Luisa.

Se lanzó de cabeza, con desafío desesperado:

—Claro que la conozco. Soy el médium del grupo suyo, ¿no te lo he dicho esta mañana? Tu mujer cree que se pone en comunicación con Teresita a través de mí, y esto es lo único que la preocupa en el mundo. Sé lo que es, la vieja bruja; mucho antes de que vinieras me ha preguntado todo lo que había que preguntar sobre ti, aunque ni tú ni los chicos la importáis un bledo... No, esto no es verdad, siente algo de cariño por

Pedro, el chulo ese, ¡que es un flamenco! El otro día, cuando yo estaba en trance, dije algo sobre los dos hermanos (se odian, y los dos son violentos), y tengo que decir que ella se asustó terriblemente. Y esta tarde don Américo, el espiritista, quería que diera una sesión especial porque tu mujer estaba muy preocupada con lo que Pedro iba a hacer en su furia, y necesitaba la voz de Teresita para saber qué partido tomar. Le dije que no podía ir, que tenía otras cosas mejores que hacer esta tarde. —Conchita se calló de golpe, tragó saliva y puso cara contrita—. No pongas esa cara, no es culpa tuya, estas cosas tenían que pasar de todas formas.

—¿Así que has sido tú quien dio a Luisa el mensaje de los espíritus de que me hablaba Juan? Lo siento, lo siento mucho.

—Lo siento, lo siento, ¿qué quieres decir con «lo siento»? ¿Tú crees que está mal que trate de decir la verdad a la gente en la única forma en que pueden entenderla? He tratado de ayudaros a todos vosotros y ahora estás ahí, mirándome con los ojos de un juez. ¿Y qué sabes tú? Tú no nos entiendes nada. Tú no tienes la menor idea de lo que la vida es aquí; y eso está muy bien para ti, puedes sentarte tranquilamente y decir que todos somos unos sinvergüenzas y que tú eres la única persona decente, y la prueba de ello es que has venido a arreglar todas las cosas para tu familia. ¿Y a eso lo llamas decencia? ¡A la mierda, tú y tu decencia! —Su voz se había vuelto estridente y ronca al mismo tiempo, las palabras le salían en una cascada de ruidos como grava que descarga un camión.

Antolín pensó: «Lo que quiere es que yo la grite, pero no puedo». El viejo camarero cabeceaba al lado del mostrador, imperturbable. Las dos parejas seguían sus cuchicheos.

—Te voy a decir por qué has venido aquí. Allí no eras feliz y te faltaba el coraje para enfrentarte solo con la vida. Ahora tampoco lo tienes para enfrentarte con la vida aquí, y te vuelves allá corriendo. Contigo será siempre lo mismo. Siempre me lo he figurado así, desde la primera vez que Eusebio me habló de ti. Pero no importa cómo eres, me importa que me he enamorado de ti. ¡Oh, sí!, lo puedo decir, no tengo necesidad de decirme mentiras más o menos bonitas. Y tú ¿qué? Tú no te dejas llevar por tu impulso, porque tienes miedo de enamorarte, y así, lo único que puedes decirme es: «Lo siento, pero ¡no eres bastante buena para mí!» ¿Por qué no puedes ser humano, igual que lo somos los demás, y por qué tienes que hacer a todo el mundo infeliz porque tú no puedes ser feliz?

«¡Oh, Dios! —pensó Conchita—, estoy diciendo cosas que no quiero decir, sólo porque quiero que me diga que no tengo razón, y ahora me va a odiar.»

—Conchita, no sigas hiriéndome e hiriéndote —dijo Antolín, sintiéndose muy viejo y muy cansado—. La mitad de lo que dices es verdad, la otra mitad no lo es, y creo que te das cuenta de ello. Sé mucho más sobre mí mismo que lo que tú crees. No soy un héroe, pero tampoco soy un granuja. Soy simplemente un estúpido, siempre pensando demasiado sobre lo que debería ser para salir de mis dificultades. Seguramente es verdad que he tratado de huir de una cosa o la otra. De la soledad, creo. ¡Como si le fuera posible a alguien el poder evitar estar solo! Tal vez ya no huya más, porque ahora me parece que lo que he estado haciendo ha sido correr dando vueltas en círculos. Lo último que he intentado ha sido volver a mi juventud viniendo hoy aquí, y naturalmente, era una estupidez sin sentido. Debía haberlo sabido, pero no lo he visto. Cuando me gustaste tanto esta mañana, era lo mismo. Tienes que perdonarme.

Conchita se quedó quieta en la silla, las manos caídas y abiertas sobre el regazo. Era el fin. Confusamente se despedía de algo que no había llegado a poseer. Levantó los párpados pesados. No tenía por qué replicar. Era una hora de verdad, y esta verdad la compartían los dos.

Antolín comenzó a hablar de lo que había ocurrido durante el día, como una cosa sin importancia, los ojos otra vez en el trozo de cielo límpido que se veía sobre los tejados de enfrente, el cielo azul luminoso por el que había suspirado en las tardes grises de Inglaterra. Cuando llegó a la visita de Juan y Lucía, se le animó la voz. Terminó:

—Sobre los otros no me hago ilusiones. No han tenido parte en mi vida y yo no he tenido parte en la suya, porque en realidad ninguno queremos. Todo lo demás es mentira. Les ayudaré cuanto pueda, pero no me voy a destruir yo mismo por algo en que no creo. Ya me he engañado bastante a mí mismo. La situación aquí es la que es, muchísimo peor que mi propio fracaso. Es el fracaso de todos nosotros. Esto no me quita de encima el sentimiento de culpa y de responsabilidad, pero lo cambia, aunque aún no sepa exactamente cómo... Lo mejor que puedo hacer por Luisa y la chica es hacerlas independientes una de otra y de mí. Y esto es cuestión sólo de dinero. Pedro está fuera de mi alcance y nada puedo hacer. Pero Juanito no es un caso sin esperanza. Me necesita. He visto que ha estado tragando las frases de sus amigos políticos, como una droga, porque se sentía perdido. Se engaña a sí mismo, es capaz de creer todo, es arrogante y agresivo, todo lo que quieras, pero al menos tiene una especie de ley y de decencia y no se ha convertido en un colaborador del sistema canalla de Falange. Y su novia es, exactamente, lo que hubiera querido que mis chicos fueran, buena y decente. Así la única cosa útil que puedo hacer es dar a estos dos una nueva posibilidad en un país distinto. Tan pronto como vuelva a Londres, voy a tratar de encontrar un trabajo para Juan. Seguramente no le van a dar el pasaporte, pero no creo que le importe pasar la frontera ilegalmente; hasta le hará bien, porque se creerá un héroe. Y una vez que haya salido de esta selva salvaje, aprenderá que uno puede trabajar por una sociedad mejor sin necesidad de pisotear seres humanos. Si le puedo ayudar, aunque no sea más que un poquito, será una gran ayuda para mí mismo.

Se interrumpió y se quedó mirando a Conchita, sin verla en la penumbra de la tarde y en su ensimismamiento.

—Me quedaría en Madrid, si creyera que podía hacer algo

que valiera la pena en uno de los grupos ilegales que creyeran en, ¡bueno!, en lo que llamamos la libertad. Me sentiría menos inútil. Porque es ahora cuando me doy cuenta de que la única razón por la que debía haber venido era ésta, hacer algo en la lucha contra Franco, sólo que para eso me faltan los redaños. Y ahora, ahora estoy fichado y lo único que conseguiría sería poner a la policía en la pista de otros... O tal vez esto es otra excusa. En todo caso, ni sé por dónde empezar, ni daría pie con bola en esta maraña... Ahora, dime, ¿qué es todo eso sobre Pedro queriendo denunciar a Juan y esas amenazas de violencia? Parece que tú crees que Pedro es capaz de cualquier granujada. No me entra mucho en la cabeza, pero supongo que conforme están las cosas debemos hacer algo. Y tú conoces más de ello que yo, puesto que has tratado de avisar a Luisa; sí, me doy cuenta de que conforme están las cosas no tienes ninguna culpa; tenías que disfrazar la verdad, o lo que tú creías la verdad, si querías hacer algo práctico. Cuando lo contaste me enfadé en el momento, tonto de mí. Pero, ¡la cosa es tan estúpida! ¿Me quieres ayudar, Conchita?

Conchita había escuchado el interminable monólogo manteniendo en la cara la sombra de una sonrisa. ¡Qué desamparado estaba, y cómo trataba de entender, el pobre! Le contestó con un punto de su vieja alegría desvergonzada:

—Después de todo no has cambiado mucho, chico. Desde luego, nadie cambia. Sí, hombre, voy a tratar de sacarte de este lío. Al menos sé cómo entendérmelas con Pedro, a través de doña Consuelo. Ya sabes de quién hablo, anoche estuviste allí. No abras la boca como un bobo, tonto. Sí, tengo amigos en todas partes y me cuentan cosas. Hasta que no habías querido acostarte con una chica guapa, ¡la pobre!, antes de que empezaras a decirme cosas. ¡Se conoce que quieres que te pongan una coronita de santo! ¡Y no pongas esa cara, que te veo muy bien aunque esté obscuro! Claro que conozco la casa de doña Consuelo y hasta me he acostado, algunos años antes, con sus mejores clientes. Pero ahora es una de mis enfermas, y cree en mis dones a cierra ojos; y es una lástima que tú no creas, porque te haría bien. Así es como sé todo lo que hay que saber de Pedro. Es un canallita, pero doña Consuelo sabe manejarle. Voy a hacer que le meta un susto en el cuerpo que deje en paz a Juan. —Agregó—: ¡Si no es demasiado tarde! —Y en un rincón de su cabeza su mente repitió: «Demasiado tarde». Tras una pausa preguntó—: ¿Y qué va a ser de ti, Antolín?

—¡Ah!, no me voy a sentir infeliz, si es eso lo que quieres decir. Me volveré a Londres y seguiré viviendo allí. No creas que voy a volver a lo mismo, esto nunca pasa. Tú dices que no he cambiado, pero al menos he aprendido algo. He estado aquí y he visto que no es tan fácil como parece encontrarse a sí mismo. Así que voy a volver a Londres, pero no voy a seguir viviendo como un turista o como un refugiado. No sé si entiendes lo que quiero decir...

—Sí, sí, te entiendo.

—Tal vez me entiendes. Mira, hay muchas cosas en las que tienes razón, Conchita, pero no es verdad que en Londres fuera infeliz. Lo era a medias, mitad feliz, mitad miserable, porque siempre estaba pensando si no me sentiría menos solo entre gente que hablara mi lengua. Esto se acabó. Claro que voy a ser toda mi vida un extranjero en Inglaterra; pero aquí también soy extranjero, y esta clase de soledad es peor y me hiere mucho más, porque me hiere en la propia carne. En Londres me espera una mujer. Se llama Mary y la quiero más que a nadie en el mundo.

Prosiguió:

—¡La cosa tiene gracia! Ahora mismo, cuando sé que Mary nunca podrá derretirme los huesos de gusto como tú podrías hacerlo, la echo de menos enormemente. Cuando tú dices algo, entiendo exactamente lo que quieres decir; cuando ella me habla, hay veces que no la entiendo, y lo mismo le ocurre a ella conmigo. Sin embargo no importa, quisiera que los dos nos hiciéramos viejos juntos. Tiene gracia —repitió con un sonsonete infantil—, me siento como si estuviera casado con

Mary y hubiera sido tu querido. Contigo es eso, una aventura disparatada, con ella una cosa hermosa y serena. Y a pesar de todo estoy encerrado conmigo a solas. ¿Quién fue el que dijo que todos los chicos españoles tienen que aprender: «Solo estás y solo te quedarás»? ¿Fue García Lorca?

Conchita no pudo contener la risa ante su pedantería, aunque le dolían las entrañas:

—No sé, querido, pero es verdad. ¿Y no lo sabías? No tienes remedio. Me hubiera gustado que te hubieras acostado conmigo, aunque ni aun sé si te apañas bien para esas cosas o no, y es una lástima que se te haya pasado el capricho por mí. No creo que en cuatro noches nos hubiéramos tirado los muebles a la cabeza, a no ser que te hubiera dado la manía de hablar todo el tiempo de los problemas de la vida. Aún me sigues gustando, si quieres saberlo, pero ya se me va a pasar el arrechucho. La próxima vez que vaya al cine, me voy a dar un atestón de llorar y me voy a creer que soy la hermosa heroína con el corazón roto en cachitos. Ahora mismo casi me siento feliz, porque has dicho que tu Mary no te puede volver los huesos agua y yo sí podría. Algo es algo. ¿Qué? ¿No admiras lo bien educadita que estoy y las cosas finas que estoy diciendo, en lugar de decir lo que se me viene a la boca, que no es muy fino? Escucha. —Soltó una palabrota, y otra, en un chorro furioso, suspiró y dijo—: Ahora me siento mejor. Di que nos traigan algo de beber, Antolín.

Llamó al viejo camarero y pidió dos coñacs. Ella se bebió el suyo a sorbitos. Estaba tan obscuro que él apenas podía verle la cara. Una de las parejas se había marchado, la otra estaba sumergida en las sombras del vacío salón. De pronto se encendió la luz eléctrica, las bombillas desnudas, absurdas, en la caduca elegancia de los candelabros. Conchita y Antolín quedaron momentáneamente cegados por la luz. Esto les dio tiempo a componer el gesto.

—¡A tu salud, Antolín!

—¡A la tuya, Conchita!

Se rio ella y enrojeció vivamente:

—Lo que no tiene remedio no se cura. No te preocupes por mí, estoy fuertota y me sobran los amigos; y aún no soy vieja ni fea, ¿verdad? Lo único que siento en este momento es que no he ido esta noche a casa de don Américo. A lo mejor aún voy. Y ahora escucha a tu amiga Conchita, que sabe más de la vida que tú: arregla las cosas con tu familia antes de marcharte, y después no vuelvas a pensar más en ello; seguir rompiéndote la cabeza ni les beneficia a ellos ni a ti. Pedro es lo que es, porque se pasa la vida tratando de ser lo que no es, y cuando le salen las cosas mal, la emprende con los demás, y en esto se parece algo a ti, aunque es mucho peor. Déjale solo, que tiene más veneno que una víbora. Acabará siendo rico si es que vive bastante para ello. En cuanto a Juan..., es verdad que es un niño llorón que necesita que su papá le dé unos buenos azotes, pero si yo estuviera en tu lugar, me daría miedo el tratar de convertirle en algo distinto. Yo soy de las que creen que hay que cambiar las cosas, Dios sabe que hace falta un buen cambio, pero una vez que empiezas a meterte a redentor, no sabes en qué terminas. Deja a tu hija que se meta en el convento aunque te den ganas de vomitar; ésa va a ser una buena monja, y es preferible a que ande toda su vida oliendo cirios en sacristías. Y tu mujer es feliz con sus espíritus, así que déjala en paz con ellos. ¿Por qué no dejar a la gente que haga lo que quiera si no hacen daño más que a ellos mismos? Mañana vamos a tener una sesión en casa de don Américo y la señora Luisa va a tener el mensaje de su Teresita. Te juro que voy a ser un almíbar con ella y se va a quedar feliz. Y esto es todo, ¿no? Tú agarras el avión el jueves y desapareces, cuanto antes mejor. Es una tontería tuya no tener miedo de la policía. Y si yo te digo con lo que me gustaría que te quedaras... Pero ahora no empieces a tener remordimientos en cuanto a mí, porque no te lo voy a agradecer. Si quieres me das un par de besos en la calle, te prometo que no voy a llorar. ¡Hala, vámonos, Antolín!

Detuvieron a don Américo a las nueve y media, una hora temprana para una detención política. En general, la policía prefería esperar hasta después de medianoche, cuando no había peligro de que la gente se enterara y hubiera demostraciones hostiles. Pero en este caso, el comisario personalmente había organizado el procedimiento, después de su conversación con don Santiago. Habían decidido escoger un momento para la detención en el que aún no hubiera comenzado la sesión, pero tan inmediato a ello que los miembros del grupo se llevaran el gran susto y la impresión de que se habían librado por casualidad. En aquel momento no era oportuno detener a ninguna de las mujeres espiritistas. (Don Santiago pensaba que era mucho mejor no volver histérica a Amelia, y complicar sus planes con Antolín, arrestando a la señora Luisa.)

El comisario había seguido sin dificultad las sugerencias del cura. Le estaba muy agradecido por haber llamado su atención sobre estos puntos. Le confesó que su colega más joven había tenido muy poco tacto en las dos detenciones previas de don Américo y había revuelto las cosas lastimosamente. Claro que hasta un grupito insignificante de viejas supersticiosas puede convertirse en el foco de actividades políticas peligrosas, en una vecindad de una clase tan baja como aquélla, pero por el momento el grupo se dispersaría solo, en cuanto desapareciera el viejo. Prometió a don Santiago encargarse él mismo de todo, aunque esto significaba que otro se iba a aprovechar de la butaca que le habían regalado para ir al teatro aquella noche.

En las horas dormilonas de la tarde, antes de que comenzaran los casos de rutina de cada día, el comisario estudió el expediente. Era un poco extraño que se hubiera libertado ambas veces a don Américo sin más que una reprimenda, pero por otra parte esto mismo podía ser una bendición si don Santiago hacía llegar al Ministerio de Gobernación su prontitud y eficacia en resolver definitivamente el caso. No le vendría mal una recomendación entre los peces gordos; al fin y al cabo, él se merecía algo mejor que una comisaría de barrio, aunque estaba allí mucho mejor que en el ejército. Hasta era una lástima que el espiritismo no fuera políticamente peligroso; aunque tal vez lo era. El viejo chocho, don Américo, parecía estar chalado, pero era un fanático. Sus andanzas eran un ataque insidioso contra los verdaderos cimientos de un Estado Cristiano, como don Santiago había indicado muy bien, pero también eran una afrenta, un desafío descarado, a las leyes de la Nueva España. No debería tomar esto a la ligera por que el viejo aparecía ridículo y miserable ante él. El comisario suspiró complacido; estos jovencitos de hoy, como su colega, no sirven para estas cosas. Hay que tener más sutileza. Se regodeaba de antemano ante la idea del interrogatorio, que iba a ser divertido. Más divertido que la comedia a que su mujer le había intentado llevar aquella noche. Algunas de las historias que había oído sobre médiums y espíritus eran increíbles. No había duda de que existían gentes con poderes extraños, de Dios o del Diablo. El comisario se santiguó furtivamente. Cuando dio sus instrucciones para la detención, recalcó al agente que debía traer todos los papeles que encontrara en el cuarto de don Américo, menos libros corrientes.

Don Américo aceptó estoicamente su detención. Era un alivio pensar que la sesión con la señora Luisa no podía verificarse. La negativa de Conchita a venir, que tanto le había disgustado, era claramente un acto providencial de un guía más alto. Pensó tiernamente en la muchacha. Era también de buen agüero que el agente que vino a buscarle era el mismo que le había arrestado las otras veces y le había tratado decentemente. Entró llamando «abuelo» a don Américo, le preguntó con una risa bonachona si había cenado ya, y le aconsejó que se llevara una manta, una muda y una toalla.

—Mientras hace la maleta, voy a recoger los papeles —terminó el agente.

Don Américo sintió un escalofrío en la caja del pecho. Nunca se habían preocupado por sus papeles. Pero rápidamente se dijo a sí mismo que nada sería una prueba mejor de su buena causa que sus folletos y sus recortes.

—Todo está en esos baúles, pero, ¡por Dios!, tenga cuidado con los papeles, son únicos.

Gruñendo ante la cantidad, el agente sacó del primer baúl los rimeros de folletos cuidadosamente atados y abrió la tapa del segundo.

—¡Por favor! No toque el paquetito que está encima; yo lo sacaré.

—¿Qué es? ¿Tiene armas escondidas, o qué? No me toque, o le ato codo con codo. —Fue a la puerta y llamó a los dos guardias armados que había traído con él, más por su propia protección si la gente se alborotaba que porque temiera una rebelión del viejo—. Ustedes dos se están aquí y no dejan a este tipo que se acerque a mí. Déjenle que empaquete sus cosas, que le van a hacer falta, pero no le dejen que se mezcle en el registro que estoy haciendo.

Con mucho cuidado, porque nunca sabe uno si puede tropezarse con una bomba, el agente desenvolvió la bombilla roja y la mantuvo en alto contra la luz.

—¡Ah, vamos!, esto es para cuando se viste de brujo, ¿eh?

Dejó la bombilla sobre la mesa. La bombilla comenzó a rodar lentamente hacia el borde, trazando una curva elegante, y se estrelló contra los baldosines. Don Américo, impotente entre los dos fornidos guardias, exhaló un quejido suave.

—No llore, abuelo, de todas maneras ya no le va a servir de nada —gruñó el agente—. Creo que voy a dejar aquí estos mamotretos sucios, ya pesa bastante lo que tenemos aquí. Paco, ven aquí, tú cargas con esto.

Cerró con un golpazo la tapa del baúl, vacío ahora, con la excepción de la obra de Allan Kardec. El golpazo regocijó el alma de don Américo: ¡los libros del maestro se habían salvado una vez más de las manos de los vándalos! Enderezó lo mejor que pudo sus encorvadas espaldas y bajó las escaleras erecto, pasando ante la puerta cerrada de la señora Luisa, cruzándose con la asombrada María, desdeñando las puertas entreabiertas con ojos curiosos tras la rendija, atravesando el patio donde la portera esperaba con los brazos en jarras. La gente en la calle se detenía y miraba al viejo espantapájaros y su séquito de policías cargados de papeles. Detrás de él, la casa comenzó a zumbar como una colmena en alarma.

Le llevaron directamente a la sala-tribunal de la comisaría: una tarima con una mesa y un sillón de brazos, bajo ella una mesa para el secretario, unos bancos a lo largo de las paredes, un retrato del Caudillo presidiendo la escena. Al cabo de un ratito entró el comisario y se entronó en su sillón. Un policía se sentó en la mesa baja y preparó papel y pluma. Uno a uno, atraídos por el rumor de que algo interesante ocurría, fueron apareciendo policías y guardias, arrimándose a las paredes, sentándose en los bancos.

El interrogatorio comenzó con las formalidades de costumbre. Después, el comisario preguntó:

—¿A qué se dedica usted?

—Bien, señor, no tengo ocupación. A mi edad no hay quien le dé a uno trabajo, hasta para los jóvenes es difícil en estos tiempos.

—Aquí no ha venido a hacer comentarios. ¡Hum!, escriba, sin profesión. Y entonces, ¿de qué vive?

—Nunca faltan buenas almas que le ayuden a uno...

—Vamos, vive de la limosna.

—No, señor.

—Sí, ya veo la cosa. Usted tiene buenos amigos que le ayudan a vivir, pero no toma limosna. Le pagan por sus brujerías, ¿no? Claro, en este mundo de idiotas no faltan. ¿Supongo que sabe usted por qué se le ha detenido?

El comisario, mientras, había estado hojeando distraídamente algunas de las revistas que el agente había colocado sobre la mesa. En aquel momento, sin esperar la respuesta de don Américo a su última pregunta, levantó en alto una de las revistas en papel cuché, y mostró la fotografía de una mujer desnuda tumbada en una pradera:

—El viejo tiene buen gusto, ¿no? —Se sonrió paternal correspondiendo a las risitas del auditorio, y siguió mirando a través de la revista, hasta que encontró la figura de un hombre desnudo—: Esto ya es más serio, abuelo. Claro que ya sabemos que hay viejos cerdos que andan tras las muchachitas y los muchachitos...

—Señor, eso es una publicación muy seria, una revista de nudismo, y no hay nada indecente en ello.

—La próxima vez abre usted la boca cuando le pregunten, y si no, se va a ganar una bofetada que se va a quedar sin dientes, si es que le queda alguno, ¡tío cerdo! —El comisario alargó la revista al secretario—: Archive eso con los autos, Ángel, y ponga una nota: «Al detenido se le encontró en posesión de literatura pornográfica». —Tomó un cuaderno lleno de recortes de periódicos pegados en sus páginas—: Muy interesante. De manera que usted colecciona recortes de periódicos extranjeros, en francés, en inglés... Éste no sé en qué lengua... ¿Ruso? No, está en letras cristianas. Bien, ya lo veremos más despacio. Y esto, ¿qué es? ¡Ah!, si mi memoria no me engaña, uno de esos folletos venenosos del tiempo de la república roja. Anarquista. Muy peligroso con todas sus ínfulas de cultura. Esto se va poniendo cada vez más serio. —Empujó los papeles a un lado y se repantigó en la silla, juntando sus manos en un gesto de magistrado meticuloso con las apariencias—. De fuente que nos merece la más absoluta confianza, hemos recibido información al efecto de que usted se dedica a practicar espiritismo y otras formas de brujería, violando así las leyes de la Nación, y que se gana la vida de una manera fraudulenta, engañando a gentes sencillas y estafando como puede. ¿Tiene algo que decir en contra de esta acusación?

—Mire, usía, es verdad que practico el espiritismo, pero permítame decir que esto no tiene nada que ver con brujerías.

Es pura ciencia. Hasta diría que es una ciencia sagrada, aunque la gente ignorante diga que es una ciencia infernal. Así ha probado Allen Kardec, y hasta hoy nadie se ha atrevido a refutar sus pruebas, que la evocación de los que están más allá, y el contacto con el otro mundo, no es contrario a la fe cristiana, sino de hecho admitido y probado por las mismas Sagradas Escrituras. Claro está que es lógico que los curas no quieran aceptar estas verdades que pondrían en peligro las ventajas que obtienen con su oficio, pero una vez que...

—Pare, pare, vamos por partes; cuando empieza a hablar, es como un caballo desbocado. Primero —el comisario se dirigió al secretario—, anote, Ángel, que el acusado se ha hecho a sí mismo culpable de insulto a los organismos de la seguridad del Estado. ¡La poca vergüenza de llamarnos un hatajo de ignorantes! Segundo, escriba que el detenido ha insultado a los ministros de nuestra sagrada religión. Con que los curas son granujas, ¿eh?

—¡Pero, señor, yo no he dicho nada de eso...!

—Bueno, entonces es que estamos sordos todos. En fin, vamos por partes: ¿usted mantiene, entonces, que puede ver a los muertos?

—Desgraciadamente, señor, yo mismo nunca he presenciado un caso de materialización, pero su señoría encontrará pruebas fotográficas de ello en esas revistas y esos recortes que tiene en su mano. Lo único que yo puedo afirmar por mi propia experiencia es que es posible hacer contacto con el mundo espiritual.

—Sí, con uno de esos veladores que bailan colgados de alambres, ¿no?

Sin desanimarse, don Américo continuó:

—Existen manifestaciones tangibles. La materialización del ectoplasma es un hecho comprobado, y el fenómeno de levitación...

—¡Calle todas esas tonterías! Esto no es un hospital, ni nosotros somos un grupo de estudiantes de medicina para que se líe a soltarnos palabrotas que sabe Dios lo que quieren decir. Al pan, pan, y al vino, vino. Usted sostiene que ha hablado con los muertos, ¿sí o no?

—Sí, señor. Y eso es la verdad absoluta.

—Bien. ¿Has escrito eso, Ángel? El detenido alega que habla con los muertos... Y, claro, como hay gentes que se tragan esa historia, usted se dedica a sacarles los cuartos.

—Nunca he pedido honorarios.

—No, nunca pide honorarios, toma lo que le dan; y si no le dan nada, hace lo que la Compañía de Teléfonos, corta la comunicación. Todo esto es muy claro y nos vamos entendiendo. Para los fines de sus prácticas espiritistas, da sesiones en su cuarto a las que acuden diversas personas, ¿no es así?

—Sí señor.

—Muy bien. Durante esas sesiones usted habla con los muertos y al mismo tiempo discute ideas subversivas, distribuye folletos y, supongo, da instrucciones. No, no, cállese, ya hablará después. Ángel, escriba que el detenido declara que en su casa realiza mítines clandestinos durante los cuales se distribuye propaganda contra el régimen...

—¡No, no! Eso no es verdad.

—¡Cállese! ¿Dónde íbamos...?, contra el régimen, utilizando publicaciones de origen sospechoso. El detenido estaba en posesión de grandes cantidades de literatura ilegal, mucha de ella en idiomas extranjeros, incluyendo también fotografías pornográficas. ¿Está ya? Ahora queremos los nombres de todos lo que asisten a esas sesiones. Vaya dictándolos despacio, sin olvidar uno, ¿entiende?

Don Américo irguió la cabeza. Parecía un pájaro, una corneja vieja empapada de lluvia, pero sus ojos brillantes se enfrentaron con los del comisario serenamente:

—Nunca denunciaré a gente que comparte mi fe, a sabiendas que por ello sufrirían persecución. Si usted quiere un mártir, aquí me tiene. Estoy en sus manos.

—Pero, hombre, ¡usted se ha creído que esto es un drama

de Calderón! Y no hay quien le haga callar. Menos historias, déjese de cuentos y vamos al grano, o le vamos a sacudir las costillas.

El agente rechoncho que había hecho la detención habló desde el banco donde estaba tumbado a medias, las manos en los bolsillos:

—Si me permite usía que diga algo —el comisario asintió con la cabeza—; cuando estaba registrando la habitación del detenido, el viejo se asustó mucho cuando encontré una bombilla roja que tenía escondida entre sus papelotes. Seguramente tiene algo que ver con propaganda clandestina o con espionaje. No he podido traerla porque se rompió, pero lo encontrará escrito en el parte. —Y se golpeó el bolsillo vacío, descaradamente.

Su superior se quedó mirándole:

—Debería habérmelo dicho inmediatamente. Haga una nota de ello. Ángel... Ahora vamos a ver: ¿va usted a confesar para qué era la bombilla y darnos los nombres de sus cómplices? Porque aún estoy esperando.

Don Américo había vuelto sus ojos asombrados hacia el agente y los había retirado inmediatamente, avergonzado de la estulticia del otro. Después su cara se llenó de una paz lejana. No oyó lo que el comisario acababa de decirle.

—Lleváoslo al sótano y dadle una paliza —dijo el comisario con un gesto de disgusto—. Pero no seáis brutos, no se os vaya a quedar en las manos.

Cuando se quedó a solas en el cuarto con su secretario, el comisario se encogió de hombros y se levantó del sillón. Las minutas del interrogatorio iban a ser interesantes; pero no estaba contento. Se paseó arriba y abajo en la tarima, tomó unos cuantos periódicos de la mesa y los volvió a dejar. El secretario seguía aún sentado en su mesa, hojeando las revistas de nudismo. Para su gusto no había bastantes, ni había bastantes fotos en ellas. Tomó otro paquete y siguió hojeando. De pronto levantó la cabeza y dijo:

—Mire usted estas fotos, ¿o las ha visto ya? A lo mejor hay algo de verdad en estas brujerías.

—No seas idiota, Ángel. Eso no son más que fotografías con truco, como las películas en las que el protagonista sube por las paredes o se transparenta. ¿No has visto *El fantasma va al oeste*?

—Puede que tenga razón —dijo Ángel insistente—, pero hay algo en el fondo de todas esas historias, yo mismo he visto en mi vida cosas más raras.

—¿Qué cosas?

—Bueno... Muchas veces, cuando la gente se muere, da mala suerte a los que les han quitado de en medio. Le puedo contar historias que...

—No me las cuentes. Ya veo que te ha entrado miedo, así que vete al sótano y diles que le dejen en paz al viejo. De todas formas ya tenemos bastante contra él.

Antes de que el comisario terminara de hablar, Ángel había desaparecido del cuarto. Dos minutos después volvía, rebosando de satisfacción por todos sus poros:

—¡Gracias a Dios que he llegado a tiempo!

El comisario se hizo el desentendido; no quería que el otro se diera cuenta de su secreta satisfacción. En el fondo de su corazón creía tan firmemente en el mal de ojo y en los poderes infernales como en las dotes milagrosas de la curandera que cuidaba de las piedras que se formaban en su vejiga. Pero nunca lo hubiera admitido delante de sus subordinados, muchísimo menos ante don Santiago. Cuando Ángel comenzó a contar historias de muertes misteriosas y signos de mala suerte, el comisario hizo unos cuantos comentarios cuidadosamente escogidos para mostrar a su subordinado que él estaba por encima de todas estas supersticiones populares, dignas de gente baja; pero eso, formulándolos de manera que no pudieran causar ofensa a los poderes ocultos.

En los sótanos, los dos guardias se abotonaban lentamente la guerrera. Uno de ellos movió la cabeza en dirección a don

Américo tirado a la larga en las tablas del camastro y con la cara iluminada por una paz interior, y murmuró:

—Me alegro de que no le hayamos tenido que sacudir. El viejo chocho está para que le tiren a la lata de la basura. Si le sacudo con un dedo, le mato. A mí, no. Dame uno de esos flamencos presumidos. A ésos sí que es un gusto romperles las costillas, pero a un pobre espantapájaros como éste, no sólo no se divierte uno, es que da pena.

La comisaría comenzaba a animarse: borrachos escandalosos, bronquistas, putas recogidas en redada por salir antes de la hora. Los calabozos se iban llenando. Y el comisario se aburría terriblemente. El quedarse de guardia un domingo era un sacrificio mucho mayor de lo que había imaginado. ¡Todo por la influencia de don Santiago con el ministro de Estado! Además, desde que Ángel había hecho sus comentarios sobre las cosas que atraen la mala suerte sobre uno, no se había atrevido a tocar las malditas revistas, a pesar de las tías guapas que había en ellas. Así, cuando hacia las dos y media se presentó un grupo bullicioso en el salón de actos, la diversión fue bien acogida.

Aparecieron tres jóvenes, casi muchachos, vestidos con el uniforme de oficiales de Falange, empujando ante ellos a un muchacho y a cuatro mujeres, una de ellas, a todas luces, una vieja bruja asmática y fondona, y las otras tres, tres prostitutas hermosotas y desgarradas. Los párpados del muchacho estaban hinchados y rojos, la boca ensangrentada y los codos atados a la espalda con bramante. Se mantenía callado, con un gesto de furia en los labios contraídos, pero las mujeres chillaban súplicas y blasfemias en una mezcolanza de gritos que parecía dirigir la vieja. Al menos, en blasfemias no la ganaba ninguna de las otras.

El comisario acogió afectuosamente a los falangistas y se dio prisa en encaramarse a su trono. Se frotó las manos y se quedó mirando al grupo. En cualquier otra ocasión le hubiera molestado la interferencia de Falange en cuestiones que legítimamente pertenecían a su departamento, pero la cosa prometía ser divertida:

—Parece que han hecho ustedes una limpia —dijo.

El más alto de los tres señoritos se adelantó hacia la tarima:

—La verdad es que nos ha reventado la noche. Verá usted: nos habíamos tomado unos vasos en casa de Pepe y decidimos irnos de juerga un rato con las chicas. Hay que confesar que no están mal. Así que nos fuimos a buscarlas a..., bueno, al colegio, y comenzamos a armarla a gusto. Hasta que a mi amigo y a mí nos dio ganas de bajar al sótano y soltar un poco de vino que teníamos de sobra en el cuerpo. Y allí nos encontramos con este pájaro de manos a boca. Usted no lo va a creer, pero con toda la cara de monago que tiene el angelito, es una buena pieza. Hace ya tiempo que le teníamos echado el ojo, pero de pronto desapareció; más tarde nos enteramos que era uno del grupo que dio una paliza a dos camaradas hace dos o tres noches. Así que se puede imaginar el alegrón que nos dio el pescarle allí a solas y calentarle un poco el cuerpo. Después comenzamos unas cuantas averiguaciones, y resultó que estaba escondido en la casa con la ayuda de la vieja bruja, de las muchachas, o de todas juntas. Eso es lo de menos. Lo peor es que la casa resultó un avispero. Hay un armario lleno de periódicos de los rojos, pasquines, sellos de cotización, en fin, la Biblia. Puede usted mandar a alguien que recoja todo en el Centro, donde hemos mandado a un camarada con ello. Había también una pistola, pero no les da la gana decir quién es el propietario.

—Entonces, ¿quieren ustedes que nos hagamos cargo de ellos?

—Aún no. Primero van a cantar; después se los vamos a dejar y puede mandarlos mañana al «hotel».

—Si quieren, los pueden mandar al sótano.

—¿Para qué? Aquí se está a gusto. ¿Hay alguien interesante abajo?

—¡Puaf!, no. Un viejo chalado que es un espiritista y un

poco revolucionario. ¡Aunque le gustan las chicas bien for-maditas!

El comisario contó la historia con adornos y les mostró las fotos de nudismo. Mientras ellos se entusiasmaban con las fotografías, escamoteó de su alcance el resto del material cogido, dándole un gran alivio a Ángel.

—Mándenos al viejo —dijo el falangista.

Por un momento el comisario pensó si esto no era demasiado contra su dignidad de jefe allí, pero también pensó que era imposible negarse a una petición semejante sin provocar sospechas o un comentario adverso. Por añadidura se le ocurrió que estos calaveras atraerían sobre ellos la mala suerte que pudiera traer el maltratar al viejo brujo, como él le llamaba. Dio orden de que subieran a don Américo y de que nadie les molestara hasta nueva orden.

Los guardias trajeron a don Américo, que parecía más frágil aún, perdido en sus ropas demasiado grandes, ahora arrugadas por su estancia sobre el camastro de tablas.

—Bueno, les dejo a ustedes, señores —dijo el comisario, y Ángel se levantó deprisa de su asiento.

—Quédese a ver la función. De todas formas nos podía dejar unas cuantas buenas varas de fresno, no muy gordas, porque éstas tienen la piel fina.

Los falangistas escogieron de un haz las varas que restallaban mejor cuando las sacudían en el aire. Una de las muchachas dio un grito. El más joven de los falangistas, un muchacho flacucho con labios rojos y carnosos y ojos de almendra, avanzó hacia ella, una vara en la mano. La muchacha se calló en medio del grito, los ojos redondos de miedo.

—¡Hala, deprisa, a desnudarse! —gritó el más alto, que hacía de jefe.

Cortó la cuerda que ataba los codos del muchacho, quien hasta ahora no había dicho palabra.

—Tú también, ¡en cueros ahora mismo!

Don Américo se había acurrucado en un banco, empequeñeciéndose. Su mirada iba de uno a otro de los jóvenes verdugos, como si no pudiera creer lo que veían sus ojos. El tercer falangista, indudablemente el más insignificante del trío, le sacudió por las solapas de la americana:

—¿Estás sordo, tú? ¡A desnudarse!

—¡Va a hacer una buena pareja con la vieja! —dijo el jefe sonriéndose—. ¿Qué, aún no os habéis desnudado?

Hablaba bajito, pero las cuatro mujeres, el muchacho callado y el mismo don Américo se arrancaron la ropa a toda prisa. Era mucho más fácil que resistirse a ello. Los tres señoritos comenzaron a golpear las carnes desnudas que se les ponían por delante, con acompañamiento de risotadas, gritos y pataleos. De las tablas del piso se elevaban nubes de polvo. Con verdugones rojos en las espaldas y en las nalgas, las víctimas buscaban refugio bajo los bancos o en los rincones. A don Américo le habían olvidado. Había comprimido su cuerpecillo flaco y ceniciento en el hueco estrecho dejado entre la tarima y la pared del fondo, y allí estaba acurrucado sobre sus rodillas.

Hubo una pausa en el jaleo y el jefe gritó:

—Y ahora, ¡a cantar la verdad o empezamos de nuevo! ¿Quién ha escondido a este rojo indecente? ¿De quién es la pistola? ¿Quién ha puesto los papeles en el armario?

Sollozos, gritos, latigazos, balbuceos, confesiones ininteligibles; más gritos, más latigazos, más confesiones. El muchacho, arrinconado, vomitaba maldiciones, las palabras puntuadas por el restallido de la vara.

—Bueno, ya está bien. Uno también se cansa —dijo el jefe de los falangistas—. Diga a su gente que los meta en los calabozos. —Mientras los guardias les rodeaban, el falangista más joven gritó—: Poned al chico con la vieja, ¡a lo mejor la viola!

—La boca amarga la tenía ahora entreabierta y húmeda.

El comisario descendió de la tarima bromeando, y sus ojos se fijaron en don Américo:

—Ahora, ¿qué vamos a hacer con este saco de huesos?

¡Hala, levántate! —Le empujó en las costillas con la punta del pie izquierdo, pero no rudamente.

El falangista más joven se acercó y restalló su vara sobre la espalda curvada del viejo. Don Américo se estremeció pero no se movió. El falangista tiró de un brazo y le sacó al centro de la habitación. Allí, bajo la luz violenta de la bombilla desnuda, le enderezó y le miró a la cara. Después abrió las manos y le soltó. El viejo cayó de espaldas.

Don Américo, su vieja piel seca arrugada en los huesos del cuerpo, estirada donde los huesos sobresalían, se quedó allí, en medio del salón, sus brazos abiertos, los pies juntos. La cara suave.

—La diñó —dijo el falangista, y se golpeó las manos una contra la otra, como si la piel de don Américo se las hubiera dejado llenas de polvo.

El comisario se había vuelto de espaldas, Ángel había desaparecido del cuarto. Se marcharon todos sin más comentarios. El cadáver quedó allí, solo, bajo la luz cruel que inundaba la habitación. Al cabo de un rato, Ángel, el policía, abrió la puerta despacio, sin ruido, y entró dando puntillas. Con la mano puesta en la boca se quedó mirando fascinado a don Américo. Después, con pasos torpes, se acercó a él y se quedó a sus pies. De pronto avanzó, se inclinó, y cerró los ojos abiertos con las yemas de sus pulgares. Cruzó las manos hambrientas sobre el pecho del cadáver. Se santiguó.

Los párpados de don Américo se abrían de nuevo, despacio, despacito. Cuando los dos guardias vinieron para llevárselse, los ojos estaban abiertos en una interrogación muda.

12

—Estoy muerta —dijo la Tronío, abriendo la cremallera del lado izquierdo de su traje negro de seda y desenganchando los corchetes del corsé en el sitio donde éste apretaba directamente su estómago.

Pedro, tumbado en la butaca con aires de señor y dueño, contestó perezosamente:

—¿Por qué no te quitas todo de una vez? Con el tipo que tienes, aún puedes permitirte el lujo.

—Gracias por el cumplido. Puedo ser tan tonta como para dejarte aquí, pero no para tragarme cuentos. —Al mismo tiempo pensó que era agradable tener a alguien en la alcoba con quien hablar—. Parece que estás muy contento, Pedrito. ¿Cómo han ido las cosas en casa? —Consuelo se dejó caer sobre el sofá—. Tengo media hora libre. Gracias a Dios que han dejado de bailar y alborotar, pero no me puedo quedar más aquí. Hay un tipo con el que tengo que hablar en cuanto acabe con la chica. ¡Negocios!

—¿Quién es? —Desde luego, el tío de la cocaína, pensó Pedro, pero no lo dijo.

—Te gustaría conocerle, ¿no? —Le miró seriamente—: ¡Y que no te pille yo tratando de sonsacar a las chicas para saber quién es! Aunque las pobres no saben mucho y poco te pueden decir. Tal vez te lo diga yo un día, pero sólo cuando estés metido en menos líos que ahora.

Pedro hizo un gesto de malhumor, pero interiormente se

sintió halagado. Podía esperar ahora que ella no le dejara escapar. Estaba en la alcoba como en casa, con toda la noche por delante. Más tarde sería ella la que le contaría sus secretos, uno por uno, para sujetarle mejor. Siempre ocurría lo mismo con las mujeres. No era un sacrificio, le gustaba estar con ella.

—Bueno, ¿qué? ¿Has hecho las paces con tu madre, como te dije?

Pedro sonrió:

—La cosa ha tenido gracia, Consuelo. Tenías razón. Todo ha salido a pedir de boca. No han tenido los redaños de echarme, y mi hermano está suave como un cordero, como un cordero esquilado. —Era una lástima que no pudiera contarle la historia verdadera. La hubiera apreciado de veras.

Al regreso a casa, había comprado medio kilo de ternera en fiambre —un montón de dinero, pero valía la pena— y había entrado como si nada hubiera pasado. Las dos mujeres estaban sentadas muy tiesas y calladas. Había tenido la impresión de que su llegada les era un alivio, aunque sólo le miraron. Desenvolvió la carne en fiambre bajo sus narices, con unas cuantas frases amables, y se encerró en el cuarto de Juan y el suyo. Tuvo que pelearse un poco con las bisagras para poder abril el viejo baúl, una forma más práctica de abrirlo que forzando el candado. Juan era mucho más estúpido que lo que él había creído: tenía allí una colección completa de *Mundo Obrero*, un buen paquete de folletos de propaganda y pliegos enteros de sellos del Socorro Rojo; tenía libros de Lenin y otros de su tipo, con títulos tales como *La revolución y el Estado*. ¡Como si Juan pudiera entender lo que decían!

El deshacerse de los libros había sido un trabajito. Los papeles los quemó fácilmente en la hornilla de la cocina. Las páginas de papel seda se disolvían en humo y dejaban sólo cenizas negras que revoloteaban y se deshacían. Pero los libros eran una maldición. Después que ardían las pastas, sus hojas apretadas se churruscaban por los bordes, se rizaban y se quedaban intactas en el centro. Tenía que removerlas constantemente con un hierro y era el cuento de nunca acabar. La cocina se había llenado de humo, un humo picante que se metía en los ojos y hacía llorar, pero no se atrevió a abrir la ventana del patio.

Cuando aún estaba en la quema, llegó Juan. Hubiera sido estúpido convertir la cosa en secreto. Amelia y su madre le habían visto sacar el montón de papeles, aunque no habían dicho una palabra; el baúl estaba abierto con las bisagras colgando; la casa estaba llena de olor a papel quemado. Pedro desató un ataque directo antes de que Juan pronunciara el insulto que tenía en la punta de la lengua:

—Te estoy haciendo una limpieza, Juan. Si les da la gana de registrar la casa, como van a hacer cualquier día de la manera que vas, te meten en un lío, y a madre también. Y encima hubieras dicho que tenía yo la culpa, no creas que no sé lo que piensas. Pero no te asustes, no te voy a denunciar. Sólo que no quiero que te pesquen con todo esto aquí y diciendo que es culpa mía.

Al final de su discursito, Pedro se había sentido noble y contento consigo mismo. Aún estaba orgulloso de su actitud, y le hubiera gustado contar la historia a Consuelo. Pero lo mejor de todo ello era su verdad estricta: en realidad él no quería que le ocurriera nada a su hermano, creía que tener todo aquel material comprometedor en la casa era pura locura, y no era su intención denunciar a Juan. La información que había dado a don Antonio era un cuento de niños que a lo más que llevaría sería a unos cuantos cachetes y si acaso a unos meses de cárcel para Juan. E indudablemente, el mismo Juan tenía remordimientos: en vez de estallar ante la brusca libertad con la que Pedro había dispuesto de sus cosas, se había callado y había puesto la cara de un chico a quien se sorprende tirando una piedra a un farol.

Pedro encendió un cigarrillo y dijo a Consuelo:

—También he tenido suerte. Me estaba aburriendo allí, todo el mundo callado y yo sin saber cómo marcharme. Hasta que un poco antes de las diez llamaron a la puerta y se nos metieron dentro dos viejas solteronas que viven allí; nos extrañó, porque nunca visitan a ningún vecino, excepto cuando van a una de esas sesiones espiritistas que la tienen chalada a mi madre. Parecían dos conejos asustados. Me tuve que echar a reír, porque al entrar con sus pasitos cortos comenzaron a fruncir el hocico como te digo, como dos conejos asustados. Mi madre se levantó como si la trajeran un regalo y dijo: «¡Ay, estoy tan contenta de que hayan venido a buscarme! Supongo que don Américo me está esperando». Tú sabes quién es don Américo, ¿no, Consuelo? El viejo chalado que habla con los espíritus y que mi madre cree que es más santo que el Santo Padre.

»Bueno, cuando mi madre mentó su nombre, una de las solteronas, la que es un poquito menos estúpida que la otra, dijo: "¿Entonces ya está usted enterada, señora Luisa?". Mi madre andaba dando vueltas de un lado a otro, preparándose para salir con ellas, y dijo: "No realmente; no estaba segura de si podría al fin arreglarlo, pero todo el tiempo tenía la esperanza". Entonces, el primer conejo dijo a su hermana: "¿Ves, hermana, como tenía yo razón y no está enterada?" Las dos dieron unos gritos y la que hablaba para las dos se volvió a la otra: "Ya lo ves, hermanita, no está enterada... Señora Luisa, la policía ha venido y se ha llevado preso a don Américo ahora mismo. Así que yo le dije a mi hermana que seguro que usted no sabía nada, y mire cuánta razón tenía. ¡Ay!, estamos tan asustadas, pero todo saldrá bien. El Señor mira por los suyos. ¡Un hombre tan bueno y tan inteligente!" Y con esto los dos conejos desaparecieron.

»Tenías que haber visto a mi madre; se había quedado blanca como la pared y temblando como si tuviera azogue. De pronto estiró un brazo y se quedó apuntando a Amelia. Al principio no sabía lo que quería decir, pero cuando miré la cara de mi hermanita, me di cuenta. Aparte de que mi madre lo dejó claro de golpe cuando comenzó a chillar como una loca, diciendo que Amelia era una soplona, una espía de los curas que había denunciado a don Américo, que quería perder a su madre..., yo no sé cuántas cosas más. Creo que en aquel momento estaba loca de verdad, volviendo los ojos y echando espuma por la boca. Pero tenía razón, la chica ha debido decir o hacer algo, porque no se atrevió a negarlo y sólo se puso a lloriquear y a rezar entre dientes. Al fin no pude aguantarlo más, le di un par de bofetadas a mi madre, como para que se le quitara el ataque, y la arranqué de Amelia. De verdad, creo que si no hubiera estado allí, pasa algo serio, creo que la estrangula. Juan estaba allí como un muñeco de palo sin decir palabra, y yo no sé cómo, se nos coló en el cuarto la señora María, una vieja bruja que es la vecina más cotilla que tenemos. Me tuve que encargar de meter a mi madre en la cama, echar a la tía bruja y decirle a Amelia lo que pensaba de ella (el hombre, don Américo, aunque está loco de remate, no es mala persona), y mandarla también a la cama. Le dejé a Juan de guardia y me vine aquí. Como ves, las cosas se han vuelto a mi favor. Les he dado una lección a todos y ya se van a guardar de llamarme cosas —terminó Pedro alegremente.

—Tú siempre sabes cómo sacar partido de las cosas —dijo Consuelo. Se levantó del diván y puso una mano en un hombro de Pedro, quien frotó una mejilla contra ella, como Consuelo esperaba—. Eres un poco bestia... ¿Qué piensas de tu madre?

—¿Qué voy a pensar? ¿Que se ha vuelto loca? No lo creo. En todo caso no me dan frío ni calor todos ellos. Aunque la verdad es, Consuelito, que en el fondo estoy contento de que me hayas hecho volver. A mi padre no le va a gustar la historia cuando se entere, sobre todo el papelito de Amelia. Qué, ¿te vas a tener tu conferencia de negocios? —Consuelo asintió—. Entonces te espero. En la cama.

—A lo mejor estoy muy cansada.

—No te apures, ya te voy a despabilar. —La miró gachonamente a través de las pestañas.

Consuelo se echó a reír:

—Mira, chico, no enseñes a tu abuela a hacer hijos, y menos a una zorra vieja como yo. No se me ocurría dejarte a ti que me despabilaras como dices, pero no me importa si lo intentas. A lo mejor te queda algo por aprender y te puedo enseñar una o dos cosas, chiquillo.

Le complacía el halago, y le hacía sentirse menos vieja y gastada el estar tan segura de sí misma con el mozo. No tenía miedo de encapricharse, al menos físicamente. Si Pedro creía que iba a ser el chulito de una jamona con dinero, estaba equivocado. Hacía mucho tiempo que había aprendido a disfrutar todo el placer que su cuerpo pudiera darle, sin dejarse dominar. Lo contrario hubiera sido su ruina. Y en el caso de Pedro hubiera sido fatal el darle la ilusión de que él podía dominarla, un truco que era el mejor con la mayoría de los hombres. Pedro necesitaba unas riendas firmes, porque le faltaba conciencia y era capaz de explotar la debilidad más pequeña. A través de toda su larga conferencia con el traficante de drogas, Consuelo estaba disfrutando de antemano la excitación del juego peligroso a que se iba a lanzar con Pedro. Cuando al fin se dirigió a su alcoba, se iba repitiendo: «No debe saber nunca por qué le quiero; no debe saber lo contenta que estoy de tener a alguien en esa cama enorme, tan odiosa cuando está vacía, no debe saber que quiero tener alguien a quien mimar».

Estaba sentado en la cama, recostada la espalda contra un montón de almohadas, los ojos brillándole abiertos con ansia bajo la media luz rosa. Mientras Consuelo se recogía el pelo y se desnudaba con gestos reposados, en lo hondo de su mente trataba de recordar algo —no una persona— que la vista de Pedro le sugería. Le vino a la cabeza más tarde, cuando estaba ya medio dormida, exhausta e indefensa. Uno de los más extraños clientes de su establecimiento, un pintor fracasado que tenía la costumbre de hacer discursos llenos de sabiduría bárbara, la había llevado una vez al Museo del Prado casi a la fuerza para que viera los Goyas, lo que le iba a enseñar, según dijo, «algo sobre putería». Y en aquella visita, en algún sitio del museo, había visto un cuadro con la figura de un niño, un pájaro y un gato agazapado en la sombra, un gato con ojos redondos llenos de ansia, dispuesto a saltar y matar. Pedro se parecía al gato, pero ahora, dormido, parecía mucho más el niño.

Le echó de la cama despiadadamente a las ocho de la mañana, a pesar de sus quejas y sus protestas, y le hizo llamar a su padre y arreglar el desayunar juntos. Pedro se dio cuenta rápidamente de que su juventud no le había hecho el amo y señor después de su noche juntos, contrariamente a lo que había esperado. Podía jugar con él tanto y tan bien como él había jugado con ella, o mejor; le había impresionado, y le había hecho parecer un novato, a sabiendas de lo que hacía y riéndose de él. Ahora, en la mañana, había vuelto a ser la amiga enérgica y maternal.

Si éste era su gusto, a él no le importaba. Creía ver claro a través de sus trucos: lo que quería era tener un animalito joven para jugar con él, y quería retenerle. ¿Por qué no, si les convenía a los dos? Consuelo podía seguir en la creencia de que era la más fuerte porque no se había hecho dependiente de sus habilidades amatorias, y así podía negarse a pagar por ello. Pero ahora él sabía que era dependiente de su presencia allí, al alcance de la mano, alguien a quien regañar, acariciar y mandar. Esto devolvió a Pedro su convencimiento de que era tan sentimental como cualquier otra zorra, aunque la sentimentalidad no llegara a la cama.

Pisó la calle sintiéndose el amo del mundo. De una manera o de otra, todo le estaba saliendo a pedir de boca. Había que ver cómo había resultado lo de Juan. Cuando pensó en Amelia, denunciando al inofensivo viejo loco y sacando a su madre de quicio, se felicitaba a sí mismo por lo que había hecho él. No le resultaba muy claro por qué tenía ahora que presentarse a su padre y hacerse el arrepentido, pero Consuelo había insistido en ello. Tal vez era una buena idea mostrarle que sabía manejárselas solo. Además, el dinero que le sacara a su padre por las buenas o por las malas, no tenía nada que ver con Consuelo. Hasta podía no decirle lo que sacara, y quedarse con algo en reserva, que siempre le vendría bien. En fin, pasara lo que pasara, ya se iba ella a cuidar de él. Lo del arroz lo iba a tratar como una chapuza y se iba a deshacer de las chicas; el dinero que sacaba de ellas era una miseria, y Consuelo quería que terminara de una vez con la gentuza. Tal vez, seguramente, encontraría una muchacha que pudiera amaestrar a su gusto. Consuelo no estaba mal, pero era vieja y se veía lo que era. Era menos vieja en la cama que vestida, pero cuando se le tocaba la carne, se tocaba carne vieja, y muy pronto sería un aburrimiento tener que aguantarle el que le mostrara a uno lo joven que era. Una lástima no poder casarse con ella. Hubieran hecho una pareja ideal para el negocio, y no había razón para que no hubiera salido bien. Ella era rica, y él sería rico a través de ella. Entonces sí que se iba a reír de su padre. Bueno, ahora mismo se podía reír de él; es por lo que iba a ser tan fácil manejar al viejo, o jugando el papel del hijo pródigo, o apretándole las clavijas. Tendría gracia asustarle. Consuelo no quería realmente que Pedro usara los medios que a ella misma se le habían ocurrido, pero esto era en su afán de ser buena chica; la consecuencia de leer novelones románticos. Seguro de la superioridad de su masculina inteligencia, Pedro meneó la cabeza y comenzó a silbar. Lo que silbaba era una musiquilla que había hecho furor en Madrid por algunos años, y al principio no se dio cuenta de ello. Pero de pronto, el humor de la letra aplicada a su situación le hizo reír:

Tengo una vaca lechera
no es una vaca cualquiera

Pedro siguió silbando la cancioncilla durante todo el camino hasta la calle Peligros, como si fuera un canto de batalla desvergonzado, y su boca estaba aún contraída de silbar cuando entró en el comedor donde le esperaba su padre:

—Buenos días, Pedro. Siéntate. Ahí tienes café. Supongo que has venido a verme porque quieres algo.

El tono de Antolín y su cara impasible arrancaron a Pedro de su satisfacción íntima. En lugar de ella, sintió un deseo enorme de humillar a este hombre que era su padre. ¡Despacito!

—Sí, papá, quiero algo; quiero que no pienses muy mal de mí. Es por lo que he querido verte lo primerito en la mañana.

Silencio. ¿Había exagerado el tono?

—Ayer me dejé llevar por mi genio y dije un montón de cosas que no era mi intención decir, pero es que lo que los otros dijeron de mí me sacó de mis casillas. No creas que soy un cínico sinvergüenza. Es verdad que estoy metido en algunos líos y en cosas de esas que tú llamas negocios sucios, pero no creas que a mí me gusta. Tengo que agarrarme a lo que puedo, para poder ayudar en casa. Y ahora, de lo que yo te estaría agradecido es de que me echaras una mano y me ayudaras a hacer algo mejor. —¡Esto tenía que sonarle bien al viejo!

—He oído, Pedro, que le has dicho a tu madre que no ibas a ayudarla más y que en adelante ibas a vivir por tu cuenta. Más aún, me han dicho que ayer por la tarde te marchaste de la casa definitivamente.

—¿Quién te lo ha dicho? Quiero decir, ¿quién te ha contado ese cuento?

—¿Es mentira?

—Claro que lo es, y quien te lo haya contado, lo único que quiere es ponerte en contra mía. A la hora de cenar estaba allí, como siempre. Y buena suerte que estaba. Les hizo falta un hombre en la casa. —Esto era lo que había que darle al viejo hipócrita, repantigado allí y serio como una piedra, sin preguntar lo que cualquier padre decente hubiera preguntado—. Mamá tuvo un ataque de nervios porque la policía vino a buscar a su brujo queridísimo, supongo que sabes quién es, el viejo espiritista que vive en las buhardillas; y resultó que había sido Amelia quien le había denunciado. Bueno, no sé

318

quién fue a la policía, si ella, el padre confesor o la reverenda madre superiora, pero en todo caso era una vergüenza. Tuve un trabajito evitando que madre estrangulara a Amelia y que ésta se marchara huida a la calle a medianoche, por no poder mirarnos a la cara.

—¿Quieres decir que la policía ha arrestado al viejo espiritista que vive en vuestra casa, y tu madre le echa la culpa a Amelia?

—Sí, papá, eso mismo. —¡Vaya!, parece que esto le anima un poco, pensó Pedro triunfante.— Y lo de Amelia es verdad, ni siquiera intentó negarlo. No la hubiera creído nadie, con la cara que tenía. Ni tú la hubieras creído. Parecía el retrato de Judas.

—¿Y Juan?

—¿Qué pasa con Juan? Allí plantado como un muñeco, y nada más. No puede enfrentarse con una crisis; cuando las cosas salen mal, es a mí a quien deja cargar con el mochuelo.

—Quería decir, ¿cómo has quedado con Juan después de vuestra bronca?

Antolín titubeó, pensando si debía decir más o no. La visita de Pedro le repugnaba, porque veía que era una comedia fríamente calculada y encontraba la mirada de Pedro, la mirada del gato que se había comido al canario, infinitamente peor que su cinismo del día antes. Pero Antolín se había impuesto la tarea de suavizar la tensión entre sus dos hijos —de intentarlo al menos— y se daba cuenta de que no debía dejarse llevar por su disgusto y repugnancia. Sin embargo, ¿qué podía decir que impresionara a uno que no creía en nada, ni en nadie, más que en sí mismo?

Antolín hubiera querido apelar a la decencia común, al cariño, al conocimiento de que algunas cosas son crímenes, aunque no se hagan más que con el pensamiento; pero sabía que las palabras no tenían significado alguno para Pedro y tampoco podía invocar una ley más alta, porque Pedro y el mundo de Pedro no tenían nada en común con las ideas cristianas de bueno y malo que aún sobrevivían en él, Antolín, a despecho de su antagonismo con la Iglesia y sus enseñanzas.

«¿Qué le puedo decir?, pensaba Antolín. No puedo llegar a sus raíces, que están enterradas en lodo. Si le pregunto si realmente ha pensado en denunciar a su hermano a la policía, lo negará rotundamente. Pero ahora le creo, como creo esa historia de Amelia. Odio, miedo, cobardía. No sé qué hacer.»

Los ojos agudos de Pedro se habían dado cuenta del titubeo de su padre. Al viejo le habían contado algo, pero no estaba muy seguro del terreno que pisaba. Pedro esperó lo bastante para aumentar la inseguridad de Antolín, y después dijo despreocupadamente:

—Nos llevamos igual. No somos exactamente amigos, pero el chico me da lástima. Está sacando las castañas del fuego a otros. ¿Tú sabes que tenía en casa toda una biblioteca comunista? Yo ya me lo sospechaba y anoche precisamente miré en su baúl y allí me lo encontré. Lo quemé todo, claro. No tiene derecho a exponernos a un lío a los demás. Me creía que me iba a saltar al cuello, cuando me pescó quemando las cosas, pero se portó como un cordero manso. Creo que en el fondo me está agradecido por tener la valentía de hacer algo para lo que le ha faltado el valor, y así se le ha aliviado el miedo. Sabe muy bien que va a tener un disgusto un día con su manera idiota de hablar y está asustado. Pero es un irresponsable y no piensa en las consecuencias.

Antolín pensó en las palabras de Conchita: «Pedro es peor que veneno». Pero lo que acababa de contar con su tono de superioridad era indudablemente verdad, al menos en la apariencia.

—Has hecho bien, Pedro. Pero en lo sucesivo, tú y Juan deberíais ir por caminos que no se cruzasen. Tenéis muy poco en común, y cuando entre hermanos hay mala sangre, las cosas no acaban bien. Cuando oí que te habías marchado de casa y que ibas a vivir por tu cuenta, me pareció una buena solución. Por lo que toca a tu madre y tu hermana, creo que puedo encargarme de que tengan lo bastante para vivir.

—Es agradable oír que quieres hacer algo por ellas, después de lo que han pasado por estar tú fuera. Y ahora, ¿qué, conmigo? ¿Me vas a ayudar? Unos pocos miles me bastan para empezar.

—No, Pedro.

—¿Así que te lavas las manos en cuanto a mí, después de ver en lo que estoy metido por culpa tuya?

—No creo que sea mi culpa el que vivas así.

—No creas que te vas a escapar tan fácilmente. Mira, si yo fuera tú, le sacudiría a mi hijo mayor cuatro mil pesetas, cuatro mil miserables pesetas, y daría gracias a Dios por escapar a tan poco precio.

—No, Pedro. Tú te has hecho tu manera de vivir y es una manera de vivir que yo odio.

—¿Así que me odias?

—¡Oh, no, a ti no! Odio las cosas que haces y las cosas en que crees.

—Yo soy más decente que tú y más franco. Yo te digo en la cara que es a ti a quien odio, y no las cosas en que crees. —Pedro se había puesto pálido como su padre. En la comisura de los labios, al lado izquierdo, un músculo diminuto temblaba afeándole el gesto.— Pero ya me he cansado de tanta monserga. Quiero que me des dinero. ¿Está claro?

—Perfectamente claro. No quiero dártelo.

—Me parece que vas a cambiar de opinión si te digo que el cónsul inglés no se va a poner muy contento cuando sepa que estás liado con Alfonso Caro en contrabando de moneda. Al pájaro ese le conocen de sobra allí. Al menos lo bastante para saber a qué atenerse con el agente inglés del señor Caro, el señor..., no, no el señor: mister Moreno.

—Eres un estúpido, Pedro. Yo no soy un agente de Caro. Puedes ir al consulado inglés y contarles lo que te venga en gana. A mí no me va a perjudicar.

Pedro le creyó, instantáneamente, sin duda alguna. Su padre decía la verdad. Se sintió ofendido. Si Consuelo hubiera estado allí en aquel momento, la hubiera molido a golpes; ella era la que tenía la culpa, con sus consejos diabólicos y su información incompleta, de que él hubiera hecho el ridículo, hubiera perdido la última carta, dando a su padre un arma en contra suya... ¡Ah, pero se las iba a pagar, la vieja zorra! No era él el que iba a pagar los vidrios rotos y cargar con las consecuencias porque su padre hubiera resultado triunfante.

Los dos hombres se levantaron de las sillas y se enfrentaron a través de la estrecha mesita:

—Se acabó —dijo Antolín.

—Te va a pesar.

—Ya me pesa, ya.

Pedro remoloneaba, buscando la última frase que hiriera. Al final lo único que hizo fue dar un portazo.

Lo primero que la señora Úrsula dijo a su hija Conchita el lunes por la mañana fue que la policía había arrestado a don Américo.

—Todo el mundo está hablando de ello. Dicen que el padre Santiago tuyo ayer por la tarde una larga conversación con el comisario, todo sobre don Américo, y que por la tarde, después de cenar, vinieron por él.

Conchita saltó de la cama hecha una furia. Le era muy fácil imaginar la realidad de las cosas, don Santiago y Amelia, y la pelea de la familia por el dinero de Antolín. Don Américo le había dicho alguna vez que tenía miedo de que Amelia hablara de él a su padre confesor; después había insistido en creer que la muchacha no le denunciaría para no mezclar a su madre; pero Conchita había sentido la duda del viejo oculta tras su optimismo. Ahora estaba convencida de que Amelia había puesto al cura tras las huellas de don Américo porque quería quitarse de encima a un competidor en el dinero de su padre, es decir, a su madre. Por una vez, Conchita tuvo lástima de la señora Luisa. También iba a ser un poco duro para Antolín, cuando supiera lo que en realidad era su hija. Se le pasaría, como se le iban pasando todas las cosas de su familia. Pero la señora Luisa, traicionada por su hija, con el anuncio helado de una muerte aún detrás de sus oídos, sin la voz consoladora de su Teresita... Conchita renegó de sus bromas y la estremeció un escalofrío sin saber por qué.

No tenía miedo por don Américo, pero estaba realmente enfadada. El pobre viejo estaba más loco que una cabra loca, pero no hacía daño a nadie y hasta ayudaba a muchos a su manera. Conchita no creía en espíritus y muchísimo menos en espíritus que acuden a contestar preguntas idiotas, pero si hay gentes que se sienten más felices creyendo, mejor para ellos. Y don Américo creía cada palabra que salía de su boca. Era la única persona que Conchita conocía incapaz de decir una mentira o de hacer algo que él no creyera bien hecho. Antolín se le parecía un poco en esto, pero no estaba chalado, y era menos valiente que el viejo. ¡Pobre don Américo! Iba a salir de la cárcel con más huesos y pellejo que nunca. La última vez, Conchita se había encargado de cebarle para que se repusiera; ahora volvería a hacerlo. ¡Si no le sacudían mucho! Cuando recordaba los cardenales que trajo cuando le detuvieron la última vez, se le subía la sangre a la cabeza. Para un viejecillo frágil como él, unos cuantos cachetes eran peor que un par de costillas rotas para un muchachote fuerte. No dudaba de que le pondrían en libertad en seguida; no podían acusarle de nada. Pero iba a asegurarse metiéndole a don Carlos, el comisario, un susto de miedo. Le iba a decir que, como no soltara a don Américo inmediatamente, iba a dejar que de sus pedruscos se ocuparan las tijeras y las pinzas del cirujano.

El pensamiento de don Carlos hizo reír a Conchita.

Cada vez que le daba un ataque, la mandaba llamar. Siempre le decía que se dejara ver por un especialista, pero tenía un miedo mortal a que le dijeran que había que operarle, y prefería sus métodos más suaves. ¡El idiota! Lo único que hacía eran unos cuantos pases con sus manos, ponerle a dieta e hincharle de cerveza para que meara, que era lo que pedía a gritos. Podía ocurrir que un día la piedra fuera muy gorda y la cerveza la hiciera reventar, pero a Conchita no le preocupaba mucho que un comisario de policía diera un estallido. Por ella podían reventar todos, sin quedar uno, y cuanto antes, mejor. Para lo único que le servía don Carlos era para ayudar a través de él a que algún pobre diablo escapara de las caricias de la policía. De otra manera no hubiera seguido tratándole. Ahora se alegraba de que creyera que era ella la única persona capaz de aliviar sus dolores.

Conchita acabó de vestirse, se pintó los labios, se abrasó la garganta con la pócima que su madre llamaba café con leche, y repiqueteó con sus tacones altos escaleras abajo. Era muy temprano para ver a don Carlos, pero los guardias la conocían y la dejarían ver a don Américo. Esto le iba a alegrar el alma.

El comisario, rendido de sueño y estragado de la noche en vela, recibió a Conchita como una bocanada de aire fresco:

—¿Qué te trae por aquí, preciosa?

—¡Anda mi madre! Y yo que creía que usted no madrugaba. Es una lástima, porque me hubiera gustado decirle al tisiquín ese que se queda de servicio de noche lo que pienso de él, y ahora se ha marchado ya. Pero me alegro de que esté usted aquí. ¿Sabe que han detenido a don Américo?

—¿Qué don Américo? ¿Y qué tienes tú que ver con él?

—¡No me diga que no sabe quién es don Américo, después de haberle tenido de huésped dos veces! El viejo espiritista de la calle Amparo. Hasta los chicos le conocen. Es el hombre más bueno que existe, aunque tenga desalquilado el piso cuarto. Y a esto es a lo que he venido. Su suplente le ha arrestado anoche y yo vengo por él. Es una vergüenza tener al viejo encerrado.

—Pero, ¿qué tienes tú que ver con don Américo?

—¿No sabe usted que soy su médium? ¡Y luego dicen que la policía lo sabe todo!

El comisario se puso verde y tartamudeó:

—¿Su médium? ¿Tú?

—Sí, yo. ¿O se había usted creído que Dios me había dado sólo el don de curarle a usted cuando se le atasca un ladrillo en el caño de la orina? Sí, soy su médium, y anoche, si no hubiera tenido que hacer otra cosa más importante —Dios me perdone la mentira, pensó—, sus esbirros me hubieran pescado en su cuarto hablando con los espíritus y podían haberme detenido. Siento que no haya sido así, porque entonces hubiera armado una buena aquí.

Don Carlos estaba sentado con la cabeza caída. Le tomó unos momentos hasta que se forzó a levantar la vista y decir roncamente:

—Don Américo se murió anoche.

—¿Qué? ¿Que está muerto?

Conchita se enderezó sobre el abrumado comisario y le agarró por los hombros:

—¿Conque se murió anoche? Le mataron a palos, ¿no? La última vez le pegaron, esta vez le han asesinado. ¿Quién estaba aquí anoche, usted o la quisquilla anémica? ¿Quién tiene la culpa?

Ni por un momento se le ocurrió a don Carlos llamar a los guardias y detener o echar a la calle a la muchacha. Tenía miedo de ella, ahora muchísimo más miedo desde que sabía que podía ponerse en contacto con los espíritus, con el espíritu del hombre que había matado él.

—Conchita, estaba yo, pero no soy responsable de su muerte. Ya sabes cómo pasan estas cosas: una persona muy importante nos dio la información contra don Américo y yo no podía evadirme de cumplir con mi deber...

—¡Una persona muy importante! Una cucaracha de las gordas, el don Santiago, ya lo sé. Y usted no podía decirle que no, porque...

Y Conchita soltó a chorro lo que pensaba del comisario, de la policía, del régimen de Franco y de las gentes que no tenían los redaños de quitárselos de encima; de los curas, los frailes, monjas y muchachas histéricas enamoradas de sotanas.

—Y ahora, la verdad. ¿De qué ha muerto? Y no olvide que si no me dice la verdad, me la va a decir él.

El comisario se santiguó:

—No le hemos matado, nadie le ha puesto la mano encima, y esto es el Evangelio, te lo juro por la Cruz. —En aquel momento bendecía secretamente al supersticioso subalterno que le permitía decirlo sin perjurio. —El viejo se asustó de algunos jóvenes falangistas, un poco brutos, y se murió como un pájaro. Te lo juro, se murió de susto como un pajarito.

La pena agarrotó la garganta de Conchita. Mientras el comisario contaba lo ocurrido en la pasada noche, retocando cuidadosamente con detalles la brutal orgía de los falangistas, Conchita veía a su viejo amigo entrampillado, tiritando en su desnudez y su pena, escapando a su otro mundo de una crueldad que no podía concebir.

El comisario remató en su mejor estilo oficial:

—Ahora comprenderás, Conchita, que estoy limpio de culpa. Lamento infinito todo lo que ha ocurrido, pero la verdad es que el hombre era un delincuente y teníamos que tomar nuestras medidas. Algunas cosas que has dicho antes, cuando estabas tan excitada, es mejor que las olvidemos los dos, tú y yo.

Le miró como asombrada de su existencia. Su furia ciega se había disuelto y ahora sólo la consumía un odio profundo:

—Usted no le va a olvidar hasta el día en que se muera, don Carlos.

Cuando se hubo marchado, el comisario enterró entre sus manos su dolorida cabeza. Debía haber mandado a Conchita a presidio. Pero era la única que podía quitarle los dolores que tanto le aterraban. Ahora mismo una de aquellas piedras infernales se le estaba formando en las entrañas y dentro de unas pocas semanas tendría que llamarla. No había nadie como ella. Dio un quejido: era terrible saber que la muchacha poseía poderes ocultos y podía comunicarse con el alma de los muertos. ¿Con la del viejo espiritista, o tal vez con algo más poderoso capaz de intervenir con los vivos? El comisario decidió ofrecer una vela a... ¿A quién? No se le ocurría qué santo podría interceder más efectivamente contra el gris fantasma del viejo.

Siempre es lo mejor encender una vela a Dios y otra al Diablo, pensó, sin ironía. Telefonearía inmediatamente a don Santiago y le daría cuenta de la muerte de don Américo. A esta hora el cura estaría en su casa desayunando después de la misa de nueve. Y mientras marcaba el número de la casa del cura, el comisario comenzó a pensar cómo podría hacer las paces con Conchita.

Don Santiago colgó pensativo el receptor. En muchos sentidos era la mejor solución que el viejo hereje hubiera muerto por causas naturales que no podían interpretarse como un martirio. Sus creyentes femeninos se sentirían desamparados y volverían al seno de la Iglesia o, al menos, se conformarían con supersticiones menos dañinas. Un foco de creencias revolucionarias había desaparecido. La madre de Amelia molestaría muy poco en el futuro. Hasta aquí las cosas estaban muy bien. Pero Amelia, que en aquel mismo momento estaba esperando en su sala, presentaba un problema: las salvajes acusaciones de su madre sobre la detención del espiritista las había tomado demasiado a pecho; si llegaba a oír de la muerte del viejo en la comisaría, tendría miedo de que la culparan de ello y podría hasta permitirse el lujo de una histérica justificación de sí misma, precisamente en aquel momento crítico de la entrevista con su padre aquella misma mañana.

Por otro lado, pensaba don Santiago, discutiendo consigo,

sería mucho más peligroso para Amelia y su estado de ánimo si lo oyera a través de las cotillerías de vecindad. Sobre esto no se hacía ilusiones: ahora mismo, su visita a don Carlos (que no había tratado de hacer secreta, bien lo sabía Dios) se estaba discutiendo sin duda en cada casa del barrio. Un tipo de gente que él conocía muy bien estaba llamando cosas feas a Amelia en aquel mismo momento. ¡Era inaguantable! Don Santiago no tenía paciencia para estas gentuzas que creían una traición el que se recurriera a la policía para impedir que los malhechores siguieran haciendo de las suyas. En su opinión, esta actitud era una herencia de la era liberal con toda su perversión de los valores morales; pero no podía dejar de reconocer que esta actitud tenía una gran influencia con gentes que eran católicos leales en todo lo demás, pero que habían estado sometidos a la convivencia con ateos. Por ejemplo, Amelia a veces se sentía atacada por un sentimiento de culpabilidad cuando seguía el buen camino y las gentes a su alrededor la trataban como a una leprosa. Un caso como este de don Américo podía lanzarla a dudas dolorosas, a no ser que él, don Santiago, la guiara en los primeros pasos.

Sí, tenía que darle la noticia él mismo. El cura suspiró y sacudió sus hombros macizos. Preveía un noviciado difícil para Amelia, con alternativas de humillación y misticismo barato, hasta que su sensibilidad caprichosa se transformara en devoción pura. La próxima hora podía comenzar el proceso, o hacerlo fracasar. Comparado con esto, el éxito final de la cuestión financiera con Antolín Moreno era secundario. Una vez tomada su decisión, entró en la sala.

Media hora más tarde, don Santiago sabía que su esfuerzo educativo había comenzado bien. Amelia había pasado a través de las diferentes etapas del horror, el miedo, la duda, el arrepentimiento y la sumisión humilde. La había visto débil y sin esperanza, aterrorizada de que él pudiera retirarle su atención si se refugiaba en el llanto; fue entonces cuando comenzó a consolarla, hablándole de los detalles prácticos relacionados con su ingreso en el convento. Le hubiera gustado poder llevarla en aquel momento a la madre superiora, pero tenían antes que resolver la cuestión con su padre. En el camino hasta la pensión de Antolín, don Santiago habló a la muchacha sobre las flores en la Capilla de la Virgen y el dibujo de los bordados de las nuevas sabanillas para el altar. Amelia aún andaba con pasos vacilantes, como si acabara de levantarse de la cama después de una enfermedad. Ella estaba tan agradecida al cura por tratarla como a una de las hermanas de la comunidad que se sentía vergonzosamente feliz. Nunca se había sentido hija suya espiritual —pensaba—, tanto como en aquel momento en que iba a enfrentarse con su padre carnal.

Antolín estaba aún sentado a la mesa donde había desayunado con Pedro cuando la camarera apareció con su hija y don Santiago. No hizo ningún gesto de sorpresa. Tenía que pasar así, las cosas aclarándose una tras otra.

El cura comenzó a perorar sobre el lastimoso resultado de la reunión familiar del día anterior, sobre los frutos envenenados del abandono de los principios morales y sobre las dificultades que asaltan al alma de una muchachita en vecindades indeseables. Antolín no dio signos de conformidad o desagrado. Miraba a su hija. Si las acusaciones de Pedro eran verdad, debía de ser muy infeliz. Parecía cambiada. Vagaba en su cara la sombra de una belleza anémica. Si hubiera mirado a Antolín, éste hubiera querido acariciarle una mano. Pero sus ojos no hacían más que seguir cada movimiento de don Santiago.

En la primera pausa que don Santiago hizo en su torrente de frases, Antolín preguntó:

—¿Ha venido usted a decirme que Amelia quiere hacerse monja?

Recuperándose de su sorpresa, el cura contestó con un tono tan seco como el de Antolín:

—Sí, señor Moreno. Amelia tiene esa vocación.

—¿Sabes lo que vas a hacer, Amelia?

—Sí, papá. Es mi mayor deseo. —Titubeó, miró a don Santiago, después a Antolín y agregó—: ¡Por favor, dame tu consentimiento!

Le pareció a Antolín que él y los otros dos estaban representando una escena de teatro con frases artificiales y voces fingidas. ¿Qué era lo que tocaba decir ahora?

—Bien, es tu propia vida, Amelia. Siento que no puedo ayudarte a vivirla... No, esto no está bien dicho. Si tú lo quieres y es mi consentimiento lo que necesitas, yo te lo doy, Amelia.

Por un momento la muchacha sintió el impulso de lanzarse a su padre como tantas veces había hecho de niña, segura de una caricia y un mimo. De pronto se sintió avergonzada. No pensó que lo que él hubiera querido era que ella le besara.

—Te estaré eternamente agradecida, papá, y te tendré presente cada día en mis oraciones —murmuró.

Don Santiago carraspeó. Encontraba el ambiente demasiado tenso. Antolín era muchísimo menos susceptible a su influencia que en su primer encuentro.

—Como consejero espiritual de Amelia —comenzó con su voz más untuosa— le doy mis gracias más sinceras, don Antolín. Usted no lo cree así, pero se le tendrá en cuenta que no puso un obstáculo a su hija en el camino de la gracia. Espero que de la misma manera estará dispuesto a resolver con espíritu de cooperación los problemas prácticos que quedan.

—No lo entiendo, don Santiago. ¿Tengo que firmar algún documento como padre de Amelia? Me choca que tenga yo que ver en ello, pero estoy dispuesto.

—No es eso precisamente, don Antolín. Francamente, aunque su consentimiento es agradable, si lo hubiera negado no habría sido un problema difícil de resolver. No, la cuestión es otra. No sé si usted tiene la más mínima idea de la organización interna, mejor dicho la organización doméstica, de una comunidad religiosa. A no ser que quiera usted que Amelia entre en el convento con las manos vacías...

—... Sí, tiene que llevar una dote —completó Antolín—.

No tiene usted necesidad de andar con rodeos, don Santiago. Sé algo de cómo es la vida de una monja que entra en el convento con las manos vacías, como usted dice. Mi madre me solía contar historias de una tía suya que vivió y murió como criada para todo en su convento.

—Encuentro molesto el tono en que habla, señor Moreno.

—Lo siento, don Santiago. Pero, en fin, supongo que sabrá perdonarlo cuando le diga que estoy dispuesto a pagar la dote de Amelia, si lo que usted pide está a mi alcance. Y quiero que entienda por qué lo hago. Amelia no ha tenido una vida feliz. Yo no creo que haya sido completamente falta mía, repito, no creo que sea sólo mi falta, pero lo es en cierta medida. Sé que Amelia no es cariñosa hacia los demás, es envidiosa y estrecha de pensamiento, pero tampoco creo que sea falta suya. Algo mío está escondido en el fondo de ella, en sus cualidades buenas y en las malas, y aquí es donde sé más que usted, don Santiago. Es mi única ventaja, pero me ayuda a entenderla un poquito. Me parece que ella quisiera ser buena y feliz, pero porque no consigue lo que quiere (tal como es, no puede conseguirlo), echa la culpa a los demás. No puedo negar que sea hija mía... Bueno, me doy cuenta de que no la ayudaría el ser una criada de convento. Por todo ello me parece que lo mejor que puedo hacer por ella, por su bien, no, por el bien de su alma, es darle el dinero. ¿Cuánto es el precio corriente, don Santiago? No lo ponga muy caro, porque tengo poco dinero aquí y todo lo que tengo en Inglaterra son unos modestos ahorros, Y también, porque quisiera que me dejara algo para los otros miembros de mi familia.

—Puesto que toma usted esta actitud, señor Moreno... Una cantidad adecuada sería diez mil pesetas. Un cheque sobre su banco de Londres sería bastante. La comunidad tiene una casa en Irlanda. En fin, para evitar regateos, yo diría que hiciera un cheque por cien libras.

—Lo cual es exactamente diez mil pesetas al precio del

mercado negro, ¿no? Bueno, un momento. Voy por mi libro de cheques que está en mi cuarto.

Don Santiago esperó con cara imperturbable, mientras Amelia le contemplaba fascinada, sin atreverse a hablar.

Antolín volvió con el cheque relleno, firmado y cruzado:

—Lo he hecho a nombre de Amelia, pero quisiera tener un recibo suyo como guardián. Supongo que se ocupará de cumplir todos los requisitos necesarios para cobrarlo por ella.

Cuando hubieron cambiado de mano los dos trozos de papel, Amelia tartamudeó unas cuantas palabras confusas e hizo un tímido movimiento hacia su padre. Antolín no se dio cuenta. Estaba mirando al cura que no daba muestras de que la visita se hubiera terminado. El silencio se hizo opresivo, la doncellita abrió la puerta y la volvió a cerrar a toda prisa. En la calle de Peligros sonó la bocina de un coche.

No. Don Santiago no estaba satisfecho. No era únicamente que él había estado dispuesto a sostener una batalla y se sentía tontamente ridículo de que las cosas se hubieran solucionado sin tropiezo. Tampoco estaba irritado por el tono hostil de Antolín; era una hostilidad que había esperado. Lo que le molestaba y le hacía quedarse allí, testarudo, era la presunción de Antolín de que la cuestión de la dote de Amelia era una cuestión puramente financiera, puramente material. Sorprendiéndose él mismo de la idea, don Santiago veía que hubiera querido que Antolín se diera cuenta de que él, el cura, había pedido el dinero porque quería evitar que a Amelia el embrutecimiento del trabajo doméstico la hubiera arrastrado a otra rebeldía fútil. Sí, por el bien de su alma, como su padre había dicho tan arrogantemente. Era este desprendimiento desdeñoso de Antolín lo que había herido más a don Santiago.

Cuando había planteado la visita, el cura siempre había previsto que Antolín accedería a dar a Amelia una dote como un acto de restitución, como una penitencia. Nunca había pensado otra cosa sino que el que un sentido de culpabilidad, de pecado, cada vez mayor en Antolín, más tarde o más temprano le llevaría arrepentido al confesionario. En su primera entrevista los ojos expertos del cura habían visto la inseguridad de Antolín y su nostalgia por la fe, que habían arraigado en su infancia. Hoy le encontraba diferente, lejano, mucho más seguro de sí, como si hubiera encontrado una fuente de fuerza independiente. Dejarle así le parecía a don Santiago una derrota. Se enfrentó con el desafío:

—Don Antolín, las cosas no pueden darse así por terminadas. He oído que se va de Madrid dentro de poco. No se vaya con rencor dentro.

Antolín contestó con tono cansado:

—¿Qué más quiere? ¿No es bastante que haya dado mi consentimiento y el dinero?

—No, no es bastante, don Antolín. Me temo que ha endurecido su corazón y cerrado su entendimiento. Es posible que encuentre el peso de su responsabilidad demasiado grande al ver lo que los pecados del padre han hecho a los hijos.

Hubiera seguido hablando, pero Antolín saltó de la silla, la cara tensa:

—¡No, don Santiago, no! Yo he hecho cosas que siento, pero no lo que usted llama mis pecados. Y esas cosas tengo yo que entenderme con ellas, yo solo. Usted no tiene derecho a hablarme a mí de responsabilidades, ningún derecho. Este país es lo que usted y sus amigos han hecho de él, un sitio donde cada acción buena se envenena y donde toda mala acción crece con sus bendiciones. Sé lo que son mis hijos y sé lo que podían haber sido. Que no me vaya con rencor, me dice. ¿Puede decirme qué significa el rencor para usted? ¿Cuál es el espíritu que alimenta y cría delatores fanáticos como esta hija mía, su hija espiritual?

—¡Papá!

—Le prohíbo que moleste la paz de espíritu de su hija con sus insultos, señor Moreno.

Antolín bajó la voz:

—¿Llama usted un insulto el que yo le recuerde que usted ha enseñado a mi hija a espiar a su propia madre y a ayudarle a usted a entregar a un pobre viejo inofensivo a las manos de la tortura?

—Está usted equivocando las cosas. Déjeme explicarle...

—Luego era verdad —murmuró Antolín—. Tenía aún la esperanza de que lo negaría.

Don Santiago replicó con dignidad:

—No tengo por qué negar lo que considero una acción justa, pero no puedo tolerar su presentación falsa de los hechos. Su hija no espía a nadie. Su conciencia le impide ignorar el mal, y estoy orgulloso de haberla enseñado así. —Amelia se había tapado los oídos y cerrado los ojos; el cura puso suavemente una mano en su cuello—. Un viejo, de ninguna manera inofensivo, sino un seductor de mentes de mujeres locas fue detenido como un ofensor contra las leyes de Dios y los hombres. Yo mismo pedí su detención, era mi deber. Pero quiero que acepte mi palabra de sacerdote de que no murió torturado. Murió de repente, de un ataque al corazón..., sin arrepentirse, siento decirlo. ¿Qué le pasa, don Antolín?

La cara de Antolín estaba lívida. Miró del cura a Amelia y de ésta a aquél, y dijo en una voz casi inaudible:

—¡Márchense, por favor! No sabía que el viejo había muerto en las manos de la policía. ¡Que Dios les perdone! ¡A los dos! ¡Pero márchense! Es lo mejor.

Don Santiago se levantó sin emoción y tomó del brazo a la muchacha que temblaba. Antolín seguía en la misma voz baja:

—¿Sabe? Todos somos los guardianes de nuestros hermanos, pero aquí todos se convierten en sus asesinos.

La puerta se cerró tras ellos. Antolín se sentó y escuchó la sangre que le golpeaba en las sienes, hasta que su cabeza se despejó.

Tenía muchas cosas que arreglar aquel día. Pensar en ellas le hacía recobrar su aplomo: hacer negocios con don Tomás,

arreglar la cuestión del dinero para Luisa —¡pobre Luisa!—
y por la tarde encontrarse con Lucía y Juanito. Antolín sonrió al pensamiento de Lucía. Seguro que Mary la tomaría
cariño.

13

A la caída del sol surgió de la tierra un viento agrio que sopló a través del llano hasta las afueras de la ciudad; allí se dedicó a barrer el polvo del otoño, a lo largo de las calles. Era un aire frío, pero un aliento tibio salía del empedrado sobre el que el sol había caído a largo de un día sin nubes.

Cuando Juan salió del calor sofocante de su taller, enderezó sus hombros huesudos. Durante todo el día se había sentido mitad caliente, mitad frío, la frente ardiendo, los sobacos húmedos con sudor, las manos y los pies helados. «Cuando acabe con Ramón y recoja a Lucía, nos vamos a ir a comer un bocadillo antes de ir a ver a mi padre», decía, tratando de convencerse a sí mismo de que los escalofríos que le corrían por el espinazo eran la consecuencia de un almuerzo escaso.

Juan andaba deprisa, incorporado a la pandilla alegre que capitaneaba Rufo; pocas veces iba con ellos porque nunca podía replicar a sus bromas. Pero hoy se había agregado al grupo a la hora de la comida porque le daba una buena excusa para no acercarse a la mesa de Ramón, de acuerdo con las instrucciones de éste y su propia inclinación. Al mismo tiempo, Juan sentía un interés súbito en lo que hacía el sindicato clandestino al que pertenecía Rufo, un grupo hacia el que siempre había sentido desprecio. No veía claramente por qué había cambiado de opinión, pero tenía una idea vaga de que su padre aprobaría la U.G.T. ilegal por las mismas razones por las que no estaba conforme con la organización comunista; y quería estar mejor enterado.

De pronto Rufo se detuvo y dijo:

—Mirad a esos dos señoritos en el rincón. ¿Qué creéis que están haciendo?

Juan vio dos falangistas jóvenes, medio ocultos en un rincón del almacén y al parecer en una animada conversación. Era raro ver a esos «camisa azul» en el barrio de fábricas y talleres, particularmente a una hora que las calles estaban llenas de obreros saliendo del trabajo. Juan esperaba que Rufo no se dedicara como siempre a incitar a los falangistas. El robusto soldador no tenía miedo y era provocador hasta un punto que Juan envidiaba, pero que calificaba como falta de disciplina revolucionaria. Si los dos falangistas se daban por aludidos, tendría que escaparse de la bronca. Menos que nunca podía esta tarde permitirse el lujo de hacerse notar. Sería una cobardía a los ojos de Rufo, pero no había otra solución. Ramón esperaba que los camaradas obraran con prudencia y se reservaran para cosas mayores que broncas callejeras.

El par de falangistas se hicieron los sordos a la broma de Rufo y el mozallón siguió andando con un encogimiento de hombros. Juan se sintió tan aliviado que no volvió a preocuparse de ellos. Bastante tenía con pensar las cosas que iba a decirle a Ramón. Durante las horas de trabajo, de pie, puliendo los malditos tubos dorados, sus pensamientos habían sido confusos alternativamente por miedo y por excitación, y no podía concentrarse en ellos.

Sentía aún miedo en la boca del estómago cuando pensaba en lo que podía haber pasado si Pedro le hubiera denunciado a la policía y ésta hubiera registrado su habitación mientras todos los papeles del Partido estaban allí. Naturalmente, no tenía listas de nombres, pero aun así, la policía hubiera pensado que Juan tenía que ver con la distribución del material de propaganda y que por lo tanto conocía a mucha gente. Le hubieran torturado para sacarle los nombres. Sí, hubiera intentado desmayarse o arrancarse la lengua con los dientes o hacer algo; una de las cosas que no podía imaginar era el dolor insoportable. Pero aunque resistiera, Ramón no le habría perdonado nunca; la falta de precauciones era peor que una traición. La policía hubiera encontrado en seguida la relación con su padre y hubieran hecho una teoría de una conspiración con la ayuda del extranjero. Hubieran cogido a mucha gente en una redada. Su padre seguramente habría escapado con su pasaporte inglés, pero los otros... Lucía..., seguramente su madre, ya mezclada en el caso contra el viejo don Américo... Las palmas de las manos de Juan estaban húmedas de sudor frío. Se las frotó contra la americana, pero no logró que se quedaran secas.

Todo esto no tenía ni pies ni cabeza. Pedro había tenido razón en quemar los papeles y no cabía duda de que se había portado decentemente. Después de todo no era capaz de denunciarle; se había enfurecido con Amelia por su denuncia del viejo espiritista y la había llamado cosas.

Le asaltaba una ola de simpatía por Amelia. Desde luego sus creencias estaban equivocadas, pero al menos creía en algo tan fuertemente que obraba con arreglo a sus creencias, y ni aún tratándose de su madre se desviaba de su fe. Claro que su padre no podía entender esta actitud. Para un reformista transigente como él era, predicar dulzura y tolerancia era muy simple; pero en una batalla no puede admitirse esta tolerancia. Si él, Juan, iba a contarle a Ramón la historia de la relación entre su padre y el coronel Caro, sacrificaba sus sentimientos personales, pero obraba rectamente en principio.

Juan, en este momento, admitió que no le agradaba la idea de mencionar, para que el Partido supiera, los tratos entre su padre y Caro. Al fin y al cabo no estaba enterado de cuál era la relación entre ellos. Y su padre no había duda que trataba de ser decente, aunque fuera en una línea burguesa. Ramón, inmediatamente, saltaría a conclusiones falsas. Tal vez era mejor no decirle nada, al menos aquella noche. Había cosas más importantes que comunicar, por ejemplo, que la policía había hecho una investigación sobre su padre. Todo lo que tuviera que ver con la seguridad era la mayor importancia; indudablemente era un deber primordial de Juan el mantener a Ramón al corriente de los detalles más insignificantes que guardaran relación con ello. Pero no de las sospechas de Lucía acerca de Pedro; esto ya se había demostrado que era una tontería; si no, ahora mismo no sería él libre de ver a Ramón. Pero la detención del viejo don Américo y la parte de Amelia en ello, esto sí eran cosas que Ramón quería siempre saber, porque eran útiles para la propaganda.

Además estaba por medio el plan descabellado de Lucía de irse a Inglaterra, la verdadera razón por la que Juan quería hablar aquella noche con Ramón, antes de encontrarse con su padre. Sin la aprobación del Partido él no podía marcharse de España, hubiera sido una deserción.

¿Qué iba a decir Ramón sobre esto? Podía decir que Juan no estaba aún en condiciones de ir al extranjero, porque la vida fácil de una democracia capitalista le corrompería. Una vez había dicho lo mismo de un muchacho que había escapado a Francia y había abandonado el Partido en cuanto llegó allí.

La idea de que el Partido podría no aprobar su ida a Inglaterra daba a Juan una sensación de vértigo. Tenía en la boca el sabor del polvillo venenoso del metal. Hasta este momento no se había dado cuenta de las esperanzas que este futuro había despertado en él. Vivir sin miedo, sin hambre, sin humillación...

Juan resolvió que no le contaría a Ramón quién había pensado primero en este plan; nunca le agradaba mentar a Lucía en sus conversaciones con él. Lo único que podía interesar al Partido era la posibilidad de introducir a uno de sus miembros en Inglaterra, donde pudiera decir a sus futuros compañeros de trabajo lo que era la vida de los obreros de España y el crimen que los poderes imperialistas cometían apoyando a Franco y su pandilla. En Inglaterra dejaban hablar a todo el mundo en público, hasta a los fascistas. Juan se veía dirigiéndose a una enorme multitud, escuchaba párrafos de su propio discurso, párrafos hermosos y emocionantes. Naturalmente, tendría que aprender inglés primero, pero esto no le asustaba.

—¿Estás sordo, chico? —gritó Rufo, dándole una palmada en la espalda que le hizo brincar—. Vente con nosotros a tomar un vaso, a ver si te despiertas.

Juan vio asombrado que estaban frente a la puerta de una taberna a la entrada de la calle de Embajadores. Había andado mecánicamente con el grupo, respondiendo mecánicamente a las preguntas que se le habían hecho de vez en cuando, y no se había dado cuenta de haber llegado hasta allí.

—No puedo, chico. Mi novia me está esperando —mintió. Ojalá fuera verdad que no tuviera que ver a Ramón antes de encontrarse con Lucía a las ocho, cuando saliera del trabajo.

—Bueno, sal corriendo. Pero si no quieres que te dé calabazas, cambia la cara. Tienes una cara como si hubieras regañado con la suegra.

Mientras todo el grupo seguía en tropel a Rufo, que había entrado en la taberna, Juan se dio cuenta, con el rabillo del ojo, de que los dos falangistas a quienes Rufo había insultado les habían alcanzado. «Van detrás de Rufo», pensó, dudando a la vez si no debería entrar en la taberna y avisarle. Reconoció la cara de uno de los «camisa azul», un chulo de la Centuria de Lavapiés, que tenía fama de saber manejar la navaja. Pero si alguien trataba de decir a Rufo que tuviera cuidado, lo único que conseguía era que éste le replicara de mala manera que no necesitaba niñeras. Al mismo tiempo se iba haciendo tarde. Juan tenía que pescar a Ramón antes de que éste comenzara su partida de mus. Acuciado por la hora, se apresuró calle arriba.

Era completamente contra la regla el ir a la taberna donde

Ramón todos los días pasaba un par de horas después del trabajo, antes de hacer las cosas del Partido. Por casualidad Juan le había visto allí una tarde y Ramón se había enfadado mucho. Le había dicho que mientras estaba en la taberna, nunca hablaba a alguien que estuviera en contacto con el Partido. Si alguno de los camaradas aparecía por allí, se hacía el desentendido, porque era de la mayor importancia que le conocieran como un fulano de buen humor que iba allí a jugar al mus o a discutir de toros o de fútbol y a quien la política repugnaba. Durante años había tenido mucho cuidado en no rozarse con nadie que pudiera tener cuestiones con la política. El tabernero estaba dispuesto en cualquier momento a garantizarle como un parroquiano inofensivo. Allí, en la vieja taberna, bajo la mirada de cristal de las cabezas de toros que adornaban las paredes, Ramón discutía los méritos de los matadores pasados y presentes con el tabernero y cambiaba las bromas de ritual con los compañeros de la partida diaria de mus, acciones ejemplares en un ciudadano, en la opinión de la policía.

Juan apretó el paso, un poco corto el aliento. El pecho le había molestado durante todo el día. Una vez que estuviera en Inglaterra, no iba a meterse en otro taller donde tuviera que tragar el polvillo del metal. Allí necesitaban obreros inteligentes, seguramente podría ir a una escuela o tal vez podría hacer algo en lo que a él le gustaba más, arreglar relojes. Esto le gustaba a Lucía.

¡Qué larga era la maldita cuesta! No tenía necesidad de correr tanto. Si no había calculado mal, estaría en la taberna antes de que llegara Ramón, cuyo taller estaba más lejos que el suyo. Aún sería mejor si se hacía el encontradizo con Ramón en la calle. Se enfadaría mucho menos. Lo más importante era convencerle desde el principio de que tenía motivos de verdad para aparecer así en el terreno prohibido. Una vez más, el muchacho repasó su cadena de argumentos: la investigación de la policía sobre su padre, la detención de don

Américo, el plan de ir a Inglaterra. ¿Lo de su padre y el coronel Caro? No. Tuvo un momento de rebeldía: ¡Que se vaya Ramón a la mierda!

Juan llegó al último trozo de la calle de Embajadores donde la cuesta termina y la calle está a nivel. Desde allí veía la taberna. Las aceras estaban llenas de gente. Si pasaba la taberna y después se paraba a encender un cigarrillo, nadie se fijaría en él, pero él podría ver si Ramón estaba dentro o venía por la calle. Las puertas de la taberna estaban abiertas de par en par. Podía ver la gente dentro, y Ramón aún no había llegado.

Tal vez lo mejor era desistir de hablar con Ramón y resolver las cosas como a él le pareciera mejor, con Partido o sin Partido. Se detuvo y miró por encima del hombro. Sí, allí venía Ramón, andando a zancadas. ¡Estaba sano el animal! No se le cortaba el aliento como a él. Aún tenía tiempo, Ramón no le había visto todavía. Juan se volvió, abriéndose paso hacia la puerta de la taberna, pasándola y yendo a cruzarse con Ramón.

De pronto, sin saber cómo, se encontró cara a cara con los falangistas que habían estado a la puerta del taller y de la taberna donde había entrado Rufo. Uno de ellos, el chulo, miró a Juan a través de párpados entornados y llevó una mano al bolsillo de atrás del pantalón.

Fue como una explosión en el cerebro de Juan: era a él a quien habían seguido, no a Rufo. ¡Pedro! Ramón se dirigía hacia él con cara furiosa. Iba a hablarle, y los dos cerdos falangistas iban a verlo. Se iba a convertir en un delator... ¡Tienes que hacer algo! ¡Ahora mismo! Lo importante es Ramón. ¡Avísale! ¡Distráeles la atención! ¡Corre!

Juan se dirigió a los falangistas en tres zancadas y gritó tan fuerte como lo permitía su voz chillona:

—¡Soplones! ¡Hijos de zorra!

Se volvió y echó a correr a través de la calle. La gente se dispersaba a su paso. Los dos falangistas corrieron tras él, el más viejo sacando su pistola. Juan estaba a punto de volver a la esquina de la calle de la Encomienda, cuando la pistola sonó. Dos balas se perdieron, dos le hirieron en la espalda, la quinta le rompió el espinazo. Cayó de bruces y la sangre se extendió rápidamente sobre el asfalto polvoriento.

Los dos falangistas se inclinaron sobre Juan y le volvieron sobre la espalda. Una pareja de la policía armada se abrió paso a través de la gente que se arremolinaba, y dejaron un espacio libre alrededor del charco de sangre que se extendía lento. Algunas gentes se alejaban deprisa, asustadas o murmurando agriamente, pero otros aumentaban el corro de caras curiosas.

El pistolero falangista registró los bolsillos del muchacho muerto. No había en ellos más que la tarjeta del seguro y unas cuantas fotografías de una muchacha.

—A don Antonio no le va a gustar esto —murmuró el otro falangista—. Ahora no podemos sacar nada en limpio de él.

—Uno menos —dijo desdeñoso su camarada. Se volvió a los guardias—. Tan muerto como mi abuelo. Nos ha atacado ahí. Bueno, vamos a arreglar esto. Ustedes se encargan de que le recojan y nosotros vamos a dar cuenta a la comisaría.

En la taberna, al otro lado de la calle, Ramón se dejó caer en la banqueta arrimada a la mesa de costumbre, bajo la cabeza de un toro retinto, con cuernos de puntas blancas. Alrededor de los labios se le marcaba una línea verdosa.

—¿Qué ha pasado? —preguntó el tabernero detrás del mostrador.

—No lo sé. He oído unos tiros y me parece que alguno se la ha ganado por primo.

—Eso pasa por meterse en lo que no le importa a uno —dijo el tabernero—. ¿Qué va a ser, Ramón? ¿Lo de siempre?

—Sí, lo de siempre.

Mucho antes de las nueve, Antolín estaba en el café Lisboa. No esperaba que Juan y Lucía fueran más temprano, pero necesitaba descansar. Desde el mediodía no había parado ni un momento. No le importaba el ruido ensordecedor que le rodeaba; hasta lo encontraba sedante porque le dejaba a solas consigo mismo sin sentirse solo.

Desde que había comenzado la mañana con sus visitas y sus despedidas, pesaba sobre él un sentimiento de finalidad que al mismo tiempo le vigorizaba. Como si no pudiera permitirse más el lujo de titubear, había resuelto todos los problemas prácticos con que se había enfrentado con rapidez y éxito. Había obtenido un largo pedido de herramientas y aceros de don Tomás y a través de él había visto a dos posibles compradores más, comerciantes normales que no habían tratado de mezclarle en combinaciones sucias como el coronel Caro. Y se había ganado las simpatías de este granuja escurridizo, sin tener que mover un dedo: don Tomás había pedido al coronel que se encargara de obtener las licencias de importación para él a un precio fabuloso. Había reservado un asiento en el avión del jueves por la tarde —el inglés, no el español—, aunque al principio esto parecía imposible. Había revisado sus cuentas y visto que aún le quedaba bastante del dinero que le habían permitido sacar en Inglaterra, para dejar a Luisa y Juan, al menos hasta que pudiera mandar más dinero a Luisa desde Inglaterra y arreglar la manera de que Juan saliera de España. Lo que le quedaba por hacer era ponerse de acuerdo con Juan para que no tuviera necesidad de una correspondencia que pudiera ser peligrosa. En los tres días que le quedaban por estar en España, no esperaba tener dificultades con las autoridades de Franco, con tal de que se callara la boca y guardara su odio furioso. Al menos, durante el día, no había visto ningún signo de que le vigilaran, y cuando había ido a la fonda poco después de mediodía, doña Felisa le había dicho que no había habido nuevas investigaciones.

Estaba preparado para la marcha.

Después de la puesta de sol, en la hora azul de la tarde, había estado bajo las bóvedas de la plaza de la Armería, asomado a los balcones de piedra, contemplando el campo de batalla de diez años antes. Había mirado obscurecerse el cielo encendido y se había emborrachado con el olor seco de sol de la arena, la tierra y las hojas muertas, mientras el viento cortante de la sierra le azotaba la piel con mil alfileres. Había sido su despedida. Eran cosas que siempre había echado de menos en el aire espeso y húmedo de Inglaterra: los colores puros, el aire de cristal, el olor picante de los jardines y las piedras de Madrid. Volvería a echarlos de menos, seguramente, pero su nostalgia estaba muerta ya. Este, al menos, era uno de los fantasmas que no volverían.

Ahora se sentía impaciente por volver a Londres. Había rendido tributo al pasado, ahora quería enfrentarse con el futuro. Se lanzó a pensar si más tarde, en el momento de la despedida definitiva, la ruptura total con Luisa, Pedro y Amelia le dolería; y tuvo que confesarse que no lo creía. Sentía pena, lástima, piedad, pero no dolor ni remordimiento. Era estimulante, en una manera extraña, el haberse arrancado todas las pretensiones y todas las ilusiones mantenidas tanto tiempo. Había roto el capullo de las tradiciones establecidas en las relaciones humanas que se le dan a uno hechas.

Si dejaba España por Inglaterra, no era para volver como un emigrado que se acoge a un asilo, tampoco como un sin patria, sino como un emigrante que sabe lo que hace y por qué. No podría acusar a la suerte o al destino de los contratiempos futuros. Si se llevaba a Juan y a Lucía en su nueva vida no era por un sentido convencional de obligación, sino porque los quería tener al lado suyo; aceptaba de antemano el riesgo y la responsabilidad. Si le pedía a Mary que se quedara con él era porque creía en los lazos que les unían, no porque quisiera una mujer agradable en su vida. Hiciera lo que hiciera en el futuro, sería su propia voluntad y libre decisión.

«¿Libre decisión?» La arrogancia del pensamiento sacudió a Antolín. Había creído siempre, y aún creía, que la vida da al ser humano tanto margen para decidir libremente como sitio queda libre entre los dos topes de dos vagones de ferrocarril. Una vez había visto a un enganchador aplastado entre dos topes; los vagones se habían movido una fracción de tiempo más rápido que el hombre.

Su error repentino le hizo pensar en Mary. Tal vez le había pasado algo mientras él no estaba allí. Tal vez se había cansado de esperar a un hombre absorto en sus propios problemas. Sabía muy bien que a ella no le importaba el estar casada o no, pero podía sentir el que él aceptara tan egoístamente su sacrificio. Era imposible para ella adivinar que en aquel mismo momento ya estaba pensando en ella como si fuera su mujer, y no como su querida. Tal vez, calladamente, despreciaba el que él fuera un extranjero. O tal vez era culpa suya si no había acertado a mostrarle que su sentir hacia ella era amor. Él mismo no lo había sabido hasta que su momentáneo capricho por Conchita le había enseñado otra cosa. Por último, ¿no podría ser que le disgustara su regreso a Inglaterra, considerando que desertaba de su puesto entre su propia gente? Antolín tenía una idea de que Mary, que odiaba intensamente a Franco, deseaba secretamente que su amante trabajara en el movimiento ilegal en España, si es que tenía que ir a España. ¡Sabía tan poco de lo que ella realmente pensaba! Se había contentado con su paciencia serena, con su presencia alegre. Se avergonzaba al pensar ahora cómo se había dejado llevar, envuelto en una neblina de sus propias emociones.

Comenzó a componer en su cabeza largas explicaciones que daría a Mary, todas con un espíritu de humildad inconsciente. Lucía tuvo que hablarle dos veces: «¡Señor Antolín!», antes de que se diera cuenta de que estaba allí.

—¡Hola, Lucía! Has venido temprano. ¿Dónde está Juanito?

—Señor Antolín —dijo la muchacha entrecortada—, no ha venido a buscarme. Tiene que haberle pasado algo.

—Siéntate, muchacha, no te alarmes tanto. Supongo que a Juan le habrán entretenido en alguna parte y vendrá aquí directamente, aunque está mal en él que te haya dejado esperando. —Antolín no creía sus propias palabras. La cara de Lucía le contaba claramente la espera ansiosa, la esperanza sin esperanza, y su miedo se le transmitió. La muchacha se sentó sin relajar la tensión, dispuesta a saltar de la silla en un momento—. No te apures tanto, chiquilla. A lo mejor ha tenido que velar.

—No. Están cortos de trabajo, según me ha dicho.

—Entonces habrá tenido que hablar con alguien y no se ha dado cuenta de la hora. ¿Cuánto tiempo has estado esperando? —Miró al reloj; eran las nueve menos cuarto.

—Le he esperado hasta y media. Juan es siempre muy puntual, señor Antolín. Y hoy sabía que yo estaba preocupada por él y por Pedro; no me hubiera dejado esperar tanto. Estoy segura de que le ha pasado algo. Vámonos, tenemos que encontrarle.

—Primero bébete esto —y empujó hacia ella una taza de café y encendió un cigarrillo para calmarse él mismo.

Lucía se bebió de golpe el café, mirando a Antolín por encima del borde de la taza.

—No se ha puesto malo ni le ha pasado nada en el taller. Uno de los muchachos que trabajan con él en el taller pasó con su novia mientras yo estaba esperando, y le pregunté Me dijo que había salido con Rufo y que entonces estaba bien. Pero, señor Antolín, él no tiene amistad con Rufo y su pandilla, y no se ha quedado con ellos. Sé que quería ver al hombre del Partido con el que trabaja. No me lo dijo así ayer, pero estoy segura de ello. Siempre sé cuándo está preocupado con cosas del Partido. Sabe usted, anoche estábamos hablando de

Inglaterra, cuando le dejamos a usted, y estaba muy contento. Me dijo una porción de tonterías, bueno, de piropos, y esto no lo hace a menudo. —Lucía se enjuagó los ojos, pero las lágrimas siguieron cayendo a lo largo de su cara.

—Escucha, nena. Si Juan estaba tan contento con la idea, ¿por qué crees que estaba preocupado y quería hablar con alguien del Partido, como tú dices?

—Porque de pronto se calló y puso lo que yo llamo la cara de la importancia. Yo le tomé el pelo por ello, siento haberlo hecho, y me contestó algo que yo no entendí bien, ni creo que él quisiera que yo entendiera, pero todo era sobre que si él cambiaba de chaqueta, y que había que tener fe, y una porción de cosas así. Y ahora estoy segura de que lo que quería decir es que necesitaba primero tener el permiso del Partido. Yo me enfadé y le dije que no quería que fuera como Amelia con su padre confesor, y entonces se enfadó y me dijo si prefería que él fuera como Pedro. Naturalmente le dije que no, sino que quiero que sea como es, y que nunca lo es más que algunas veces cuando está conmigo. Tuvimos una bronca.

—A lo mejor aún le dura el enfado.

Cándidamente, Lucía levantó su carilla:

—Pero, claro que hicimos las paces, señor Antolín. El que regañemos así no tiene importancia. Yo sé lo que realmente quiere decir, y sabe que yo lo sé. No fue más que estaba nervioso porque estaba excitado, y además porque Pedro le había dado un susto. Pero ahora conmigo no son nervios. Yo sé que algo ha salido mal, precisamente ahora, cuando las cosas parecía que iban a salir bien, ¿sabe?

«Sí, lo sé», pensó Antolín, pero siguió tratando de calmarla:

—No lo veas todo tan negro, Lucía. Vamos a esperar aquí un ratito más, hasta las nueve y media, si Juan quería ver de verdad a ese hombre. ¿Tú le conoces?

—Juanito nunca me ha dicho cómo se llama, pero me dijo que sabía dónde encontrarle entre las seis y media y las ocho, y que los otros no lo sabían. Juanito estaba muy orgulloso de ello.

—Entonces pueden estar hablando y hablando, y se le ha pasado la cita con nosotros.

Lucía, exasperada, exclamó:

—Usted no quiere creerme, pero yo sé lo que estoy diciendo. Nadie conoce a Juanito mejor que yo y estoy segura de que no me hubiera dejado plantada. Simplemente, no; ni por ese tío, ni por otro. Señor Antolín, y si Pedro, después de todo, al fin hubiera ido a la policía... y Juanito va a buscar a ese hombre, y la policía les ha cogido a los dos..., le van a pegar y a martirizar. Lo hacen siempre...

El murmuro casi inaudible de sus palabras era peor que el llanto. Antolín se acordó del espiritista que había muerto a manos de la policía y oía sus propias palabras a don Santiago: «Los asesinos de sus hermanos...» Se odiaba a sí mismo por su sequedad de corazón que le permitía pensar en otra cosa que en el muchacho, su hijo, cogido en la maquinaria asesina. Porque le habían cogido, de eso no tenía duda.

Un camarero pasó al lado de la mesa; Antolín le llamó y pagó los dos cafés. Lucía se había levantado y estaba en la calle antes de que terminara. El viento sutil obligó a Antolín a abrocharse la americana, pero cuando tomó la mano de Lucía estaba ardiendo.

—Pero, ¿dónde vamos a ir a buscarle, Lucía? No puedo ir a preguntar a la policía, creo.

Ella se detuvo a pensar:

—La señora Luisa sabrá dónde está Pedro ahora y entonces usted va a buscarle; y él tiene que decirle lo que ha hecho. Usted puede obligarle a que lo diga. O tal vez la señora Luisa ha oído algo.

—Bueno. Vamos allí primero.

Antolín sabía que iba a caer en las manos de la policía en el cuarto de Luisa, si los miedos de Lucía eran verdad. Pero en todo caso no iba a escapar de ellos, hiciera lo que hiciera. No había mucho que escoger. Sólo podía decidir el hacer lo que no tenía miedo de evitar. Lo mismo que el enganchador entre los topes.

—Puede haberle pasado un accidente en la calle, Lucía, y entonces ya lo habrán sabido en casa de Luisa por la Casa de Socorro —dijo débilmente.

Un accidente les parecía una alternativa mucho menos terrible, y comenzaron a discutir su posibilidad como si creyeran en ello, hasta que llegaron a la calle del Amparo.

En el portal dijo a Lucía:

—Quédate aquí hasta que yo baje. —¿Por qué arriesgar la libertad de ella si la policía estaba escaleras arriba?

Ella asintió con la cabeza, incapaz de hablar. Antolín subió la interminable escalera con pies pesados como plomo.

A su llamada a la puerta, ésta fue abierta por un hombre bajo y rechoncho con el sombrero encasquetado en la coronilla. Desde luego, a Juan le habían detenido; no había duda. Entonces vio a Luisa hecha un ovillo en una silla, Amelia recostada sobre la mesa, y una expresión en sus caras que le impulsó a cruzar instantáneamente a su lado:

—¿Qué ha pasado?

—¡Eh, un momento, un momento! —dijo el agente, tirándole de la manga—. Usted, ¿quién es, si se puede saber?

—¡Papá! —gritó Amelia rompiendo a sollozar.

—¡Ah, vamos!, ¿tú eres el papaíto? —preguntó el gordiflón—. Me alegro de que aparezcas. La vieja es sordomuda y la chica poco menos. —Se volvió la solapa de la americana y mostró la chapa de policía—: Policía Secreta, supongo que sabes lo que es, ¿no?

Un segundo policía, también con el sombrero encasquetado, pero tan flaco y amarillo que parecía que le habían escogido para compensar a su colega, apareció en la puerta de la alcoba del muchacho:

—Aquí no hay nada: Lo que yo te he dicho, una plancha.

—Tú te callas. —El primer agente se dirigió a Antolín en

su mejor tono oficial—: ¿Así que usted es el padre de Juan Moreno?

—Sí, señor. ¿Por qué?

—¡Oh, nada! Es que tenemos al chico ahí, a la vuelta, en el depósito, y nos hace falta alguien que le identifique. Usted nos sirve de primera para el caso.

—En el depósito. —No era una pregunta.

Los sollozos de Amelia aumentaron de volumen. Luisa no se movió.

—Sí, allí. —El agente encogió los hombros exageradamente—. Parece que su chico era un rojo y esta tarde ha atacado a varios camaradas de Falange en la calle. Con una pistola. Y se ha encontrado lo que buscaba.

—No tenía pistola.

—Eso lo dice usted, claro. Usted no vive aquí, me han dicho... En fin, nosotros tenemos órdenes de hacer un registro aquí y llevarnos a alguien que lo identifique. Tiene la tarjeta del seguro, pero hay que hacer las cosas en regla. Si usted quiere saber algo más, pregúntele al comisario.

Cerró el cuarto de los muchachos y se guardó la llave en el bolsillo.

—Puede usted cuidar de las mujeres mientras terminamos —dijo—. Les hace falta. —Y con el otro policía comenzó a vaciar el contenido del aparador en el suelo, separando cada trozo de papel que aparecía. Los papeles formaban un montoncito ridículo.

—Amelia...

Se dejó caer sobre el hombro de Antolín y sollozó:

—¡Dios se apiade de su alma!...

—Dios se apiade de todos nosotros —murmuró Antolín—. Dios nos enseñe a apiadarnos de los otros.

Los agentes estaban descolgando los cromos de la pared y arrancándolos de los marcos.

—Gente limpia, no hay chinches —dijo el hombrecillo con aprobación—. Vamos a ver qué hay en la cocina.

Sobre la cabeza inclinada de Amelia, Antolín los veía vaciando latas sobre la mesa de la cocina: harina, judías blancas, pimentón.

—Tú, no lo mezcles —dijo el gordo.

Luisa seguía sentada en su silla, sus labios moviéndose sin emitir un sonido, los ojos vacíos. Antolín le tocó un hombro. Hizo un movimiento huyéndole y volvió a su inmovilidad.

—¡Luisa!

Su mirada se fijó mucho más atrás de su cara.

—Amelia, ¿qué podemos hacer para ayudar a tu madre?

Los dos agentes volvieron a la sala:

—Sabe, está exactamente igual que cuando hemos venido. ¡Chalada! Ni se ha enterado de lo que hemos dicho —explicó el agente. El otro, el flaco, se había metido en la alcoba de Amelia, tirando las ropas, rasgando los colchones en busca de papeles escondidos.

—¿Es verdad lo que dice este hombre? Entonces, no está así por lo de Juan.

Amelia jugueteó con la medallita de oro que llevaba en la garganta:

—Es verdad, papá. Así estaba esta mañana cuando yo he venido. Los vecinos dicen que está así desde que se enteró de lo de don Américo. —Se santiguó—. Mamá no me ha dicho ni una sola palabra desde que estoy aquí. Yo creo que está hablando con los espíritus todo el tiempo.

La muchacha se encontró con la mirada de Antolín y se puso púrpura. Torpemente comenzó a defenderse contra un reproche no hecho. Le gustaría consolar a su madre, pero su madre no quería los consuelos de la Fe. Su madre se había puesto en contra suya, porque se había formado una idea injusta de ella; tampoco había escuchado a los agentes cuando le contaron «la terrible cosa que había pasado a Juanito».

Todo esto le dijo Amelia con una voz de llanto, pero al mismo tiempo como si su madre estuviera a kilómetros de distancia, como si Juan no fuera más que un conocido de la familia. Antolín no pudo aguantar más y la interrumpió:

—El pobre, debe de haberse sentido miserable entre todos vosotros. Pero ahora es tu madre la que necesita ayuda. ¿No puedes...? —Quería decir: «¿No puedes pensar en ella, en lugar de pensar en ti?»

Pero entonces pensó que él mismo no era mucho mejor que su hija. Él tampoco había querido lo bastante a ninguno de ellos como para ser capaz de romper la pared que les separaba. Había comenzado muy tarde a pensar en dar a Juan la compañía que necesitaba.

Antolín se acercó de nuevo a Luisa, pero la mirada vacía de ésta le hizo retroceder. Se volvió desesperadamente a Amelia:

—Ya veo que esos hombres están terminando de deshacer la casa. Me van a llevar con ellos, y no tengo la menor idea de cuándo, o de si voy a volver. Aquí tienes trescientas pesetas. Tienes que ocuparte de tu madre. Llama a un médico. Si puedes, pide un colchón prestado a un vecino. Ya veo que han destruido las camas.

—Pero, papá, yo quiero dormir esta noche en el convento. Le he dicho a la Madre Superiora que iba a ir.

—Sí, entiendo perfectamente por qué no quieres estar aquí, pero tienes que quedarte. Si tu madre no te habla, tienes que aguantarte. Ya sabes por qué. Está enferma, tú también lo estás. Y yo —agregó para sí, precisamente cuando el jovial agente se dirigía a él y decía:

—Qué, ¿estamos listos? Pues vámonos.

Luisa no dio señal de haber oído. Amelia se metió en su cubículo, corrió la cortina y comenzó a rezar.

En las escaleras no encontraron a nadie, pero la casa zumbaba como un avispero tras las puertas mal cerradas. Antolín se apresuró en el portal delante de los dos agentes y pasó ante Lucía sin volver la cabeza. Esta había iniciado un paso hacia adelante y se detuvo en el sitio cuando vio su cara. El agente gordo no hizo caso de ella, pero el flaco, a despecho de su cara taciturna, dijo:

—Qué, ¿te ha plantado el novio esta noche, guapa? No te apures. Si te hace falta un hombre, me avisas.

A su espalda, Antolín oyó el taconeo de Lucía sobre las baldosas de la acera. En el patio, la señora Paca, la portera, levantó la voz:

—Yo no creo que el chico tuviera una pistola, pero una no puede fiarse. Dicen que le han convertido en un colador. Trece balines de ametralladora...

—A la tía esa la debían nombrar pregonero —gruñó el agente chiquitín—. ¿Qué te parece? ¡Trece tiros, nada menos! Naturalmente, tenían que ser trece para que ella estuviera contenta... Feliciano, tú te vas a la comisaría y das el parte. Sin novedad... El depósito no está lejos, señor Moreno, después tendremos que ir a la comisaría también. ¿Usted estaba en el extranjero, no? Entonces no sabía mucho sobre el chico, y esto es mejor para usted ahora. Mejor no saber nada en estas cosas. —Siguió charloteando hasta que llegaron al depósito.

En la portería del depósito un guardia y un ordenanza jugaban a las cartas. El agente les saludó como a viejos amigos. Después de cambiar unas cuantas bromas, el ordenanza se enfundó una blusa blanca y tomó un manojo de llaves. Tuvieron que ir a lo largo de un pasillo abovedado lleno de ecos. El ordenanza abrió la puerta:

—Esta noche no tenemos muchos huéspedes.

Estaban en una sala construida enteramente de piedra. El techo estaba abovedado, a lo largo de las paredes se alineaban mesas de piedra, el piso se inclinaba suavemente hacia un sumidero central. Aunque bien ventilado, el cuarto estaba frío como una cueva, impregnado del olor dulzón de la muerte, que a pesar de su sutileza no conseguía anular el fuerte olor a desinfectantes. Sólo cuatro de las mesas de piedra estaban ocupadas: una sábana blanca cubría un cuerpo, los otros tres estaban completamente desnudos, cada uno con un tarjetón cuadrado con un número sobre el pecho, y un montón de ropas en el suelo a los pies de la mesa.

Juan descansaba en la piedra entre los otros dos cuerpos desnudos. Tenía tres manchas obscuras: dos a la izquierda bajo el hombro, la otra justamente bajo el esternón. Tres bocas de labios púrpura. Antolín miró en silencio.

Había visto muchos cadáveres durante los bombardeos de Londres y no sentía miedo ni repugnancia. Sólo se sentía vacío. Su cerebro era un hueco dolorido entre paredes de hueso. Esto era Juan, su hijo. La cara serena sin distorsión de dolor, la piel joven y tirante, muy blanca. Sólo el cuello, la cara y las manos estaban obscuros de aire y sol. ¿De qué color eran exactamente sus ojos? Los párpados estaban cerrados. Había sido delgado y con el pecho estrecho. Aún no había terminado de crecer.

Antolín miró estúpidamente las tres heridas por las que la vida se había derramado igual que el vino de un barril a través de la canilla abierta. Anduvo hasta la cabecera de la mesa por su lado izquierdo y besó la frente de Juan. Sólo cuando vio caer una gota en el pecho liso, hundido, se dio cuenta de que estaba llorando. Volvió la cabeza y usó un pañuelo ruidosamente.

El agente preguntó:

—Bueno, ¿qué? ¿Es su hijo?

—Sí.

—¡Hum! Anímese, hombre. Lo siento.

El ordenanza carraspeó. Antolín se volvió hacia él:

—¿Se le podría tapar?

—Desde luego. Le vamos a poner una sábana encima, ahora que ya sabemos quién es. —Miró el dinero que Antolín ponía en sus manos y dio las gracias efusivamente.

La mirada de Antolín fue de su hijo al cuerpo que reposaba a la izquierda. Era el cuerpo de un hombre viejo y frágil, con una piel desecada como un cuero antiguo. Sus ojos estaban abiertos de par en par y sus labios dilatados en una sonrisa desconcertante. No tenía herida ni lesión aparente y parecía menos muerto que el muchacho.

El ordenanza dijo:

—Éste es el espiritista, señor. Le trajeron aquí esta mañana.

—Un pobre viejo chalado que creía en los fantasmas —aclaró el agente.

—Bueno, aquí los fantasmas no van a venir a visitarle. Se iban a asustar —comentó el ordenanza.

—Esto tiene gracia —dijo el agente—. El viejo que está ahí vivía en la misma casa que su familia. En la buhardilla, encima de ellos. Algunas gentes dirían que la casa tiene mala suerte, pero yo no soy supersticioso. A esto lo llamo yo una coincidencia. Pero le hace a uno pensar, ¿no es verdad? El viejo loco murió anoche en nuestra comisaría. De miedo, según me han dicho.

«Así que éste es don Américo, que murió porque Amelia y el cura le denunciaron, pensó Antolín. Es verdad que no le han pegado. Se murió de susto…, esto es peor aún.»

Pensó en la parte que le tocaba en la muerte de aquellos dos que estaban allí, exponiendo sin defensa la desnudez de sus cuerpos. Su venida había desatado las fuerzas que habían aplastado a su hijo y al inofensivo viejo.

El agente le tocó el brazo. Antolín se retiró y echó a andar sonámbulo.

—Sí, tenemos que marcharnos. ¿Supongo que se puede arreglar un funeral?

—Desde luego, pagándolo, claro —contestó el ordenanza.

La noticia del tiroteo en la calle Embajadores se extendió rápidamente, aumentada y distorsionada en oleadas amplias que inundaban los bares llenos y las calles llenas de vecinos. En cuartuchos innumerables, partidarios de uno u otro de los grupos antifranquistas quemaban a toda prisa hojas de propaganda, y volvían sus bolsillos en busca de papeles comprometedores olvidados, o buscaban escondites más recónditos para las armas prohibidas. Muy pocos habían conocido a Juan, muchísimos menos sabían quién era y por qué o por quién había sido muerto. La historia que la mayoría de las gentes había oído decía que era obra de un delator, que uno o más miembros de un comité ilegal habían sido muertos en una redada, y que la policía iba a hacer un copo en el barrio. En la atmósfera de desconfianza general, florecían por igual la cobardía y el valor. Al cabo de una hora, familias enteras se encontraron rodeadas por una pared de silencio, bien porque sus vecinos sabían que eran amigos de los elementos en el poder o porque sus vecinos sabían que eran adversarios al régimen. Hasta los grupos de vecinos en las calles y en los patios se deshacían, divididos por sus simpatías y sus miedos.

En la calle del Amparo y sus alrededores las noticias se aproximaban más a la verdad; muchos habían visto a los agentes venir e irse. El señor Eusebio supo por su mujer, que lo había oído de la portera, que algo había pasado al hijo más joven de Antolín y al mismo Antolín. Estaba en la cama, torturado por el lumbago, pero se tiró de ella sin hacer caso de las lamentaciones de su mujer:

—Mira, tú sabes que yo no me meto en políticas porque no sirvo para ello, pero un amigo es un amigo, y estos cerdos no van a conseguir que me olvide de ello —gruñó. Pero cuando iba cojeando calle abajo, hacia el número 17, titubeó: no estaba muy seguro de poder hacer algo sin meterse en la boca del lobo. Un corro había formado un amplio espacio ante el portal; y dentro, en el patio, sonaban voces chillonas.

Lucía, recostada contra la pared, llorando sin ruido y sin consuelo, reconoció al viejo Eusebio y se echó en sus brazos:

—Han matado a Juanito… Dicen que le han matado a tiros…

Eusebio estaba preparado para la noticia; apretó contra sí

a la muchacha y se la llevó lejos de la peligrosa zona vacía vigilada por ojos invisibles. La consoló con palabras simples, convencionales, pero las mejores que se le ocurrían.

—Puede que no sea verdad, chiquilla. Tú sabes lo que es la gente cuando comienza a hablar. Es verdad que ha habido unos tiros hacia Progreso, pero... —No pudo terminar la mentira.

Lucía no hacía caso de sus torpes esfuerzos. Al cabo de unos minutos encontró energía para hilvanar las palabras, desde un rincón de su mente que no lloraba por Juan pero temía por el padre de Juan.

—La policía estaba arriba y se llevaron al señor Antolín hace un rato. Cuando pasó delante de mí en la puerta no me habló. La señora Paca dice que se le han llevado para... identificar... —La palabra se le quedó atascada en la garganta.

—Bueno, entonces ya sé lo que tenemos que hacer —dijo Eusebio resueltamente—. Tú no puedes ir a la policía y preguntar lo que ha pasado, porque si vas, te quedas allí. Maldita la falta que les hace saber que eras la novia de Juan. Y yo tampoco puedo ir, porque a mí me tienen en la lista negra. Pero Conchita puede ir. A ésa no la asustan ni todos los diablos del infierno, y además conoce al comisario. Vente conmigo y cuéntale todo lo que hayas oído. Tú no quieres ir a casa, ¿verdad? Yo le voy a decir a tu madre dónde estás. Así puedes llorar en paz, yo no te voy a regañar porque llores. —Carraspeó—: ¡Así Dios castigue a esos asesinos! ¡Hala, vente, chiquita, y sé valiente!

Conchita se puso inmediatamente en acción. Besó a Lucía y la dejó en los brazos de la asombrada señora Úrsula. Empujó al señor Eusebio en la mecedora y metió a puñadas un almohadón entre el respaldo y su dolorida espalda:

—Tú te cuidas de ellos, madre. Se están aquí hasta que yo vuelva. Si es verdad que han matado a Juanito... He oído decir que había sido a un anarquista, pero si ha sido a Juanito, entonces ya sé quién está detrás de ello y alguno va a pagarlas, como yo me llamo Conchita. Y me voy a traer conmigo a Antolín. Don Carlos hará lo que yo le diga. Ése no se atreve a plantarse delante de mí y del fantasma de don Américo. ¡Ojalá que Antolín no haya metido la pata! No se da cuenta de que esto no es Inglaterra. Y sabe Dios lo que les habrá contado. ¡Me tengo que dar prisa! —Dio un portazo y bajó de tres en tres la escalera, como un muchacho.

Iba pensando: «Eso es. Tenía que pasar. Pedro ha matado a Juan. Y si no me doy prisa le van a matar a Antolín.»

Conchita no estuvo más de cinco minutos en la comisaría. Don Carlos estaba libre de servicio, su sustituto se había entendido con Antolín cuando le habían llevado allí. Conchita escuchó la historia de labios del agente Ángel que estaba encantado de ser útil a una curandera.

—Es un tipo que habla como un madrileño, el fulano ese, pero que se porta como un inglés —dijo Ángel con una admiración innegable.

Al parecer, Antolín no había perdido la cabeza sino simplemente había pedido una explicación de lo que llamaba el asesinato de su hijo, y la inmediata notificación al cónsul inglés de que estaba detenido. El comisario de guardia no sabía qué hacer. Tenía miedo de detener a un individuo que llevaba en el bolsillo un pasaporte inglés y tratarle como hubiera tratado a un español. Por otra parte, el informe del tiroteo dejaba sin aclarar las ramificaciones del caso, aunque era claro el interés que tenía en él el grupo de Falange del distrito. El comisario había llamado a la Dirección General de Seguridad en Gobernación, y había dado un suspiro de alivio cuando le dijeron allí que les enviara al detenido. Hacía una media hora que se habían llevado a Antolín al sombrío y viejo edificio de la Puerta del Sol. Y esto era todo lo que Ángel tenía que contar.

Era lo bastante para hacer salir a Conchita al galope. Antolín no sería el primer preso político a quien le dan dos tiros en el sótano. Y ella no conocía a ninguno de los mandamases allí. No empezarían con él en seguida, pero no había tiempo que perder. ¿Quién tenía vara alta allí? Desde luego, el coronel Caro. Esto quería decir doña Consuelo, que tenía bien sujeto al coronel. Doña Consuelo quería también decir Pedro, y Pedro era Caín. Era un cobarde capaz de salirse con su cobardía. Conchita corrió a casa de la Tronío, sin hacer caso, por una vez, de la rociada de piropos con que la saludaban los hombres a quienes apartaba de su paso.

Conchita estaba hablando a la doncella en el recibidor de doña Consuelo, cuando el mismo Pedro salió de una de las habitaciones interiores, las manos en los bolsillos, el aspecto satisfecho.

—¡Vaya un honor! Me alegro de encontrarte al fin, Conchita. Estás más guapa que nunca, y yo siempre he dicho que eres un cachito de gloria. ¡Pasa, pasa! —Y abrió para ella la puerta del comedor.

Conchita cerró la puerta y se recostó contra ella, enfrentando a Pedro, aunque el tener que hablar a este hombre le cegaba de furia.

—Yo le conozco —dijo trabajosamente.

Él la interrumpió:

—Pues claro que sí; nos hemos cruzado en la calle cientos de veces, pero nunca te has dignado a mirarme, mala suerte para mí.

—Yo le conozco. Usted es el asesino que ha denunciado a su propio hermano. Ya puede estar contento, ya le han asesinado.

El primer movimiento de Pedro fue de miedo. Arrastró a Conchita a la sala, mirando por encima del hombro si alguien les había oído. La doncellita había desaparecido. En el cuarto con todas las butacas enfundadas se encaró con ella:

—No hables así. Yo no he denunciado a nadie. ¿Y qué es eso de un asesinato? —Su desafío le sonaba a falso en sus propios oídos, pero no se atrevía a preguntar abiertamente.

—A Juan le han matado en la calle Embajadores hace unas horas.

—Entonces esos idiotas han tirado contra él a pesar… —Se le escapó de la boca sin poder remediarlo y antes de que se diera cuenta de lo que implicaba. Comenzó a temblar.

—Luego tú sabes quién ha sido —dijo Conchita, saltando al tuteo despectivo.

Pedro tartamudeó en busca de palabras:

—Sé que la Centuria andaba tras él… Don Antonio me dijo… Yo he tratado de protegerle.

—¡Mentira! Has sido tú quien les ha puesto tras él.

—¡Yo, no!

—¡No seas estúpido, Pedro! —dijo Consuelo desde la puerta. Entró en el cuarto andando pesadamente, la cara descompuesta, el cuerpo encorvado.— Os he oído, a ti y a Conchita. Claro que has sido tú. Y sé cuándo: ayer, antes de venir aquí. Pero tú no querías que le mataran, ¿no es verdad?

—Consuelo, te juro que yo no he dicho nada de él a la policía. Yo no he querido nunca que le hicieran nada, aunque él siempre me ha odiado. ¡No me mires así, Consuelito! —La voz subió de tono y de pronto sonó igual que la de Juan.

—No a la policía, a esos carniceros de falangistas —dijo Conchita—. Y ahora tienes a tu padre en Gobernación. Le han detenido porque es el padre de Juan y no un falangista como tú, asesino.

—No dejes que me insulte esa mujer, Consuelo. ¡Miente!

La Tronío no dio muestras de haber oído.

—¿Sabe la gente que lo ha hecho Pedro? —preguntó.

Conchita la miró penetrante:

—Aún no, pero lo van a saber pronto. No es tan difícil juntar los trozos de una historia que algunos ya conocen. Yo misma, por ejemplo.

—No debe saberse. Es un asesino, pero no quiero que también a él le maten. Si saben que es un delator, cualquier noche le dan lo suyo. Y tú cierras la boca, Pedro. Esta misma mañana cuando has vuelto me has contado a mí más de lo que crees; y no lo he olvidado.

Pedro la miró de lado, lívido aún, pero menos asustado. Le estaba protegiendo, la vieja zorra. Esto era también una suerte para su padre. Si a Juan le habían matado, había sido por su propia tontería. Pero si se sabía, le iban a cazar como un conejo. Había que dejar a Consuelo que se encargara de este mal bicho, la Conchita.

Consuelo dejó caer sus huesos doloridos en un sillón hondo y blando y dijo:

—Supongo que no has venido aquí sólo para decirle a Pedro lo que pensabas de él. ¿Qué es lo que quieres?

—Quiero sacar a Antolín de allí.

Pedro silbó bajito. Vamos, ¿conque ésas tenemos? El viejo tenía gusto y suerte. Al provocativo silbido, Conchita saltó como una fiera, pero antes de que alcanzara a Pedro, Consuelo se interpuso:

—Márchate, Pedro. Adentro. Es mejor que nadie te vea esta noche. Y si no puedes aguantar el contemplarte la cara, tapas los espejos.

Esperó hasta oír a Pedro cerrar la puerta de la alcoba, después se sentó de nuevo y dijo resignadamente:

—No te quedes ahí de pie, Conchita. Tómalo con calma. No voy a gastar el tiempo, sé lo que significa un hombre en las manos de la Gobernación. Y tú sabes que yo tampoco los quiero. Te quiero a ti y quiero que estés de mi lado. Y tampoco quiero que les pase algo a Pedro o a su padre. ¿Es que te interesas por Antolín Moreno?

—Si hay que decirlo, sí.

—¿Y él se interesa por ti?

—No. Pero, ¿qué importa eso?

—Depende. Estas cosas pueden ser un infierno, ¿sabes? Tú entiendes por qué voy a ayudarte.

—Sí. Usted no quiere que yo le cuente a la gente lo que sé de Pedro, porque tiene miedo por su pellejo. No me puedo imaginar por qué se preocupa por esa rata de alcantarilla, pero eso es cuenta suya. Es un trato: yo me tapo la boca, y usted saca libre a Antolín. Ahora mismo, antes de que empiecen con él.

—¿Qué quieres que haga?

—Llámele al coronel Caro para que lo arregle. Él puede hacerlo, si le da la gana. Antolín no tiene ningún interés para la policía, la verdad es que no está mezclado en nada, pero una vez que empiecen con él... Y esto no puede pasar, ¡ea!

—¡Tienes razón!

Consuelo salió al recibimiento y Conchita la oyó llamar al teléfono tres o cuatro veces. Después oyó trozos de una conversación que sonaba muy imperativa del lado de Consuelo. Cuando volvió dijo:

—He conseguido cogerle y dentro de un minuto estará aquí. Déjale por mi cuenta.

El minuto fue largo, y Conchita no podía estarse quieta. Zascandileaba por el cuarto, manoseaba las cortinas, los candelabros, la funda del piano. Hubiera sido mejor poder hablar o chillar, pero Conchita no quería herir a doña Consuelo. Tenía lástima por ella como nunca la había tenido. La mujer, aviejada ya, que estaba caída en el sillón, era una extraña; y la manera en que la había oído hablar, seca, rotundamente decente, atormentada, era una cosa impresionante. Conchita la dejó a solas en su propio infierno y no dijo ni una palabra sobre Pedro. El silencio era cada vez más pesado, cargado de todas las cosas que ninguna de las dos mujeres decían.

Al fin el coronel Caro entró en la habitación, la cara roja, amable, un poquito borracho. Consuelo le puso una botella de manzanilla al alcance de la mano y le explicó la situación con frases suaves: Moreno estaba detenido en Gobernación por un error estúpido. A su chico menor lo habían matado en una de esas broncas callejeras, y al comisario de Lavapiés, un idiota, no se le había ocurrido otra cosa que consultar a Gobernación. Naturalmente, había que sacar a Moreno de allí, antes de que los guardias de noche le dieran una paliza. Sería una lástima que echaran a perder un negocio que había comenzado tan bien, «tú, Alfonsito, lo sabes mejor que yo». No había ningún peligro en meterse por medio. Moreno no estaba mezclado en nada, sabía muy bien dónde le apretaba el zapato, ¿no es verdad, Conchita?

El coronel guiñó un ojo a Conchita, llenó su vaso y se echó a reír:

—Sí, hijita, sí, lo que queráis. Cuando una mujer guapa quiere algo, mejor dicho, dos mujeres guapas... Vaya un fulano con suerte, ¿eh, Conchita? En fin, me alegro de que en medio de todo tenga la sangre caliente. No, claro que no, no voy a dejar que quede mal mi amigo de Londres. Y como tú dices muy bien, Consuelo, tenemos que sacarle antes de que le pongan morado a golpes y comiencen a contar cosas en los periódicos. Vamos a ver, ¿quién está de guardia hoy? ¿Marcelino Rojas? No, está en Barcelona. Debe ser Pepe. Es un viejo amigo, uno de los buenos. Te lo voy a traer mañana por la noche, Consuelo. Le gustan altas y delgadas. No es mi gusto, pero supongo que es porque es bajito y gordo. Pero trata de encontrar algo bueno para él, quieres... Bueno, voy a ver si le pesco.

Salió del cuarto dejando la puerta abierta. Le oyeron comenzar una larga conversación por teléfono, cargada de alusiones:

—Sí, chico, sí, puedes creerme. Todo eso es un lío... ¿El chico? Bueno, un imbécil. Nuestros camaradas del Movimiento no le querían mucho y hasta creo que tenían razón, pero inofensivo. Un pez chico, nada que te pueda interesar... Eso, exactamente. Mejor no seguir con ello, ya sabes lo que pasa con la prensa extranjera en cuanto pueden agarrarse a algo... El hombre es un hombre de negocios, honrado si los hay, o yo no haría negocios con él... Nada de chuflas con la honradez, que a mí me toca algo... No, no te puedo dar parte en este asunto, pero tengo otra cosa buena para ti. Te lo voy a contar cuando vaya... Exactamente lo que yo creo. Un pasaporte inglés no es una broma... Te prometo que no vas a tener dificultades con el jefe. Al contrario. Tienes rojos de sobra a quienes echar mano... De acuerdo, ahora mismito voy. Y gracias, viejo.

El coronel volvió muy satisfecho, llenó su vaso y recibió las gracias efusivas de las dos mujeres. Cuando la puerta se cerró tras él, la Tronío dijo:

—Está hecho; pero ahora es cuenta tuya el que tu hombre no se meta en más líos, al menos mientras esté aquí. No quiero que se hable de política en mi casa. Desde luego, Moreno no va a querer quedarse de dormida, de manera que llévatele en cuanto puedas.

—Ya sé lo que quiere decir, doña Consuelo. No tendría maldita la gracia dejar a Antolín soltarse el pelo, estando el coronel aquí, Pedro en la puerta de al lado y el pobre chico en el depósito.

La Tronío se encogió de hombros; el timbre de la puerta le dio una excusa para salir y dejar sola a Conchita. Y Conchita pasó media hora sola, una media hora interminable concentrada en hacer planes para Antolín, a quien se imaginaba caído y desamparado. Cuando el coronel y doña Consuelo entraron conduciendo a Antolín, lo primero que a ella le chocó fue su tranquilidad. Se sintió terriblemente avergonzada. Le besó en las dos mejillas porque el coronel lo empujó en sus brazos, con la boca abierta de par en par con una sonrisa y frases pomposas: «Tenía que dar las gracias a quien se las merecía más que nadie». Pero lo que ella no pudo hacer fue dar rienda suelta a su júbilo. Parecía que ahora todo era una tontería sin sentido. Ahora que había ganado su batalla, le flaqueaban las piernas.

Antolín hizo todos los cumplimientos debidos a Conchita, a doña Consuelo y al coronel Caro, bebió un vaso de vino con ellos, y asintió, sin comentarios, a las observaciones alegres del coronel acerca de los errores de los subalternos ignorantes. Nadie mencionó a Juan, nadie preguntó a Antolín cuáles habían sido sus experiencias durante su detención, y él no habló de ello tampoco. Las pausas en la conversación comenzaron a hacerse más y más largas. El tintineo del piano en el comedor les tenía inquietos en sus asientos. Antolín, por último, resolvió la situación. Dijo:

—Me va a tener que perdonar, doña Consuelo. Estoy muy cansado y sé que les estoy aburriendo. No se preocupe por mí, señor Caro. Espero que pase aún un buen rato. Y muchas gracias otra vez. Nos vamos a ver mañana, pero ahora no sé de qué tiempo voy a disponer, como comprenderá.

—¿Han ido muy mal las cosas? —preguntó Conchita en cuanto estuvieron en la calle.

—¿La policía? No muy mal. No les he dejado el tiempo bastante para acoquinarme, Conchita. Bueno, me han amenazado, me han prometido cosas, la eterna historia, pero ellos mismos no sabían qué hacer conmigo, ni lo que querían sacar de mí. Supongo que hubieran querido descubrir un gran complot, con Juanito y yo como cabecillas, para que así su asesinato no pareciera tan bárbaro. No saben nada sobre él y no sabían qué pensar de mí. Así que no soy ni un mártir.

—Tienes una manera de hablar tan rara, Antolín. Como si no te importara lo que hubiera podido pasarte —dijo Conchita de mal humor.

—No te enfades conmigo, querida. Creo que me pasa lo mismo que a cualquiera después de una operación cuando aún no se ha ido el cloroformo. Puedo hablar y decir cosas, pero aún no las siento.

—Pero tienes que contarme más, yo quiero saberlo. Mientras estabas allí, me entraban sudores de sangre. Estos asesinos..., don Américo y Juan, uno tras otro... No entiendo cómo puedes estar tan tranquilo con lo que ha pasado. ¡Tú no eres como esos ingleses que tienen sangre de besugo en las venas, Antolín!

Antolín se sonrió, aunque sólo con los labios.

—A lo mejor se me ha pasado el vicio de los ingleses, lo

que ellos llaman *understatement*, quitar importancia a las cosas, pretender que nada es tan serio como parece.

—¡A la mierda las costumbres inglesas! Háblame, Antolín. Sé humano, chilla, blasfema, es mejor para ti.

Él se paró bajo una farola y la miró a la cara:

—Déjame tomar aliento, Conchita. Ya no va a durar mucho, porque me tengo que ir el jueves. Ese oficial de la policía, el amigo del alma de Caro, me ha dejado en libertad con la condición de que no voy a retrasar el viaje. A cambio de ello, me ha prometido avivar todos los trámites sobre Juan, la autopsia y el certificado de defunción, para que pueda asistir al entierro de mi hijo. No creo que pueda hacer mucho más. Tal vez encuentre a alguien que se ocupe de Luisa; creo que no puede recuperarse y que su cabeza se va. Yo ya no existo para ella. Y, posiblemente (sí, esto es algo que quería hablar contigo), posiblemente podamos hacer algo por Lucía. ¿Dónde está la chiquilla ahora? Cuando yo subí a la casa, la dejé en el portal.

—Está con mi madre y con Eusebio. Me la trajo a casa y allí están esperándonos. La he prometido que ibas a volver conmigo, sabía que lo iba a conseguir. Pero de verdad es a Eusebio a quien le debes las gracias. Vino y me contó todo justamente a tiempo. Si no lo hubiera hecho, yo no hubiera sabido una palabra y después hubiera sido muy tarde para hacer algo.

—Has venido a tiempo, porque tú eres tú. Lo sé, aunque no haya dicho una palabra. Es extraño cómo todas las cosas coinciden, hasta Caro y esa pobre mujer que tiene la casa de citas. Pero, volviendo a Lucía: ¿tú crees que debería llevármela a Londres conmigo? ¿Sería una buena cosa para ella?

—¡Oh, Antolín, eso es la solución! He estado pensando en la chiquilla. Está realmente desconsolada; quería de verdad a Juan y no va a poder sobreponerse a su pérdida, si se queda aquí donde todo el mundo sabe que era la novia del que mataron los falangistas. Tú sabes cómo es la gente, la van a huir como si tuviera la peste y no va a poder tener amigos ni hablar con nadie. Su madre es una buena persona, pero es completamente estúpida, y a Lucía no le queda nadie más. Llévatela a Londres. Es decir, si quieres tenerla contigo. No la dejes sola aquí.

—Quería habérmelos llevado a ella y a Juanito, y quería llevármela a ella más que a Juanito, Dios me perdone.

—¿Y tu Mary? ¿No le va a importar tener una chica española?

—No lo creo.

—Entonces todo está arreglado y me alegro por la muchacha. Te quiere.

Después de una larga pausa, cuando ya llegaban a la plaza de Antón Martín, Antolín preguntó:

—¿Tú no crees que es un error arrancarla de sus raíces? La chica tiene aquí lo suyo.

—No digas tonterías, Antolín. Todos tenemos las raíces rotas. Lo nuestro, ¿qué es lo nuestro? La mayoría de la gente joven daría cualquier cosa por marcharse a América. Saben que aquí no tienen esperanza. Y para Lucía menos, como te he dicho.

—¿Quisieras venirte conmigo, Conchita?

—¡Por los clavos de Cristo, a ver si te crees que me vas a llevar a mí también! Además, a tu Mary no le iba a gustar ni un pelo. Yo estoy bien donde estoy. De verdad, me quiero quedar aquí y hacer un montón de cosas que no he hecho antes porque… Bueno, me quiero quedar aquí y hacerle pasar las de Caín al don Carlos, por lo del pobre don Américo… y hay algunos otros a los que quiero dar una lección. No creas que todo el mundo tiene miedo de los cerdos que están en lo alto; hay muchos que no les importa lo que les pase, con tal de poder hacer algo que valga la pena. Yo no voy a ser un buen miembro del movimiento ilegal. No puedo aguantar a esas mujerucas con pantalones que no pueden pensar en nada más que en las reglas de su partido. Pero tengo algunos buenos amigos que trabajaban con mi marido. Sí, no pongas esa cara, he tenido un marido y le quería mucho. Era un socialista y le fusilaron, pero aún no se me ha olvidado nada de lo que me enseñó.

—Tienes que tener cuidado, Conchita.

—Ya lo voy a tener, no te preocupes. No estoy cansada de la vida. Sólo que ya no puedo seguir haciendo tonterías. Y yo no soy como tú, no me puedo estar quieta. Si tú te quedaras aquí, íbamos a estar regañando a cada momento. Así que es mejor como es, ¿no? Yo me quedo aquí, que es mi sitio, y tú te vas al tuyo.

—Ahora eres tú quien está diciendo tonterías. Si me quedara en España, tendría que hacer algo que valiera la pena, como tú dices, en lugar de armar líos sin hacer nada. Conchita, en el depósito, don Américo estaba al lado de Juan.

—Dios los tenga en su gloria y nos ayude a nosotros a castigar a sus asesinos.

—¿Tú crees en Dios, Conchita?

—Claro que sí. ¿Qué te crees tú? ¿Tú no crees?

—Sí, pero ya no puedo rezarle; eso lo he perdido.

—A Él le tiene sin cuidado. Déjate de dar vueltas a la cabeza, Antolín. Ya estamos en casa. Ten cuidado con el escalón.

Lucía se había quedado dormida en su silla y no se despertó cuando llegaron Conchita y Antolín.

—La he dado tres aspirinas en el café —dijo doña Úrsula.

El viejo Eusebio palmeó la espalda de Antolín y retorció las manos de Conchita. Tenía los ojos llenos de agua y se reía. Pero no hablaron aún. Entre los dos hombres levantaron a la muchacha de la silla y la llevaron a la alcoba de Conchita. Pesaba muy poco. Conchita le quitó los zapatos y le echó una manta encima. Lucía se movió y balbuceó unas palabras, pero siguió dormida. La señora Úrsula se marchó a la cama después de dar y dar vueltas alrededor de Antolín y su hija. Se quedaron solos Eusebio, Conchita y Antolín, bebiendo café puro y hablando en voz baja, hablando de sus esperanzas sin esperanza para España, del miedo que llenaba el mundo, de los jóvenes, de lo que ellos habían sido y de lo que podían haber sido los que ya no estaban. A veces se quedaban en silencio, agotados pero demasiado sacudidos aún para poder dormir. Antolín pensó entonces en las caras serenas y quietas del depósito. ¡Oh, sí! Estaba bien velar con ellos y no dejarles solos en la larga noche.

Los gorriones comenzaban a piar en la calle y a través de las cortinas se filtraba una luz fría, clara como un cristal.

14

Con la automática puntualidad del que tiene que trabajar cada día, Lucía despertó a las siete y media de la mañana, la mente embotada por el pesado sueño. Se incorporó sobresaltada al encontrarse en un lecho extraño, medio vestida, rodeada de las formas borrosas de una habitación desconocida, mucho más grande y ventilada que su propia alcoba sin ventana. De la habitación de al lado llegaba el olor a leche cocida, un tintineo de cucharillas y el sonido de voces hablando bajito. El recuerdo de todo lo ocurrido el día anterior la sobresaltó de pronto. Apretó los puños contra su boca. Juanito estaba muerto y ella se había dormido. Le había abandonado por dormir. Como si le pidiera perdón, Lucía comenzó a murmurar el nombre de Juanito. Conchita la oyó y entró en la habitación. Por un rato no hizo más que acariciar los cabellos revueltos de la muchacha, después comenzó a dirigirle palabras de consuelo.

Bruscamente Lucía se sentó de nuevo en la cama:

—¿Por qué me ha dejado dormir? ¿Dónde está el señor Antolín?

—Está aquí. Le hemos sacado sin que le pasara nada.

—Tengo que hablar con él. Él ha visto a Juanito. Me tiene que decir si las balas le han hecho mucho daño.

Con los pies descalzos Lucía corrió a la otra habitación y echó sus brazos flacos al cuello de Antolín. Éste nunca llegó a saber si sus mejillas estaban húmedas de sus lágrimas o de las de la chiquilla. Sentía que todo lo que hubiera querido amar en su hijo estaba vivo en ella y confiado a él; pero no supo cómo expresarlo. Pensó en un gatito que Mary había llevado una vez en casa; siempre le enternecía la confianza con la cual el animalillo se acurrucaba en el hueco de su mano. Por la primera vez desde que había visto el cadáver de Juan, habló de ello naturalmente y con ternura, sin la fría indiferencia que tanto había chocado a Conchita. Lucía escuchaba callada. Antolín estaba agradecido de que no siguiera la costumbre de las mujeres españolas, que tienen que mostrar su pena con alaridos, como si a los muertos les enfadaran los sentimientos menos ruidosos.

Comenzaron a discutir lo que cada uno de ellos tenía que hacer inmediatamente. Antolín tenía que ver a Luisa y hablar a su médico lo antes posible. Conchita se ofreció a ir con él:

—Si alguien puede hacer carrera de ella, soy yo —dijo—. Ahora que don Américo está muerto, soy la única persona a la que querrá tener cerca. Yo sé lo que le hace falta.

Antolín aceptó con gusto. La idea de tener que discutir la situación con Amelia, a solas con ella y con sus ideas, le preocupaba. Eusebio se encargó de todo lo necesario para el funeral y el entierro. En el banco sabían que sufría un fuerte ataque de lumbago y no les chocaría que faltara un día más. Con el dinero que Antolín le dio, esperaba allanar cualquier dificultad, aunque temía «que hubiera pegas con los documentos oficiales». Una vez arreglado esto, Antolín se volvió a Lucía y tomó su mano:

—¿Sabes, chiquita, que tengo que marcharme el jueves? No me dejan estar ni un día más. Y no voy a volver.

Esperó a ver cómo reaccionaba. Lucía se quedó mirándole asustada. No podía creer que Antolín fuera a desaparecer de su vida. Era como si él, también, fuera a morirse. En sus sueños sobre el futuro de Juanito y ella, Antolín había llenado el sitio que su padre había abandonado siendo ella una niña. En su primer encuentro con él se había sentido como en su propia casa, y mucho más segura de su amor por Juan que antes. Con su madre nunca podía hablar de lo que sentía: si Antolín se marchaba para siempre, se quedaría simplemente sola. Y Juan muerto.

—Lucía —dijo Antolín—, ¿quisieras venir conmigo a Londres?

Vio humedecerse sus ojos y se equivocó. Agregó a toda prisa:

—No te asustes, chiquita. Si prefieres quedarte en casa, no hagas caso de lo que he dicho. Sólo que por un momento he pensado...

—¡Pero, padre —dijo tartamudeando—, si lo que quiero es marcharme contigo! Con toda mi alma. —No se dio cuenta de que le había llamado «padre», pero para Antolín la palabra tuvo un sentido solemne.

Eusebio les hizo volver a la realidad. Sí, todo eso estaba muy bien, y sería muy bueno para la muchacha y para Antolín, si los dos se iban a Londres. Pero creer que podía llevársela así como así era una tontería. Se iban a pasar meses antes de que tuviera los documentos necesarios: el certificado de nacimiento, la fe de bautismo, el certificado de no ser una mendiga, el del servicio en Auxilio Social, bueno, éste no, porque aún no tenía dieciocho años; pero sí el certificado de defunción de su padre, el consentimiento de la madre, el del cura de la parroquia... Los ojos de Lucía se agrandaban más y más escuchándole. Si no podía marcharse con el señor Antolín, nunca podría marcharse, porque nunca podría reunir tantos papeles. Pero Conchita cortó la palabra a Eusebio:

—Eusebio, no sea idiota. Naturalmente, cuando un obrero pide un pasaporte le crece la barba siete veces antes de que lo tenga. Ya sé en quién está pensando, pero el marido de la señora Encarna era sólo un peón caminero y no creo que en Francia se haya hecho rico. Pero aquí, si se tiene un buen padrino y un poco de grasa para untar las ruedas, le dan el pasaporte en veinticuatro horas. Lo que tú necesitas, Antolín, es al coronel Caro. No te creas que ayer te ha sacado de Gobernación por mi cara bonita. Ni por la tuya. Él quiere sacar tajada de ti, y nada más. Es lo suyo. Y tú, ya lo verás, vas a tener que recurrir a él antes de marcharte. Así que le pides que te arregle el pasaporte de Lucía, va a estar encantado. No te lo va a regalar, no te creas, y hasta puede ser que te dé un pasaporte con otro nombre, pero no hay que ser exigentes.

Antolín arrugó el entrecejo. Bastante humillación era tener que deber su libertad, y tal vez la vida, a las granujerías del coronel Caro. Pero pedirle un favor más y pagar en la moneda que Caro exigiría... Conchita adivinó las dudas de Antolín y le gruñó enérgica:

—Mira, si quieres sacar a Lucía de la mierda, tienes que llenarte las manos de mierda. Ya eres bastante viejo para saber esas cosas. Además, no tienes que hacer en Inglaterra lo que Caro te diga, que ya te va a decir, sino prometerle. Una vez que estés allí...

Esta idea de engañar a un granuja no le atraía a Antolín, pero Conchita, al fin, le hizo avergonzarse de sus reparos. Sí, se agarraría a Caro, si ésta era la única manera de tener rápidamente el pasaporte para Lucía, pero primero quería hablar con su madre. Insistió en esto, aunque Conchita y Eusebio lo consideraban una formalidad que no corría prisa, y pidió a Lucía que llevara a su madre a la pensión al mediodía. Tan pronto como diera su conformidad, vería a Caro. No quería llevarse a Lucía como si fuera una huérfana desamparada. La muchacha aprobó; se sentía segura con él precisamente porque se daba cuenta de lo que ella pensaba antes de que abriera la boca para decirlo.

—¿Creéis que la policía estará vigilando la pensión para seguirme?

Los otros, más prácticos en las andanzas de la policía, no lo creían así. Irónicamente, la forma en que Antolín había sido detenido y liberado le libraba de la curiosidad de los de escaleras abajo, a quienes hubiera gustado exhibirse poniéndole a disposición de los de arriba con algún fundamento. Y Pepe, el buen amigo de Caro, ya habría hecho seguro que nadie pudiera inculparle o sospechar de él.

Antolín no quería dejar a Lucía sola; tuvo ella que asegurarle que no se preocupara. Se iba a ir derecha a casa a hablar con su madre y después iba a ir al taller a hablar a doña Rosa:

—Me quiere mucho. Siempre me defendía cuando las otras chicas me tomaban el pelo —dijo Lucía seriamente.

Antolín se maravillaba de su conformidad con la muerte, hasta que recordó que esto, también, era parte de la herencia de su generación.

—No le des más vueltas —dijo Conchita—. Lo que tenga que pasar, va a pasar de todas formas. ¡Hala, vete!, que tenemos que hacer muchas cosas. —Y se le llevó con ella, antes de que comenzara a dar más explicaciones.

La señora Luisa estaba aún en la cama cuando llegaron a la casa. Amelia saludó a Conchita fríamente y dijo que el doctor había visto a su madre la noche de antes y le había puesto una inyección. Volvería ahora, de un momento a otro. Su madre había querido levantarse temprano y vestirse; pero cuando Amelia le había dicho que el doctor iba a venir, se había vuelto de cara a la pared sin decir una palabra, y se había quedado en la cama.

Los tres entraron en la diminuta alcoba. Antolín preguntó:

—¿Te encuentras mejor, Luisa?

La mujer le miró con ojos hostiles pero que ya no estaban faltos de expresión. Conchita se sentó a los pies de la cama y dijo:

—¿A mí tampoco me quiere hablar, señora Luisa?

Por vez primera, Luisa abrió los labios. Estaban secos y agrietados y casi tan sin color como la piel apergaminada de su cara. Movió la lengua con dificultad antes de formular la frase:

—¡Échalos, Conchita!

Antolín y Amelia salieron de puntillas de la alcoba y se sentaron a la mesa del comedor, tan cerca de la cerrada puerta que oían cada palabra que se hablaba dentro, aunque la conversación era en voz baja.

La señora Luisa dijo:

—Son dos asesinos. Ella es la peor, pero él es el que ha traído la muerte. Lo dijo Teresita. Te lo dijo a ti y me lo has dicho a mí. Dos hombres muertos. Me entiendes, Conchita, ¿verdad? Tú sientes también que los dos están aquí, ¿no? Teresita y don Américo. Tenemos que hablar con ellos. Teresita ha estado todo el tiempo sentada al lado de mi hombro, pero no me habla. Tienes que ayudarme, Conchita.

—La voy a ayudar, señora Luisa, pero primero tiene que rehacerse. Estoy segura de que esto es lo que Teresita y don Américo quieren que haga. Mientras usted esté así, ellos no pueden hablar conmigo. ¿No se acuerda de que yo sola no puedo ponerme en comunicación con los espíritus? Siempre era don Américo quien tenía que invocarlos, y entonces yo era una especie de teléfono para ellos. Ahora es usted quien los llama y ellos hablarán a través de mí. Pero tiene que ponerse fuerte antes, si no, no pueden oírla bien. Escuche, señora Luisa, el doctor está al llegar. Tiene que hacer lo que él le diga para ponerse buena pronto, y entonces vamos a hacer grandes cosas, ya verá.

—Tienes razón, Conchita, tengo que ponerme bien; quieren hablar conmigo y no contigo. Tú no eres mala, Conchita. Yo creía que sí lo eras, pero don Américo siempre me decía que eras muy buena. Quédate aquí conmigo. Ellos quieren que te quedes. Están aquí, siento el pelo de Teresita rozándome la cara…

La conversación seguía detrás de la puerta. Amelia se tomó la cabeza con las dos manos y murmuró:

—Pero esto es pecado, padre. Yo no quiero ser un cómplice en ello. Tienes que encontrar a alguien que se quede con mamá, yo no puedo. Yo ya he hecho todo lo que podía. He llamado a un buen doctor, no el del seguro, y me he quedado toda la noche en vela. No puedo hacer más.

—¿De verdad, Amelia?

Había abandonado todas las posibilidades de hacerse atractiva y se había peinado el pelo partido en medio, caído en dos capas lisas sin huellas de un rizo. Le hacía su cara pequeña mucho más larga y huesuda. Se parecía mucho más a su madre. Cara de cirio, pensó Antolín. Sí, ella también había sufrido y él lo sabía, pero este sufrimiento no la acercaba más a él. El doctor llegó oportunamente para evitarle el decir las duras palabras que se le venían a la boca y que ya no podía contener más.

El doctor era un ejemplar completo de médico de cabecera bonachón, alrededor de los cincuenta, con los ojillos burlones de un campesino en la cara seria. Escuchó las cuidadosas explicaciones que Antolín le dio sobre los revueltos acontecimientos que habían provocado la caída de Luisa, sin hacer gesto alguno. Después dijo con energía:

—Así que usted ha estado fuera diez años y se tiene que marchar dentro de dos días. Su hija se quiere meter de cabeza en el convento. Y su mujer es una espiritista ferviente. Bueno, esto me da una idea de las cosas. No creo que necesite estar delante mientras la reconozco. —Se metió en la alcoba.

Antolín no quería escuchar a través de la puerta, ni sentarse frente a frente de Amelia en un silencio hostil o en una conversación artificial. Se fue a la cocina y se asomó a la ventana, mirando al fondo del patio, escuchando los gritos de las vecinas. Cuando el doctor salió de la alcoba, seguido de Conchita, había aprendido un sinfín de cosas sobre la vecindad.

—Está muchísimo mejor hoy, al parecer gracias a esta joven que parece ejercer una gran influencia sobre ella —dijo el doctor—. El factor humano. Bueno, no encuentro nada que esté básicamente dañado en su señora. No hay lesión cerebral. Bueno, dicho de otra manera: no hay signos de una lesión, de un ataque al cerebro o de un principio de locura. Sí, tiene unas obsesiones, pero ¿quién no las tiene? Si todo el que tiene obsesiones estuviera loco, el mundo sería un manicomio. Aunque yo crea que lo es. De todas las maneras, está en un estado de nervios peligroso, como cualquiera lo llamaría, y lo que necesita es llevar una vida quieta, sin choques ni rozamientos, y tener alguien con la paciencia de un santo, que se ocupe de ella. Así, se calmará y volverá a la normalidad, hablando como un médico. Quisiera que alguien la reconociera el hígado, pero eso puede esperar hasta que esté mejor. Lo malo ahora es que esto le puede llevar meses antes de que esté en condiciones de volver a hacer una vida normal, y mientras tanto no se la puede dejar sola. No estoy a favor de un sanatorio, donde podría volverse contra la gente de allí, un riesgo que no podemos tomar. No, tendría que ser alguien que viviera con ella y que la cuidara con mucho tacto. Y me temo que no hay nadie en la familia que se pueda encargar de ello, excepto esta joven, su hija...

Se fijó en el movimiento de protesta de Amelia y continuó fríamente:

—¡Oh, no tenga miedo, señorita!, usted está fuera del caso por la fobia que su madre la tiene. Porque ésta es la situación, señor Moreno: si su mujer tiene que convivir con su hija, yo no respondo de las consecuencias, las consecuencias clínicas, claro, las únicas en que puedo meterme. Y puesto que me ha pedido que le hable con franqueza, le diré que tampoco le haría mucho bien a la enferma que usted se quedara con ella. No digo que le tenga fobia, pero no le falta mucho. En todo caso usted no puede quedarse aquí; pero, francamente, aun en los pocos días que esté en Madrid, debo pedirle para bien de ella, que no trate de verla. Lo que necesita su señora es calma, buena comida, aire fresco —olió apreciativamente—, una cosa que no hay aquí, y sobre todo que la cuide con cariño alguien a quien ella quiera. Le puedo recetar un calmante, mejor dicho, ya lo he hecho, pero no le puedo buscar una persona así.

Siento ser tan brusco. Y ya puestos a decir, hasta le diría que usted y su hija necesitan un poco del mismo tratamiento, como un preventivo... No hace falta que yo vuelva, a no ser que tenga una recaída aguda. Buenos días. Y buena suerte.

Amelia habló inmediatamente:

—Ya has oído lo que ha dicho el médico. No es culpa mía, pero yo no puedo hacerme responsable de ella.

—Ya lo he oído, no hace falta que lo restriegues por la cara. Tú no puedes cuidarla cariñosamente.

—¿Sabes? Hay algunos conventos de monjas donde toman señoras así, como mamá. No cuesta mucho y miran por ellas con mucho cariño. El padre Santiago puede encontrar un sitio para mamá hoy mismo.

—No quiero nada del padre Santiago. Ya he tenido bastante. Y no me parece que tu madre fuera muy feliz entre monjas. Iba a oler a azufre.

Conchita, que hasta entonces no había dicho ni una palabra, se adelantó y dijo:

—No te preocupes, Antolín. Todo está arreglado. Luisa se viene a vivir conmigo.

—Dios las junta —murmuró Amelia y se metió en su cuchitril, donde se puso a empaquetar sus ropas.

—¿Contigo? ¿Qué es lo que quieres decir, Conchita?

—Con mi madre y conmigo. La casa es muy grande, como ya has visto. Hay un cuarto atrás con una ventana muy hermosa, y yo siempre digo que es un crimen que nadie lo aproveche. Yo ando siempre por ahí y mi madre odia el estar sola en la casa; le gusta zascandilear y tener con quien hablar, así que se va a sentir feliz si puede ocuparse de la señora Luisa y hacerla vivir a gusto. Mi madre tiene la paciencia de un santo y la piel de un elefante, así es que no importa que la señora Luisa tenga sus arrebatos. Y además estoy yo, que es quien la va a curar. Quiero decir, quien le va a hacer estarse quieta y sentirse feliz. El doctor es menos tonto que otros muchos, pero él no sabe la medicina que necesita, y yo sí. Y como ahora es a mí a quien quiere a su lado, las cosas están pintiparadas.

—Pero, Conchita, ¡siempre has dicho que no podías ni verla! Ya sé que eres capaz de hacer todo por ella por lástima, ahora que las cosas son así, pero no es una cuestión de días, sino de mucho tiempo.

—Sí, siempre he pensado que no podía aguantarla, pero esto no quiere decir nada. Es como cuando tiene una un chico llorón que le ataca a una los nervios y le hace estallar y pegar gritos, hasta que una mira al pobre crío y se lo come a besos porque no puede evitar el quererle, viendo la confianza que tiene en una... Déjame hacerlo, Antolín —dijo en voz baja—. También mucho de lo que ha pasado es culpa mía. No debía haber bromeado con cosas que son más serias que yo. Tú sabes lo que quiero decir. La cuestión es que ahora puedo ayudarla, y por lo tanto tengo que hacerlo, ¿sabes? Y no es por ti tampoco, es por mí.

Antolín miró a Conchita, después a Amelia, que les estaba contemplando desde la puerta de su cuarto. Se sentía muy humilde. Conchita seguía charlando animadamente, explicando cómo se iba a llevar a la señora Luisa a su casa dentro de una hora, que no le hacía falta convencer ni a su madre ni a la enferma, que ya iba a encontrar en seguida quién alquilara y pagara una buena prima por él. A Amelia no le hacía falta, tendría bastante que hacer con rezar por los pobres pecadores (esto lo recalcó Conchita para que la muchacha se enterara bien), pero a Luisa le vendría bien para la renta, y era la única que tenía el derecho de cobrarla. En esto, cortó el chorro de palabras: la sombra de Pedro estaba presente en el cuarto. En el silencio así provocado, Amelia se acercó a su padre como para despedirse de él.

Antolín no la dejó hablar. Le pidió fríamente que se quedara una hora, o lo que hiciera falta, mientras Conchita iba a casa a informar a su madre de su resolución.

Cuando Conchita volviera, podría irse al convento con la

conciencia tranquila, si es que podía. Y con esta frase final, Antolín dijo adiós sin énfasis. Se sentía conmovido, era porque se despedía de un hogar y de una hija que sólo habían existido en sus sueños de nostalgia, pero no porque no volviera a ver jamás a su hija. Amelia volvió a meterse en su alcoba. Tomó el crucifijo de la pared y lo besó. Antolín la vio arrodillarse, mientras él vacilaba ante la puerta cerrada del dormitorio de Luisa.

En el estrecho patio, la portera les detuvo a él y a Conchita.

—¿Y qué ha dicho el doctor? —preguntó con curiosidad ávida.

Conchita siguió andando con un encogimiento de hombros, pero Antolín contestó cortésmente:

—Nada, que no es nada serio más que el choque, y esto es natural. ¿Puede usted decirme cuál es la botica más próxima? Tengo que ir allí a que me despachen en seguida una receta.

La señora Paca lo acompañó hasta la calle y allí le explicó minuciosamente la dirección. Era en dirección contraria a donde quería ir, pero su excusa ahora no tenía remedio. La portera se quedó en el quicio de la puerta, esperando su regreso, y él se marchó calle abajo, consciente de sus miradas vigilantes. Se encontró al fin en una calle que no conocía, yendo en una dirección que no sabía dónde le llevaba, mientras las viejas casas que había conocido en su niñez desaparecían de su vista. Era como si Luisa y sus amigos que vivían allí no existieran más; era como si hubiera atravesado una frontera.

El día estaba nublado. Un cielo gris ocultaba el sol y en cada esquina el viento le lanzaba polvo a la cara. Entre las nuevas fábricas de las Rondas, lejos de la muchedumbre y de las calles alegres de la ciudad, se paró y miró a su alrededor. Vio, con un gesto de alivio, que no había policías armados, camisas azules o chulos de pretendida elegancia. Sólo unos cuantos obreros en mono azul. Tardó mucho tiempo en encontrar un taxi, y se pasó todo el camino en él mirando saltar los números en el contador, uno tras otro, la mente vacía.

De vuelta a la fonda, apenas tuvo tiempo de tomar un baño frío que le despejara la cabeza de la noche en vela antes de que llegaran Lucía y su madre, ambas vestidas de luto. La madre era una mujercita pequeña, tímida y simple, que parecía apagada y vieja, aunque no debía de tener más de cuarenta años. Cuando vio el comedor se sintió tan infeliz y azorada que exclamó:

—No, ahí no podemos entrar, ¡con los señores!

Antolín dejó a su elección escoger otro sitio donde pudieran comer, la señora Juana sugirió que fueran al café donde su marido y ella habían comido el día de la boda, hacía diecinueve años.

—¡Un café tan bonito!, don Antolín; y le daban a una un bistec muy grande con patatas fritas, por sólo dos pesetas...

Pero cuando llegaron al café aquel, la mujer se asustó y se deshizo en excusas. Los camareros llevaban frac, las mesas estaban cubiertas con manteles, y puestas con una profusión de cubiertos que parecían de plata. No, aquél no era ya un sitio para gentes como ella, y le iba a costar una fortuna... Ella no sabía... Don Antolín tenía que haber visto el otro café, el viejo...Antolín tuvo que usar todo su tacto y paciencia para convencerla de que se sentara y se calmara, pero al mismo tiempo todas sus exclamaciones y protestas habían disipado la seriedad del objeto de la reunión. Lucía habló poco. Sólo cuando Antolín hablaba se animaba, bajo la esperanza.

Fue fácil para Antolín el que la señora Juana diera su conformidad a sus planes. Patéticamente fácil, le parecía. Dijo, tímidamente, que ella quería lo mejor para su hija y que lo mejor era que saliera de toda esta miseria. No volvería a verla, pero esto lo sobrellevaría, aunque Lucía era todo lo que le quedaba.

—Los viejos tenemos que dejar que los jóvenes sigan su suerte, ¿no es verdad, don Antolín? —Se animó de pronto y dijo, mirando con ojos redondos y brillantes como los de un pájaro—: Y, ¡a lo mejor encuentra un inglés que quiera casarse con ella!

Lucía no pudo evitar el sonreírse de la inocente tontería de su madre, y Antolín le acarició una mano.

Era mucho menos fácil que la señora Juana fijara su atención en las cosas prácticas: en los papeles que tendría que firmar, y en los trámites que tendrían que completar, en el caso de que fuera imposible lograr el pasaporte de Lucía antes de que saliera Antolín. Se negaba a creer que Antolín podía fallar en dejar todo perfectamente arreglado. ¿No era la voluntad de Dios que Lucía encontrara un protector, precisamente cuando había perdido a su novio? Naturalmente, lo mejor para la chica era irse con Antolín, porque entonces nada le podía pasar en el avión, ¡como si la mera presencia de Antolín garantizara la seguridad del vuelo! Antolín se sonreía un poco forzado, pero se sentía más ligero de espíritu.

El coronel Caro estaba sentado a su mesa favorita en absorta contemplación de media botella de manzanilla y un plato lleno de gambas, cuando llegó Antolín. El coronel tenía su buen humor habitual y rechazó las gracias repetidas de Antolín:

—¡Ah, no empecemos otra vez, don Antolín! Ha sido para mí una alegría sacarle ayer del apuro y no me importa que nos bebamos una botella juntos para celebrarlo, pero no me dé más las gracias. Me alegro que me haya llamado hoy aquí, porque yo mismo quería llamarle. Tengo algo para usted. —Sacó del bolsillo de la americana un abultado sobre—: He pensado que esto le iba a venir bien en este momento y con las cosas que han pasado.

Antolín abrió el sobre y vio un macizo fajo de billetes de banco. Suavemente el coronel dijo:

—He puesto diez mil pesetas ahí. No me dé las gracias, ni diga nada. Cuando llegue a Londres, hace un cheque a nombre de alguien que ya le voy a decir, y quedamos en paz. He pensado que sería tonto que tuviera que cambiar sus cheques autorizados y conformarse con el cambio oficial, sesenta y siete pesetas la libra, ¡que es un puro robo! Yo le doy ciento, que es un poquito mejor. Naturalmente, no voy a decir que esto lo hago únicamente como un favor. Yo también tengo que vivir. Mi cliente está dispuesto a pagar la cotización más alta del mercado negro, con tal de estar seguro de que puede poner este huevecillo en su nido en Londres, pero espero que estará conforme en que me ha ganado la diferencia. Como ve, entre amigos todo se arregla bien.

Antolín vio que Caro le ponía en un aprieto: al admitir el pequeño negocio le daba pie a Caro para intentar un chantaje jovial en el futuro para operaciones similares, y esto no iba a ser muy agradable en Inglaterra. Rechazarlo era quijotesco y hasta peligroso. Antolín necesitaba la ayuda de Caro para los documentos de Lucía y a la vez su apoyo constante, mientras él y ella no salieran de España. Y aún quedaban dos días. Tan fácil como había sido para el coronel sacarle de las manos de la policía secreta, era volver a ponerle en las mismas manos. Y aunque Antolín había hecho buen uso de su pasaporte inglés cuando le detuvieron, sabía perfectamente que no había hecho más que desempeñar un papel que le había salido bien. En el mismo pasaporte una hoja escrita con rebuscado lenguaje oficial hacía saber que un súbdito naturalizado no podía contar con la protección de los representantes británicos dentro del país del que antes había sido ciudadano. Antolín recordó con pesar el consejo atrevido de Conchita, de que podía hacer promesas y olvidarlas después. Si tomaba el dinero, tendría que pagar por ello y tal vez en más de un sentido. Desde luego tenía que tomarlo, y lo peor era que en aquel momento realmente lo necesitaba y por ello no podía ni siquiera sentirse víctima de un truco hábil. Pero, ¿qué otra cosa podía esperar que enredarse un poco más, precisamente ahora cuando creía encontrarse libre?

Dio las gracias al coronel, no efusivamente, sino con las maneras de quien realiza un negocio, y dijo:

—Estoy seguro que aún podría ayudarme en otro problema, coronel.

—Naturalmente, lo que sea. Los problemas son el pan mío de cada día. Y el vino, también. ¿Quiere usted más pesetas? Todas las que quiera, y encantado de ayudarle. Al mismo precio.

Dando de lado la invitación, Antolín le explicó su deseo de llevarse con él a la que había sido la prometida de su hijo, hasta que se le pasaran el choque y la pena. Pensó que era mucho mejor no mostrar su gran interés en el asunto.

—Es muy poco tiempo, lo sé, pero he visto bastante de su influencia para creer que tal vez no le sería imposible arreglar que le dieran un pasaporte a la chica mañana. Como sabe, estoy obligado a marcharme en el avión del jueves y no creo que hiciera bien en quedarme aquí unos días más, después de lo ocurrido. ¿Cuál es su opinión?

—Le voy a ser completamente franco, amigo Moreno. El amigo Pepe me ha hecho a mí personalmente responsable, cuando firmó su libertad, de que se marchara en el avión del jueves. No sé si se ha dado cuenta de que hasta le han retirado la vigilancia, porque le hice ver que no podía tenerle vigilado mientras hacía negocios conmigo. Pero Pepe no puede hacer más, sin que las cosas se compliquen para los dos, él y yo. Los tres, claro, los tres. Así que tiene que abandonar la idea de quedarse aquí un día más; sería peligroso.

Antolín asintió. Lo que el otro había dicho, ya lo sabía él.

—En cuanto a lo de la chiquilla, esto no le va a retener aquí. Vamos a ver: una modistilla, diecisiete años, sin pasado político... Amigo, si todos los problemas fueran así... Diga a la chica que vaya mañana a la oficina de pasaportes a las, vamos a ver, a las once y media. Ya me voy a ocupar yo de que le den todo lo que le haga falta. Ahora, la cuestión del visado inglés, eso es cuenta suya. Y no se olvide de que tenga un asiento en el avión. Esta semana no hay muchos viajeros y no le va a ser difícil (si lo es, ya sabe cómo manejar las cosas). Los empleados saben arreglárselas, untándoles la mano a tiempo... ¡Ah, sí, se me olvidaba!: dígale a la chica que tiene que dar una buena propina al que le dé el pasaporte. Bueno, ella no va a saber cómo hacerlo. Las mujeres son idiotas para estas cosas y las chiquillas más aún. Si la madre no es tampoco el tipo, y por lo que me han contado no lo es, busque a otra mujer que acompañe a la chica y que firme como si fuera su madre. Nadie se va a preocupar de la firma, de todas maneras. Además, esta propina no es lo único que le va a costar los cuartos. Si me da quinientas pesetas... Bueno, esto está bien, gracias. Y es barato, ¿eh? Por otro no lo haría por menos de ochocientas.

El coronel Caro tomó la nueva botella y llenó su vaso; después esperó a que Antolín llenara el suyo:

—Si yo fuera usted —dijo lentamente—, no me sentiría tan desdeñoso de nuestro sistema. Al fin y al cabo, funciona. Todo lo que se necesita es saber cómo y con qué. Los engranajes están un poco roñosos, pero se les engrasa. ¿Cómo íbamos a vivir, si nadie quisiera ganarse unas pesetas extra? Usted puede hablar de dictadura y de lo que le dé la gana, pero la verdad es que la peor dictadura es la de la gente que no vive ni deja vivir a los demás... Bueno, creo que estamos de acuerdo en todo. Éste es el nombre de la persona a la que tiene que hacer el cheque en Londres. Con otro no me fiaría, pero ya sé que usted es una persona decente.

Si Antolín hubiera vuelto a su habitación en la pensión se hubiera dormido instantáneamente por puro cansancio, pero la excitación le mantenía en pie. Desde Ricote se marchó directamente a la oficina de las líneas aéreas. Seguía teniendo suerte. Alguien había anulado su pasaje y Lucía podía tener un asiento en el avión. De allí corrió al Consulado Británico y se aseguró de que darían a la muchacha un visado por tres meses a la presentación del pasaporte. Después, andando como un autómata, volvió a las calles sórdidas de Lavapiés, que había dejado en la mañana pensando que nunca volvería a verlas, y se presentó en casa de Lucía. Las encontró, a ella y a su madre, preparando un pequeño paquete de ropas para el viaje de la muchacha. Escucharon sus buenas noticias sin extrañarse: era natural que al señor Antolín le saliera todo bien. Estaba así dispuesto. La preocupación mayor de la señora Juana era que lo único que podía llevar era una vieja maleta de cartón, pero Lucía escuchó atenta las instrucciones que Antolín le dio para la mañana siguiente. Desde luego, a la oficina de pasaportes no podía ir con su madre, porque se asustaría terriblemente; iría con doña Rosa, que se había ofrecido a ayudarla en lo que necesitara.

—Está arreglando un traje negro de ella para mí —dijo Lucía con un orgullo infantil—. A Juanito no le va a importar si le digo adiós con mis trapitos viejos. Lo más que diría es que soy una anticuada preocupándome por estas cosas. Pero lo que está bien hecho, está bien hecho. ¿No le parece?

Antolín dejó a ambas muy ocupadas con sus preparaciones, prometiendo a Lucía que iría a esperarlas a ella y a su escolta a la puerta del Consulado a mediodía, y corrió a la casa de Conchita en la siguiente bocacalle. Allí encontró sola a la señora Úrsula, moviendo cuidadosamente el contenido de un puchero sobre el fogón. Luisa había comido una cena ligera y había dormido muy tranquila; ya se le notaba que estaba mucho mejor. Había hablado horas enteras con Conchita, y le había hecho mucho bien:

—¿Sabe usted, señor Antolín? Mi hija tiene el don. Es maravilloso. En cuanto los toca, la gente se pone buena. Bueno, algunas veces tarda semanas, pero todos mejoran. Tan pronto como nació ya sabía yo que tenía la gracia de curar, y la comadrona me enseñó que tenía la cruz de Caravaca en la boca…

Antolín se escapó mientras la buena mujer seguía narrando la historia. Le arrastraban los pies, pero no se atrevió a tomar un taxi; era capaz de quedarse dormido y no despertarse.

En la pensión, Eusebio estaba esperándolo, metido en conversación con doña Felisa, que desapareció tan pronto como miró la cara agotada de Antolín. Las primeras palabras que

Eusebio dijo atravesaron la niebla espesa que cegaba el cerebro de Antolín:

—Mañana puedes tener el entierro a la hora que quieras.

¡El entierro! Hoy había andado de cabeza con los vivos y con él mismo. Mañana tenía que enterrar el cuerpo de su hijo. Era importante para Lucía; tal vez para él también. No lo sabía.

Eusebio estaba muy excitado porque no había tenido ninguna de las dificultades que había imaginado. La autopsia estaba hecha, todos los papeles en manos de la funeraria, que habían sido muy atentos. Lo único que habían dicho era que no se podía hacer el entierro a través de las calles. Por orden de la policía, el cadáver había sido llevado inmediatamente después de la autopsia al depósito del cementerio, y desde allí había que llevarlo a la sepultura. No se admitirían más que miembros de la familia y amigos íntimos, y no se toleraría ninguna demostración.

—Espero que no te importe que no hagamos un velatorio esta noche —dijo Eusebio ansioso—. Ya le hemos velado anoche y hay un límite a lo que el cuerpo puede aguantar. En la funeraria estaban un poco preocupados con esto, pero ya está arreglado. La caja es muy decente. Así que si llamas ahora a la funeraria y fijas la hora del entierro, todo está hecho. Estos cerdos están asustados porque como el chico fue asesinado por los falangistas, tienen miedo de que si se hace un entierro como Dios manda, la gente hable de ello. Ésta es la razón.

—Sí, ésta es la razón —repitió Antolín—, tienen miedo del escándalo.

Se fue al teléfono en el pasillo y dijo a la funeraria que la familia quería reunirse en el cementerio a las cinco de la tarde. Mientras hablaba, estaba pensando por qué Eusebio creía que a él le iba a importar mucho que no se hiciera un entierro por la ciudad en la forma tradicional. ¿Es que debería sentirlo? Confirmó a la funeraria todas las instrucciones de Eusebio. Colgó el teléfono y se reunió con su amigo. Le contó a grandes rasgos su entrevista con el coronel Caro.

Eusebio se lanzó en una gran explicación de la actitud de estos «perros que insultan a los ingleses en la radio cada noche» y después tenían miedo de complicaciones con Inglaterra, cuando pasaba algo como lo de Juanito y alguien como él tenía un pasaporte inglés. «Porque, ¿sabes?, lo que a ellos les interesa es vender sus naranjas y sus cebollas y el mineral de hierro.» Antolín se tambaleaba en la silla como si estuviera bebido. Exactamente en el momento preciso, doña Felisa entró con un vaso de leche caliente y le forzó a tragarlo. Después se lo llevó escaleras arriba a su cuarto y le empujó suavemente sobre la cama. Piadosamente hizo la señal de la cruz sobre él antes de bajar a reunirse con Eusebio y reanudar la conversación sobre su lumbago y sobre las penas de Antolín. Antolín se durmió mientras la luz dorada del atardecer bañaba la habitación. La neblina había desaparecido y el sol descendía en su esplendor de oro y púrpura.

Se despertó tarde. Sentía los huesos tan vacíos como su cerebro. Por alguna razón que no conocía, no pudo quedarse en la blanda cama, sino que se tiró de ella con pánico. Se vistió, con escrupulosidad inconsciente, con su traje más obscuro; cuando trató de escoger una corbata recordó que todo el mundo se extrañaría si se ponía una corbata que no fuera negra. Torpemente, comenzaba a funcionar su cabeza. Tendría que comprar una corbata negra antes de ir a buscar a Lucía al Consulado, si no, podría ofenderla. Se asomó por un rato al balcón y se quedó mirando la calle, quieta a esta hora, limpia, llena de los arabescos negros que en el asfalto había dejado el riego matinal. Tan pronto como el sol disipara la neblina mañanera de otoño, el agua se evaporaría y el polvo volvería a apoderarse de la calle.

En la fachada de la casa de enfrente pendía a tiras un cartel de propaganda oficial. Parecía que no hubiera sido el viento sino dedos humanos llenos de ira los que le hubieran arrancado los pedazos. Pasaron dos monjas. Antolín las vio de espaldas; los vuelos pesados de las faldas eran pompas sólidas de viento negro. ¿Qué era lo que decían las gentes? ¡Ah, sí! Tres monjas de cara eran buena suerte, de espaldas desgracia. Se imaginó la cara enfermiza de Amelia encuadrada en una cofia, una monja vieja a cada lado. La Madre Superiora se le parecía en su imaginación preocupada y cariñosa, como si el fervor de sus compañeras no cuajara con su temperamento suave. Tal vez él debería haber tratado de hablar con la Madre Superiora y llevarse consigo un recuerdo mejor que este sabor amargo que llenaba su boca cada vez que pensaba en su hija. Ahora era muy tarde para ello. Amelia y Pedro estaban ahora enterrados en su propio mundo, en el que él no quería penetrar.

Antolín quería imaginarse a Juan. Buceaba en su memoria, tratando de reunir los recuerdos dispersos. Le recordaba vivamente como un granujilla viniendo a casa de la escuela, hambriento y vivaracho como un gorrión. Se acordaba de un chiquillo, flaco, de huesos frágiles, asustándose del agua fría del río y lanzándose de pronto en el remanso más hondo con un chillido agudo. Lo que no podía recordar eran las cosas que el chico le había preguntado o las respuestas que él había dado. Tal vez, nunca habían hablado mucho los dos. Durante sus años en el frente no había visto a los hijos más que una vez que le dieron un permiso muy corto al principio de la guerra. Después se dispersaron en las escuelas para evacuados. Los había perdido antes de conocerlos y de que ellos le conocieran a él, si es que es posible conocer a alguien. No era él solo: demasiados chiquillos se habían convertido en hombres sin conocer a sus padres.

El cuerpo mal alimentado, joven, con tres agujeros negros, iba a ir hoy a la tierra. ¿Cuál es el sentido de todo esto? Le parecía a Antolín que se estaba portando como esas gentes que han sufrido una amputación y de pronto se interesan tanto por el miembro perdido que todo se les vuelve preocuparse de que nadie lo profane.

Una llamada a la puerta le sobresaltó. La doncellita trataba de componer una cara muy seria en lugar de su carilla traviesa, para no herirle en sus sentimientos. ¡Con lo que él hubiera agradecido ver su sonrisa alegre!

No fue ella, sino doña Felisa, quien le trajo el café. Puso la bandeja sobre la mesilla de noche y le tocó la manga con su mano llena de morcillitas:

—¿Puedo hacer algo, don Antolín? Ya sabe que lo haría con mucho gusto.

—Doña Felisa, ha hecho usted más de lo que debía. Cualquiera otra patrona me hubiera puesto en la calle por todas las molestias que he causado.

Se encaramó a la cama sin hacer y, ya sentada allí, dejó descansar las manos sobre la falda. Tenía las piernas muy cortas y los pies se balanceaban en el aire, encajados en zapatos ridículamente pequeños.

—Bueno, mire, amigo, no puedo dejarle que se reconcoma a solas. Como ya le he dicho, yo soy ya una vieja simple y una metomentodo, pero puede tener confianza conmigo. Si no tiene ganas de hablarme, lo entiendo. Pero si yo fuera usted, no me estaría aquí solo, hoy sobre todo. Ese buen amigo suyo, el señor Eusebio, me ha contado una porción de cosas que no sabía. Espero que no le importe. Yo soy una cotorra, pero sé callar los secretos de los amigos.

—Sí, ya sé que es usted una buena amiga. Es fácil hablar con usted… ¿Sabe que me llevo a la muchachita joven conmigo a Londres? La novia de mi hijo muerto.

—Me lo ha dicho el señor Eusebio, y creo que es estupendo para los dos. Nunca he entendido por qué se quedan aquí los jóvenes si pueden marcharse. Cuando yo era muchacha, miles y miles se marchaban a ultramar y se hacían una vida allí. Hoy se quedan aquí y la mayoría de ellos se convierten en unos amargados. Así que me alegro de que la muchacha tenga el coraje de marcharse, ahora que tiene la ocasión, antes de que el mundo se le caiga encima.

—¡Pero, señora Felisa! Usted misma no puede querer que todos los jóvenes se marchen de aquí.

—No sé, no sé. Tal vez los mejores, si consiguen salir adelante y no se desesperan, es mejor que se queden. Lo que a mí no me gusta es la gente pudriéndose de asco. No importa dónde esté uno, con tal de que se encuentre a gusto por dentro; y esto es lo que es más difícil en este pobre país que Dios ha dejado de su mano.

—Entonces, ¿usted no cree que es malo para la gente que se marchen del sitio en que nacieron y se han criado? ¿No cree que es una deserción y que a cualquier parte que vayan, no sirven para nada?

Ella sacudió la almohada y dijo resueltamente:

—No, no lo creo así. Lo que es malo es que la gente ande dando vueltas, que es lo que hacen aquí la mayoría. Todo el mundo tiene que hacer lo que le toca en este mundo, eso se lo digo yo, y no importa dónde lo haga. Esto es lo que a mí me parece.

Pensativo, Antolín dijo, como si estuviera hablando solo:

—Me hace usted acordarme de una vieja señora que conozco en Londres. Es la madre de un gran amigo mío, un refugiado de Alemania o Austria, no me acuerdo. Algunas veces la llevaba al restaurante donde yo estaba de camarero, y siempre charlábamos un rato, ella y yo. Es una viejecita menudita y arrugada, con los ojos más cariñosos y las manos más chiquitas que he visto en mi vida, y puede reírse con tanta alegría como una chiquilla. Lo más grande de ella es que le hace a uno sentirse en casa en cuanto le habla, sea donde sea, aun en un restaurante donde uno no es más que un camarero. Uno sabe que le es simpático y que agradece cualquier cosa que se haga por ella. Le hace a uno sentirse contento y bueno. Y nunca piensa en sí misma. Sabe usted, doña Felisa, perdió su casa cuando ya era muy vieja y no siempre le va muy bien en Inglaterra, pero se enfada si uno le dice que lo siente mucho. Yo le pregunté una vez si no echaba de menos su tierra y sus amigos, y me regañó como a un chiquillo travieso. Me dijo que, claro, los echaba de menos, pero que ahora era muy feliz allí porque todo el mundo era muy bueno con ella, y había echado raíces nuevas y vivía con las personas a quienes más quería. Empezó a contarme las cosas interesantes que había visto en Inglaterra y a hablarme de las flores que su hijo había plantado en el jardín para ella. Le digo, doña Felisa, que acabó avergonzándome de que yo fuera mucho más joven que ella y me sintiera perdido. Tengo que tratar de verla cuando vuelva. Se va a alegrar si le digo que me quedo en Inglaterra para siempre. Pero no creo que pueda aprender su secreto. Ella lo tiene dentro y la mayoría de nosotros, no. Seguramente nos sentimos perdidos porque nos falta su bondad y su fe en la vida.

Doña Felisa replicó dulcemente:

—Claro que no conozco a la vieja señora esa, pero seguramente ella no se siente perdida porque no piensa en sí misma, sino en otros. Esto no se puede aprender, pero uno puede intentarlo. Es una pelea el tratar de ser bueno, tal como están las cosas, pero al fin y al cabo no valdría la pena estar aquí si no se peleara uno. Pelearse por lo que debe ser, esto es lo que quiero decir, y lo que Dios quiere que hagamos. Sólo que cada uno lo hace conforme a lo que es. Usted también tendrá que hacerlo a su manera. Tal vez no por bondad, vaya usted a saber.

Antolín se movió del marco de la puerta:

—Es usted un buen predicador, doña Felisa. Pero ahora, si no se enfada, voy a bajar a desayunar. Tengo por delante un mal día y tengo que pelearme con ello, como usted dice, a mi manera.

El taxi dejó a los cuatro, Antolín, Lucía, Conchita y Eusebio, a la puerta del depósito. Era un edificio bajo, sin adornos, construido con cemento, que se destacaba en un océano de sepulturas en las que abundaba el mármol. Estaba en la sección de los ricos, la más próxima a la puerta del cementerio, exhibiendo toda una jerarquía de bustos patricios encajados en guirnaldas floridas, ángeles llorones y matronas abundosas petrificadas. Sobre los epitafios dorados, los rosales sin flor y los crisantemos pelados por el viento, hacían guardia los cipreses como centinelas sombríos.

Un pequeño grupo de hombres esperaba a la puerta del depósito. Dos de ellos, flanqueando la puerta, eran claramente agentes de policía. Los otros eran desconocidos para Antolín. El más alto y fornido avanzó hacia él, siguiéndole otros dos más jóvenes; mal vestidos de negro.

—Usted es el padre de Juan, ¿no? —dijo, y extendió su mano—. Le acompaño en el sentimiento. Ha sido una mala faena. Yo soy Rufo...¡Oh, sí!, ya veo que no le ha hablado de mí. —Rufo se encogió de hombros—: No importa. Yo era su compañero en el taller. Bueno, nos peleábamos como perro y gato, pero yo era su mejor amigo. Estos dos también son compañeros, buenos chicos. Hemos venido para enseñar a éstos que sus compañeros no le olvidan.

Se estrecharon las manos todos, cruzando palabras tímidas. Cuando vio Rufo a las dos mujeres, se sorprendió y les hizo una cortesía torpe. En lo que él creía ser voz baja, preguntó a Eusebio:

—¿Usted también es de la familia?

—Sólo un amigo de la familia —contestó Eusebio.

—¡Ah, bueno, no importa! Lo que cuenta son los amigos de verdad.

Con los dos detectives siguiéndoles a distancia discreta, entraron en el mortuorio. La funeraria había hecho bien su trabajo: la losa desnuda de piedra había quedado convertida en un catafalco cubierto de negro y rodeado por seis cirios. Sobre la tapa del ataúd descansaban dos coronas, con las cintas muy planchadas para que se pudieran leer las dedicatorias, una de un desconsolado padre, otra de Lucía. Antolín se sorprendió a sí mismo, sonriéndose al leer las pomposas inscripciones puestas al gusto de Eusebio. Un ramo de una docena de enormes crisantemos, cruelmente atados en un mazo, descansaba al pie del ataúd:

—Esto es de nosotros, de los compañeros de la fábrica. No hemos podido encontrar nada mejor —dijo Rufo orgullosamente, señalando el ramo con un dedo enorme.

De alguna puerta en el fondo surgió un sacerdote con un libro en sus manos, seguido de un sacristán que llevaba un hisopo de agua bendita. El cura miró interrogante a Antolín, que inclinó su cabeza, y comenzó a canturrear las fórmulas latinas. Después tomó el hisopo con movimientos automáticos, casi como un prestidigitador, y roció la caja con agua bendita. Las gotas caídas sobre la tapa sonaron con un ritmo rápido y pesado, como el de los primeros goterones de una tormenta. Eusebio puso un billete doblado en la mano dispuesta del sacristán, y el cura y su acólito desaparecieron tan silenciosamente como habían venido. Los mozos de la funeraria tomaron el ataúd y lo llevaron a la carroza que esperaba a la puerta. Comenzaron la larga marcha a través del paisaje de sepulturas. Dos caballos viejos tiraban de la carroza a un trote cansino, los autos seguían en primera, sus frenos chirriando quejumbrosos de tiempo en tiempo.

Antolín miraba a Lucía, sentada enfrente de él con la cabeza reposando en el hombro de Conchita. El sencillo velo negro sobre su cabeza le cubría los ojos como las tocas de una viuda. La hacía parecer como una muñeca vestida con un traje regional; las piernas enfundadas en medias negras eran flacas como las de un muchacho. Una vez que estuvieran en Inglaterra tenía que explicarle que ya no era necesario llevar el interminable luto español. Nadie creería allí que había olvidado al difunto si no iba vestida fúnebremente.

¿Lo entendería? Antolín estaba asaltado de dudas. Había decidido llevarse a Lucía con él, siguiendo un impulso y por la simpatía mutua y profunda que entre ellos había surgido y que era para él como un bálsamo. Ahora, se dijo a sí mismo, no tenía que olvidar que carecía de derecho a esperar algo de ella. Sería un error fatal que tratara de moldearla de acuerdo con sus ilusiones. No era un sustituto de los hijos que había perdido, sino una persona independiente, a quien podía y quería ayudar a crearse una vida fuera de las negras sombras de España. Era posible que encontrara que los pensamientos dentro de aquella cabecita estaban muy lejos de ser lo que él quería que fueran, pero desde luego él tenía ganas de oírla hablar francamente de sí misma, tal como era. Mientras la gente no habla con franqueza, es fácil creer que uno los entiende. Sin embargo, Antolín sabía que él necesitaba hablar a aquellos hacia quienes sentía cariño, y aceptar el riesgo humano y eterno de incomprensión a través de las palabras.

Estaba deseando hablar a Mary. ¿Le gustaría Lucía? ¿O le disgustaría la forma arriesgada en la que había adquirido una nueva responsabilidad, precisamente cuando había fallado tan dolorosamente a sus viejas responsabilidades?

La única carta que había recibido de Mary estaba llena de detalles de su vida diaria, pero de reticencias sobre ella misma. Era una carta cariñosa que no comprometía a nada. Se veía claramente que no quería pensar en sus decisiones; únicamente decía que esperaba volver a verle pronto. Bien, le iba a ver.

Como las fotografías de anuncio de una película, así veía escenas de los cortos e interminables días pasados en Madrid: los muchachos del mercado negro; los golfillos escarbando en busca de comida entre los pies de la gente sentada en un café; la muchacha del burdel mostrándole sus dedos torturados; la cara enérgica del cura reclamando su vuelta a la gracia; el gesto de su hijo mayor explicando las leyes cínicas de los que estaban dispuestos a tener una vida fácil; los ojos fanáticos de su mujer y su hija, las dos hambrientas de un Dios y de una esperanza que no estaban dispuestas a compartir con nadie; los ojos abiertos del viejo espiritista en el depósito; el ataúd de su hijo, cuya cara no podía recordar claramente, aunque reveía las heridas fratricidas en su cuerpo en su exacta situación anatómica; los hombros recios de este Rufo que venía en el coche detrás de ellos; y una masa de facciones confusas de todos los policías. No había que buscar explicación a estas visiones.

Después Antolín se veía a sí mismo, no en posturas fijas como los otros, sino en un movimiento lleno de dudas y vacilaciones, asintiendo cuando debería haber luchado, desamparado ante acontecimientos que su presencia había ayudado a provocar, arrastrado por impulsos repentinos de piedad y de conmiseración, consigo mismo, moviéndose en rumbo desconocido. Pensó si alguna vez llegaría a ser diferente, y rogó por ello.

Lucía habló de pronto:

—Quiero verle por última vez.

—Ya le vas a ver —replicó Conchita, sin mover la cabeza.

La muchacha volvió a sumergirse en sus pensamientos confusos. No estaba muy segura de querer ver a Juan otra vez muerto en la caja. A lo mejor le quedaba para siempre el recuerdo de su cara muerta en lugar del recuerdo de sus facciones vivas, y se estremecía. Las muchachas en el taller habían dicho que no debía de quererle mucho, porque no había llorado bastante delante de ellas. Antes decían que él no debía de quererla mucho, porque le decía pocos piropos. Era verdad que a él no le gustaba mucho usar la palabra «amor», pero, ¡había querido tanto que ella le quisiera! Cada vez que le dejaba que le diera un beso era como un chiquillo con una barra de chocolate en la mano, asustado de comérsela por ser tan raro y precioso.

Si le dejaban verle antes de cerrar la caja, no iba a mirarle a la boca.

Estaba bien que el velo le tapara los ojos; los sentía hinchados y escocidos. Doña Rosa le había regalado el velo. Había llorado un poquito y la había besado como una madre, no como su propia madre, sino como besan las madres en las películas. Las chicas la habían mimado mucho, pero era porque querían oír mucho más de lo que había pasado y porque querían que les enviara cartas desde Inglaterra. ¿Qué es lo que había pasado? Habían matado a Juanito. Los falangistas lo habían matado porque Pedro lo había denunciado. Pedro era un asesino. Si el señor Antolín no la hubiera querido, ella se hubiera muerto, porque no podía luchar como otros, como Conchita que era fuerte y que se reía con una boca llena de dientes blancos. Lucía se imaginaba a ella misma descansando en un ataúd blanco, mucho más bonita que en vida, y veía a todos los vecinos consolando a su madre. ¿Qué pasa si una se muere? Si el alma de Juanito ahora podía verla, tenía que estar muy enfadado y triste porque no podía pensar en él todo el tiempo. Mañana, en el avión, preguntaría al señor Antolín qué es lo que él creía que pasaba a la gente cuando estaba muerta. Él se lo diría, y no se enfadaría porque ella no lo supiera a pesar de lo que le habían enseñado las monjas. El señor Antolín no era como los demás. Se lo diría. Pero, ¿cómo le iba a llamar desde ahora? Él no le había dicho que pudiera seguir llamándole padre, pero «señor Antolín» sonaba muy raro y muy serio. «¿Tío Antolín…, padre…, papá…?»

Era raro, olía como nadie que ella conociera. Ahora mismo, en el taxi cerrado, lo notaba otra vez. Debía de ser porque había venido de Inglaterra. Cuando venían los del pueblo, también olían distinto que los que estaban en casa, pero el olor era familiar. Era terrible marcharse a un sitio donde hasta la gente olía diferente. Pero él tenía los ojos bonitos y la quería mucho; tampoco le importaba que le hiciera preguntas tontas, así que no tenía importancia que fuera tan extraño. Era lo mismo que había dicho a Juanito antes de ver a su padre por primera vez. Y ahora ella iba a conocer al padre de Juanito, iba a conocerle de verdad, y Juanito no le conocería nunca. En toda la eternidad. La eternidad era como una escalera de caracol. Se imaginaba subiendo escalón a escalón, vuelta tras vuelta, hasta que se asustaba del espacio que había a sus pies y trataba de recordar las oraciones que le habían enseñado las monjas en el único año que fue a la escuela. A través del velo siguió mirando a Antolín.

Conchita estaba sentada rígida, con su brazo izquierdo tras las estrechas espaldas de Lucía. Estaba agotada después de pelearse durante horas con las preguntas insistentes de la señora

Luisa sobre sus espíritus guía. Teresita y don Américo, don Américo y Teresita. Cuando Conchita había intentado darle un mensaje de Juan, había vuelto la cabeza, pero al menos había llorado un poco. Es decir, sabía lo que había ocurrido, pero no quería darse por enterada. Al nombre de Pedro había puesto ojos vacíos, con miedo asomado al fondo. ¡Pobre mujer! Conchita pensó qué era lo que Antolín había encontrado en ella para casarse. Naturalmente, él era tan viejo como Luisa, y Luisa podía haber sido bonita cuando tenía los años de Lucía. Pero Antolín no parecía fijarse mucho en esas cosas; si no, se hubiera acostado con ella. Era más guapa que ninguna de ellas. ¡Oh!, ¿qué sacaba ahora de pensar en ello? Al fin y al cabo, ¿para qué servía aquello? Hasta podía regalar a alguien su juego blanco. Tonterías, no lo iba a hacer. Aún había otros hombres, y ya no se estremecía si la tocaba Antolín. Su penitencia sería cuidar de Luisa. Si se hubiera acostado con Antolín, no se hubiera atrevido a hacerlo, pero según habían pasado las cosas, se atrevía a todo, hasta a hablar del espíritu de Juanito antes de que el pobre chico estuviera enterrado.

Aquella mañana, cuando le había dado el mensaje de todos los miércoles, Consuelo tenía un aspecto horrible, pero no parecía desesperada. Ésa le iba a dar al traidor de Pedro algo mejor que lo que iba a recibir de él. Y seguiría contándole a Conchita mucho más de lo que imaginaba. Muchas informaciones salían mientras los dedos de Conchita frotaban el sitio que dolía a alguien. Pero las cosas que Conchita adivinaba —la voz que había en ella—, eran más verdad que las cosas que la gente pudiera contarle. Ahora sabía que Antolín se olvidaría de ella, porque tenía que ser así, no porque él quisiera. Era como debía ser. Se quedaría con su Mary, ya no servía para peleas. El fulano aquel, Rufo, era distinto. Ése no era de los que ponían el otro carrillo tan fácilmente. ¿No era su marido quien había mencionado a Rufo como a un buen amigo? Rufo era uno de los suyos, de ella. A ése no le importaba enseñarles los dientes a los dos policías que iban con ellos. Si alguna vez necesitaba que se hiciera algo, recurriría a él. Ya se iba a acordar de ella, eso no lo dudaba. Tal vez iba a hablar con él en cuanto Pedro dejara de esconderse detrás de las faldas de doña Consuelo.

Sólo que los hombres son brutos. No Antolín, pero éste ya no contaba. Los hombres matan fácilmente, como si la vida no valiera nada. Y ella odiaba la muerte. Una vez que una empieza algo, es como una cadena. Juanito había sido un eslabón en una cadena. Don Américo, que era un santo, no podía oír hablar de violencia. La odiaba, y por eso se había muerto de susto como un pájaro. Si ella tuviera un hijo, no querría ni que matara, ni que se lo mataran. ¿Cuándo se acabaría la matanza? Ni Dios podía contestar a esta pregunta, porque era él el que había hecho a los hombres y los había dejado libres.

Eusebio cabeceaba en un rincón.

En el segundo coche, Rufo dijo a los otros dos:

—El mister ese no es tan malo. Ni tan siquiera ha mirado a los dos cerdos de espías que nos han mandado. ¡Maldita sea! ¿Por qué los tenían que mandar? ¿Creen que íbamos a venir en procesión gritando «¡Muera Franco!»? No es que no hubiera estado bonito, ¿para que nos fusilaran como al pobre Juanito, el idiota, Dios le perdone? Porque, naturalmente, esto ha sido culpa suya. Yo se lo decía todos los días de su puñetera vida y él seguía emperrado con su comunismo. Yo no sé qué les pasa a estos comunistas, que cada uno de ellos va por el mundo como si fuera el Papa o el mismo Stalin, sabiendo todo mejor que nadie. Y ahora míralos, ni uno de esos hijos de zorra ha venido al entierro. Han sido capaces de dejar que lo enterraran como a un perro muerto en la calle, antes que asomar la jeta y que se la vea la policía.

—No creo que sea tan estúpido por su parte, Rufo —dijo uno de los otros—. Los dos soplones esos nos tienen ahora anotados en su cuadernito con todos los pelos y señales.

—¿Y qué? ¿Te ha entrado cagalera? Eso no es nada. Saben que trabajaba en el mismo taller que nosotros, y todos esos soplones maricas que hay en la oficina les van a contar que estábamos más unidos que una pandilla de ladrones. Así que hubiera sido mucho peor que nadie hubiera venido. Entonces sí que se hubieran olido algo. Lo único que me preocupaba era mi genio. No sabía si iba a poder tener la boca cerrada.

—¡Sí que ha sido asombroso! —dijo el más joven.

—No conoces tú a tu Rufo. Una cosa es ser un macho y mostrárselo a ésos, y otra cosa es armar un lío cuando no le va a aprovechar a nadie. Tengo ganas de enterrar a unos cuantos de esos canallas de fascistas, pero no quiero que me entierren a mí como un criminal, a escondidas, como vamos a enterrar hoy a ese pobre primo. ¿No me has visto ir a uno de los polis y darle fuerte la mano, acompañarle en el sentimiento y preguntarle quién era de la familia? ¿Por qué te crees que lo he hecho? Porque ahora se creen que soy un medio idiota del que no tienen que volverse a preocupar... Pero hay una cosa que no me voy a olvidar, es la cara de la mala bestia que mató a Juanito, y un día me lo voy a cargar. Pero nada de políticas, ¿eh? Yo tengo mis trucos para esas cosas. Por ejemplo, un día pasas al lado del fulano que quieres sacudir y le pisas fuerte los callos. Después le dices «usted dispense», con cara de conejo asustado, y te apuesto lo que quieras a que comienza a llamarte cosas feas. Y ya le tienes a punto. Le puedes romper los dientes o lo que te dé la gana. Si te llevan a la policía no pueden hacerte nada. Tienes testigos de que le has pisado sin querer, de que le has dado tus excusas como un chico bien educado, y que él te ha llamado hijo de puta. Así hay que hacer las cosas.

Rufo respiró hondo y continuó:

—¿Os habéis fijado en las mujeres? La pequeña es exactamente el tipo para un chalado romántico como Juanito, Dios le perdone, pero le falta carne en los huesos. Pero la otra... La otra es algo serio. Lo que me gustaría es charlar un rato con el padre. Es uno de los nuestros, aunque no lo parece, y me gustaría preguntarle qué es lo que andan haciendo en Londres los laboristas, dándose la lengua con la pandilla de Franco, mientras aquí estamos arriesgando el pellejo y comiendo mierda. Bueno, ahora les puede contar, cuando vuelva, quién ha matado a su hijo y preguntarles qué les parece...

Siguió perorando sobre las posibilidades de la liberación de España, de los dos, de Franco y de los comunistas, en otra guerra internacional, cuando la comitiva se detuvo: un empleado recogía el certificado de enterramiento. La carroza y el séquito siguieron a paso lento entre hileras de montones de tierra sin lápidas ni señal alguna, hasta que al fin se detuvo frente al campo abierto: Rufo se apeó del coche y exclamó:

—¡Caray, nos han traído al fin del mundo!

Estaban en el extremo más apartado del cementerio, donde hasta el camino de grava desaparecía. A derecha e izquierda se extendían hileras de tumbas nuevas, cubiertas a medias por terrones con tufos de hierba basta y medio reseca, entre los cuales pequeños ramos de flores marchitas y alguna que otra simple cruz parecían ahogarse. En la cuesta que se elevaba ante ellos, había una partida de sepultureros trabajando a pares en la apertura de nuevas fosas. Grandes tallos de cardos, grises y erizados, se mecían crujiendo bajo el viento. Pero la tierra que se apilaba a los lados de las nuevas tumbas no era seca como la de la superficie, sino húmeda, rica en jugos, que parecía respirar con vida bajo el sol.

Un sepulturero le enseñó el camino, una estrecha vereda cuesta arriba. Antolín, Eusebio, Rufo y uno de sus compañeros cogieron el ataúd a hombros. No era pesado, pero tuvieron que detenerse varias veces para cambiar de sitio y repartir el peso sobre sus hombros. Conchita, Lucía y el otro obrero seguían en silencio. Al borde de una sepultura abierta esperaban los sepultureros. Se quitaron las gorras y ayudaron a dejar el ataúd en el borde del hoyo, sobre las cuerdas preparadas para el descenso. El empleado de la funeraria se adelantó con una llave en la mano:

—¿Quieren ustedes verle?

—Sí —replicó Antolín.

El hombre se arrodilló y levantó la tapa de la fúnebre caja. Habían envuelto el cuerpo en una sábana y le habían cubierto el pecho hasta la mitad. Bajo la capucha formada por la sábana, la cara parecía la de un monje tallado en marfil, ascética, llena de paz. Rufo murmuró unas blasfemias. Uno de los sepultureros, llevando una esportilla con cal viva, tocó el brazo de Antolín:

—¿Le ponemos un poco?

Antolín se quedó mirándole sin comprender, hasta que recordó que algunas gentes creían en el efecto de la cal para evitar a sus muertos la humillación de los gusanos.

—No —dijo.

Sería odioso abrasar las flores. Se inclinó, cogió un puñado de tierra y lo dejó caer en el sudario cerca de los pies. Los demás siguieron su ejemplo. Rufo, todavía murmurando maldiciones, cogió un terrón gordo y lo besó estrepitosamente. A su espalda un sepulturero susurró a su colega:

—¡Un ratón de iglesia!

El hombre de la funeraria cerró la tapa. Los sepultureros balancearon el ataúd por sus asas sobre la boca de la sepultura y dejaron correr lentamente las cuerdas para que descendiera de nivel.

—Es el tercero —dijo el capataz a Antolín en un murmuro confidencial—. Bueno, el tercero empezando a contar desde el fondo. Será el cuarto, contando desde arriba.

El ataúd había desaparecido en el hoyo, los sepultureros recobraron las cuerdas y comenzaron a echar con palas la tierra pedregosa. Se detuvieron cuando la caja quedó apenas cubierta. Los asistentes continuaban allí, sin decidirse a marchar, hasta que el capataz se volvió otra vez a Antolín con un bisbiseo obsequioso:

—La capa de ladrillos la pondremos más tarde.

Echaron a andar, los últimos Antolín y Lucía, ésta colgada de su brazo. Rufo se quedó atrás, inmóvil, hasta que los otros se alejaron bastante. Entonces puso una mano pesada en el hombro del sepulturero que le había llamado ratón de iglesia:

—Le puedes dar gracias al muerto. Si no fuera por respeto a él y a la familia, te saltaba los morros. ¡El ratón de sacristía lo serás tú!

—Perdone, amigo —dijo el otro—. Si lo toma así, está bien. Pero aquí viene toda clase de gente y ésa es una clase que yo no puedo tragar. No digo los que se quedan aquí, pero algunos de los otros… ¡Choque esos cinco! —Se estrecharon las manos solemnemente y después se limpiaron las manchas de barro de los dedos.

Al pie de la cuesta, Antolín tomó a Lucía por el codo y la ayudó a salvar los terrones pegajosos que se adherían a la suela de los zapatos. A su izquierda cavadores invisibles seguían lanzando paletadas de tierra del fondo de las nuevas tumbas. De pronto Lucía se opuso a la presión de la mano de Antolín que la guiaba, y se quedó mirando a un informe montón no lejos de ellos. Parecía un montón de huesos grises, carcomidos y astillados.

—¿Es que están vaciando las tumbas viejas, padre?

—¡Oh, no! Esto es tierra nueva.

—Pero eso son huesos, ¡mira!

Se acercaron desasosegados al montón. Antolín recordó con un estremecimiento que, cada diez años, los restos de las gentes que no podían pagar por la sepultura eran extraídos para dejar el sitio a los recién llegados; y aquella parte del cementerio era la zona de los pobres, ocho muertos que no tenían nada que ver entre sí, amontonados uno sobre otro.

Lucía repitió:

—¡Pero, son huesos!

Un viejo sepulturero surgió del hoyo más próximo, puso sus manos en la cruz del mango de su pala como un viejo pastor descansando en su cayado, y dijo con una amplia sonrisa:

—No se asuste, señorita, eso no son huesos.

—Pero, ¿qué son entonces?

—¡Bah!, una cuantas raíces rotas. Es un trabajito sacarlas de la tierra. Dicen que aquí había en viejos tiempos un bosque muy grande, y yo creo que tienen razón. Cuando empezamos a ahondar de verdad, nos tropezamos con estas raíces y tenemos que romperlas una a una. Pero no se vaya a creer que están muertas, ¡ca! Yo siempre digo que si las dejáramos dentro, en un dos por tres se llenaba esto de árboles creciendo. Mire usted —dijo echando a un lado las raíces resecas y retorcidas del tope del montón y descubrió las del fondo, donde el sol y el aire no se habían llevado aún los últimos restos de humedad. Manojillos de fibras blanquecinas surgían aquí y allá de las decrépitas y martirizadas raíces, se extendían sobre la tierra obscura como flecos de seda y parecían agarrarse a ella con la tenacidad de un niño de teta al pecho de su madre—. Si las metiéramos dentro, donde no está agria la tierra, y si les lloviera encima tres días, las nuevas raíces comenzarían a crecer —terminó diciendo el hombre de la pala.

Middle Lodge
Eaton Hastings, Berks
Inglaterra

Nota editorial

Esta edición corregida ha sido cotejada con la realizada en Argentina por Santiago Rueda Editor en 1955 y con la editada en Nueva York, bajo el título *The Broken Root*, por Harcourt, Brace and Company en 1951.

La corrección ha afectado fundamentalmente a los anglicismos y fluctuaciones gramaticales, quizá debidos a su edición previa en inglés, que podían dificultar la comprensión del texto. Se ha respetado la imagen que del habla madrileña da el autor.